SA ||||||||||||||||||||||||||||| ARY
☑ S0-AJN-928
SACRAMENTO, CA 95814
8/2012

彭三源⊙著

人到四十

Ren Dao
Sishi

• 《人到四十》——中年经典 •

演绎中年危机，追索精神温暖，每个人的岁月和生活

北京航空航天大学出版社
BEIHANG UNIVERSITY PRESS

图书在版编目（CIP）数据

人到四十：电视剧《人到四十》同名小说 / 彭三源
著 . -- 北京：北京航空航天大学出版社，2011.11
ISBN 978-7-5124-0629-2

Ⅰ . ①人… Ⅱ . ①彭… Ⅲ . ①长篇小说—中国—当代
Ⅳ . ① I247.5

中国版本图书馆 CIP 数据核字（2011）第 222764 号

版权所有，侵权必究。

人到四十

彭三源　著

责任编辑　胡性慧
*
北京航空航天大学出版社出版发行

北京市海淀区学院路 37 号（邮编 100191 ）　http://www.buaapress.com.cn
发行部电话：（010）82317024　传真：（010）82328026
读者信箱：bhpress@263.net　邮购电话：（010）82316936
三河市汇鑫印务有限公司印装 各地书店经销
*
开本：700×960　1/16　印张：17　字数：305 千字
2011 年 11 月第 1 版　2011 年 11 月第 1 次印刷
ISBN 978-7-5124-0629-2　定价：34.00 元

若本书有倒页、脱页、缺页等印装质量问题，请与本社发行部联系调换。联系电话：（010）82317024

我们不能依照生命之晨，

来度过生命之午后，

因为晨时的伟大会成为傍晚时的琐碎，

而晨时的真理会在傍晚变成谎言。

　　　　　　　——荣格（心理学家）

活得使你渴望再活一次

这样活着是你的责任。

　　　　　　　——尼采

目 录

第1章 死亡捎来的口信

说起来这是普通的一天。非常非常普通的一天。天晴，无雨，无风，和谐，太平。

但是对于梁国辉来说这一天不普通。

胸透的仪器在躯体上扫过去。这仪器在躺着的人的视线里是夸张的，带着几分夸张，诡异，甚至有点像是某种刑具。躺着的人就是梁国辉，市属精神病医院阳光医院的主任医生。

然后，在另一个房间里，梁国辉把各种化验单交给了一个医生。医生看完了结果，跟梁国辉说我想跟你谈一谈。

梁国辉说实话实说吧，我也是医生。

梁国辉的妻子郑洁是第三医院外科的主任医生，她这天也在忙，忙工作，同时，她在托关系，忙着给梁国辉调动工作。郑洁托的关系是她和梁国辉共同的大学同学、好友李长江，他原来在卫生局工作，后来下海经商，做医疗器械。李长江就是到中心医院找院长谈进口医疗设备的事，被郑洁拦住了。郑洁知道，在李长江的脑子里有一个关系网，可以说在医疗系统，就没有李长江办不到的事。

郑洁要求李长江利用私交，跟中心医院院长落实梁国辉的工作调动问题……李长江非常为难，他了解梁国辉的为人，作为哥们儿他不能这么做，但郑洁告诉李长江，"必须要让梁国辉走出精神病院，像所有丈夫一样承担家庭的责任，否则，得精神病的就是我了！"

李长江问郑洁：你们两口子……至于吗？

郑洁说：至于。

梁国辉在阳光精神病院工作。每天，是和医院里各种各样的精神病人打交道。最大的愿望，是希望有一天他们能像个正常人一样，走出医院，走向社会。但是这何其难也。精神病医生最大的难关，就是病人的病是在脑子里，但是，脑子里找不见病灶，没有形状，没有色彩，没法形容和比喻，你想治愈，但是常常无从下手。一直到今天，精神病学都是一个神秘的领域，是世界医学界没有攻克的谜题。没有什么比精神失常，更是人类的难解之谜。

而从医生的治疗手段来说，没有昂贵的特效药，没有昂贵的设备，不能开刀手术，总之一句话，在这么一个商业时代，没有创收手段。梁国辉是阳光医院三病区的主任，副院长的人选。在他的工作领域，他是一个专家级的医生，但也是不多的骑自行车上班的人中的一个。就因为精神科医生清贫，没有钱。

这还不是最难的，真正难的的是梁国辉作为精神科医生还要承担其他的风险，比如现在，梁国辉所在的医院就被一个刚出院的病人和病人家属给告了，告医院非法绑架，这病人是从梁国辉主持的病区出院的。

郑洁觉得，梁国辉太不值了。郑洁也是替自己觉得，梁国辉太不值了。因为婚姻是实实在在的。可在郑洁和梁国辉的婚姻中，在日常生活中，实在指望不上梁国辉什么。

郑洁是一个爱唠叨的女人。郑洁想让梁国辉离开精神病院，劝了好些年了，郑洁的愿望还没实现。就因为老实现不了，这事就变成郑洁最大的心愿。她跟这事儿轴上了。

而官司这事儿，成了郑洁这一轮折腾的导火索。

医生问梁国辉最近有什么不舒服的地方。梁国辉说就是觉得没精神，别的没有什么。前一段时间有点儿低烧，后来慢慢好了。别的也没有什么。

医生说所有的病都一样，在有症状的时候一定要赶紧治。到了一点儿症状都没有的时候，一旦发现什么，就不是好事。

梁国辉说不兜圈子了，直说行么？

医生把梁国辉的胸透片子卡在了读片器上，让梁国辉自己看，问他看出什么没有？

梁国辉说没有。

医生说：肺部。

梁国辉不说话了。

医生告诉梁国辉，他肺部有李子那么大的云状阴影，初步确诊为肺癌。梁国辉懵了。

医学常识告诉他，核桃那么大的阴影至少已经是四期以上了。

医生看着梁国辉。

梁国辉说：我看明白了。应该最多不过三个月到半年的活头吧？

医生默认了梁国辉的说法。

郑洁对张江说，长江，这忙你帮也得帮，不帮也得帮，梁国辉要是还在精神病院干下去，我们这日子就没法过了。

李长江笑道：我说你威胁我啊？

李长江又说，你总得让我跟国辉商量商量吧？郑洁说，不商量，商量的结果肯定是他不同意，那等于没商量。

李长江道：我说郑洁，可没这么替老公做主的。

郑洁道：我就做主了。

李长江说连个招呼都不打不变成绑架了吗？郑洁说不是绑架。她跟梁国辉上了一条贼船，不想个办法船就沉了。李长江又问了一遍至于吗，郑洁说至于。

梁国辉整个人是虚弱的。腿软，自行车不能骑了，骑上就要摔跟头。他把自行车扔在医院，一个人在街上一步一步往前挪……

街上正常的车水马龙，在梁国辉眼里全变态了，色彩不对，声音不对，形状不对，哪儿哪儿都像地狱之门……

所有人都活着，他快被世界抛弃了……梁国辉找到了僻静的地方，扶住了一堵墙，软软地滑了下去。

这时，郑洁给梁国辉打来电话，在电话里郑洁问梁国辉晚上能不能回家做饭，梁国辉虚弱地说不能。郑洁说你就不能早回家一天吗？我们医院有新的病人。

梁国辉坚持说不能。

郑洁火了，你比谁都忙！

梁国辉把电话挂断了。

夜很深了梁国辉还坐在墙根儿，失魂落魄。

梁国辉给李长江打了个电话：哥们儿，你接我一趟。

当李长江看见医生的诊断报告时，被吓坏了，眼泪一下子就要往下掉。梁国辉撑着，说你别哭，老爷们儿眼窝子怎么那么浅啊，你先把我的遗嘱记下来，这些事儿都指望你了。

梁国辉想了半天，说：我也说不上来什么，就是托孤。我要是没了，郑洁和思宇得托给你们两口子。郑洁要是寻找新的幸福，别拦着，但一定要保证思宇健康长大。思宇是个男孩子，到十八岁你就可以放手。

另外是我爸，梁国辉说，我爸要是知道我没了，我估计，他也快了，他七十八了，白发人送黑发人……我不能指望他坚强地活下去，所以托给你了哥们，万一他老人家到终点站了，你帮着给老人家办后事，办热闹点儿，他这辈子最怕别人不重视他。

第三是我姐，我姐命太苦了。梁国辉想了半天，说我姐就算了吧，毕竟我姐再苦还有我姐夫。只能说各人有各人的命运了。

第四……梁国辉说第四就算了吧，我没有钱，我每个月的工资都交给郑洁了。

完了，梁国辉说我说完了，哥们儿，拜托了。

李长江一下子就急了，说别扯淡了，留什么遗嘱啊，快跟我上医院！哪个大医院没咱们的同学啊，我就不信……

梁国辉说什么也不去，他比谁都清楚绝症病人的精神状态，去医院接受一次次的审判，可能他连一百八十天都活不到，他还有多少事没了呢。

李长江说：可你才四十三啊，儿子才十三啊！

梁国辉木然地：你脑子还清楚，我现在脑子已经不清楚了。

梁国辉回到家，郑洁一脑门子烦恼，带着物业的工人正在通卫生间的下水道。这下水道从搬进这房子里开始就老堵，都通好几回了，还堵。郑洁真把火往工人身上撒，让工人好好通。

梁国辉忙跟郑洁说，我来我来，你去吧。

可郑洁不领情：你来，你来顶什么用啊！你来就通了啊？儿子梁思宇拿着个DV机对着他们在拍，郑洁烦了：你一边儿去。当初装修的时候让你盯着，你说你盯什么了？我真就不信了，工人往管道里头扔铁砣了啊动不动就堵。郑洁又问梁国辉明天能请假吗？

梁国辉问干吗。

郑洁说还干吗，跑物业，查管道，不行的话就得掀地砖拆管子……

梁国辉说我请不了假，明天得跟律师去法院……要不让老爷子盯吧。爸……

郑洁数落梁国辉时，梁老爷子梁山本来也听着，现在急忙就闪：我不行，我盯不了，我又不懂！他马上就装病，说郑洁要不你给我打一针吧，我……我好像肋骨疼。

郑洁跟公公也不客气：爸爸，美国鬼子的子弹是曾经从您的两肋中间穿过，可并没有弹片留在身体里，您可能是肉疼，不可能是肋骨疼。

梁山说：我真疼！真疼！我躺着去了。思宇啊，给爷爷拿个热水袋。

这就是老爷子。

这天晚上，李长江的妻子京剧演员白晓燕在剧院演出《贵妃醉酒》。她的声音，她的美，博得了满堂的喝彩。

谢幕的一刻，白晓燕并不知道，作为众星捧月的主角，她也是最后一次站在舞台的中央，站在追光灯的下面。

白晓燕回到化妆镜前坐下，轻轻地哼着唱腔，欣赏着镜中自己的一颦一笑。

剧团团长尾随着进来：晓燕，精彩！精彩啊！

白晓燕淡淡一笑：团长，您有什么事，说吧。

团长说：这几天我跟几个茶馆联系好了，咱们去试演一次，剧团得创收，人们得吃饭，得养家糊口，到各个茶馆演小戏是大趋势，当然在哪儿演出，也少不了你这个头牌。

白晓燕没有商量的余地，说：白晓燕只在剧场演出，做艺人得有艺人的骨气。

团长变了脸：骨气不能当饭吃，几千人的剧场就坐几十个观众，场租费、灯光费，剧团上上下下开销这么大，这么多张嘴等着我开锅下米、养家糊口呢，谁能都像你一样，有个百万富翁老公养着……

团长也没客气，转身出去宣布：明天晚上到茶馆演出，白老师这些天连轴转，太累了，付若林，你是白老师的学生，这个场你得补，领衔唱虞姬。今儿不排戏了，都回家休息。

突如其来的变故，白晓燕不知该何去何从了。

付若林悄悄地进来，看着满脸残妆的白晓燕，吞吞吐吐地表示：没想到团长会这么做事儿，明天去还是不去，白老师您安排。

白晓燕能说什么呢，只是一个劲地的用卸妆油在脸上涂抹，镜子里的白晓燕脸涂花了。

白晓燕出了京剧院，李长江在等她。

白晓燕情绪不高，李长江情绪也不高。李长江接完白晓燕，还要参加生意上的应酬。白晓燕不高兴，讨厌李长江那么多无聊的应酬。可是不应酬哪儿来的生意啊？李长江说，要不你跟我一起去。白晓燕不去，坚决不去。她说，我是一个演员，我不是你们公司的公关小姐。

白晓燕见惯了那些所谓院长的嘴脸，说道：他们啊，白天人家拿他们当白衣天使，到了晚上……真希望有人看看他们在包房里是什么德性。

通下水道的工人走了。梁国辉单独面对郑洁，百感交集，真想跟郑洁说点儿什么。郑洁却先下了最后通牒。

郑洁告诉梁国辉，她已经让李长江做通了中心医院院长的工作，只等着梁国辉一句话。

梁国辉说：让我想想。

这个模棱两可的答复让郑洁火了：想，你还有什么可想的？你都想了十多年了。我现在等不及了。

梁国辉看着郑洁，话里有话地说：等不及了？

郑洁说：对，等不及了。这些年我指望你什么啊，一穷二白三麻烦。

梁国辉还是话里有话，说的都像遗言：我知道，你跟我这么些年委屈……

郑洁说：我不是委屈，我是非常委屈！

对不起，郑洁。这么些年真是特别对不起。梁国辉说道。

你别老说对不起了！不当吃不当喝，我就问你调工作，你调不调！

我说了让我想想！

郑洁急了：我跟你说了半天，你回答我的这四个字跟一开始有什么区别？有什么区别啊？

梁国辉温情地看着郑洁：你火气别这么大行不行？我想好了就告诉你。

郑洁一点儿都不温情：给我个期限，几天？

想好了我告诉你。

你给我个痛快话行不行？

半年，行吗？宋国辉话里有话，说的其实是自己的寿命。

不行！半年太长了。

梁国辉一下子真的觉得不吉祥：就半年……你还觉得长啊？

郑洁就回答一个字：长！

梁国辉看着郑洁，笑：你真像给我下最后通牒。

没错，这回下的就是最后通牒。别说半年，一天我都不想等了。我就给你一天的时间，明天告诉我你的决定。郑洁坚定地说。

梁山背后看着梁国辉就叹气，说的都是混蛋的狠话，说，你啊，你啊，你让我说你什么好！你哪儿像个大老爷们儿，你能让你媳妇那么数落你，数落得跟她孙子似的，我要是你啊，她敢！我早大嘴巴抽她了。

梁国辉说：得了吧！也就是我妈不在了您敢这么说！我妈在的时候不照样数落您。

梁山一下子眼圈儿就要红：她不是数落我，她是疼我！我跟你说我生病的时候……

梁国辉赶快就把梁山的话打住。

梁老爷子是朝鲜战场退伍的老兵，在战场上受过伤，这是他一生的资本。现在他在写回忆录《我在朝鲜战场的日子》。反复向人炫耀的，无非是他在战场怎么受的伤，怎么忍痛坚持战斗直到消灭美国鬼子。黄继光，邱少云，董存瑞恨不得他都认识。

但是，直到他临终，他才告诉梁国辉，射入他身体的那颗子弹是一颗流弹。

梁国辉含泪说：怎么说你也是保家卫国负伤了嘛。我还是崇拜你。

白晓燕自己回家了。

白晓燕是京剧团的名角，是李长江花尽心思追来的老婆。转眼五六年过去了，白晓燕一直拒绝生儿育女，因为她要站在舞台中央，她要掌声，李长江对这个如花似玉的女人，宠爱有加，从来说一不二。

白晓燕有几分自命清高。她喜欢李长江给她的锦衣玉食的生活，但不等于说她喜欢李长江赚钱的时候面对各种人时的嘴脸。

李长江也知道，多多少少的，如花似玉的白晓燕有几分看不起他的生意。

李长江当然没有应酬的心思。这天晚上，他草草打发了他请来的客人。

客人拉着李长江不放手：长江啊，人生得意须尽欢，莫使金樽空对月。

李长江看着客人那张脸，真的就想一拳打过去了。

但是李长江当然没有。李长江是一张笑脸，就算僵硬，也是笑脸……

这天晚上，梁国辉和郑洁躺在床上，背对背……

李长江和白晓燕躺在床上，也是背对背……

李长江试图示好，但是手被白晓燕推开了。

朱院长这天找梁国辉，梁国辉以为是过问官司的事，没想到朱院长却是向梁国辉透露，想晋升梁国辉做医院的副院长，主管医院的业务。

梁国辉一口拒绝了。

朱院长生气了，问梁国辉有什么理由。

梁国辉说：总之我有我的理由。可我暂时不能说。

朱院长说那我培养了你半天，该你挑大梁的时候你拒绝？你什么意思？你对我有意见，对医院有意见？……还是说病人告这么一下子你就受不了了？

都不是。您应该挑一个有远大前途的人。

朱院长怒了：那你呢？

……

朱院长生气地说：我告诉你，医院里有前途的不只你一个，你不是没有竞争对手！如果你不努力争取，这个职务就会跟你擦肩而过。

那就擦肩而过吧，我不在乎。

朱院长急了：你再说一遍。

院长……我不在乎。

梁国辉问朱院长官司的事能不能移交，交给三病区的副主任和律师共同处理。

朱院长诧异：为什么移交？为什么你不亲自处理？

我没时间。

朱院长真生气了：梁国辉，我快不认识你了！

梁国辉独自走在医院的走廊上，光线斜照着梁国辉孤独的脸。

走廊上有铁栏杆。梁国辉脸上的光线时阴时晴。

跟梁国辉擦肩而过的病人纷纷和他打招呼：老大！

弄得梁国辉不像是一个大夫，倒像是个监狱的典狱长或者黑社会的流氓老大。

这天，在阳光精神病康复医院的草坪上，小男孩赵毛毛紧紧拉住了一个中年女人苗金秀的衣襟，叫着妈妈我想你，妈妈我给你吃的。那女人挣脱了小男孩的手，不耐烦地叫着：这是谁家的孩子啊不好好看着，怎么乱叫人啊，瞧把我这衣裳都弄褶子了，撒开，撒开，撒开……终于，她抬手给了那孩子一巴掌，别管我叫妈！我还没嫁人呢！将来叫我怎么嫁人哪！

她连打带踹地挣脱了那孩子，走了，走向病区的深处。

那小男孩，确是她的亲生儿子。她确是孩子的亲生母亲。人子之情，精神分裂的她早已不记得，亲生骨肉已经完全不认识了。

梁国辉抱起了那含泪的孩子，他自己的眼睛里也微微含着泪，尽管，他已经见过了太多这样的悲剧……因为他想到了自己的儿子，作为一个父亲，无法伴随和护佑着他长大成人，再没有比这个更让他难受的了。

梁国辉回头，看见助手华硕正看着他……梁国辉掩饰掉自己的眼泪。

华硕问梁国辉为什么拒绝做副院长的人选。

这个问题我不想回答！

华硕觉得梁国辉太奇怪了：谁招你了？

命运！

华硕以为是玩笑：啊命运！命运！命运跟梁国辉梁大夫开什么玩笑呢？

……谋杀。

华硕笑。

……

华硕对梁国辉一脸的仰慕：咱们医院你是头牌老大，你不做副院长让谁做？

黑社会那套！什么头牌老大！我哪儿长得像老大！梁国辉隔窗看着病人们在铁网围着的院子里出操……

华硕说：可不是我这么叫啊，是病人们这么叫，他们叫你老大！……当老大的感觉不好啊？！

梁国辉苦笑：好极了！在他们面前，有时候觉得自己像上帝。……可是又怎么样？我真能救他们吗？谁又能救我？我自己能救我自己吗？我不能。我是上帝吗？我当然不是！

华硕诧异：梁老师这可不像您说的话。

梁国辉没解释：我应该怎么说话？

梁国辉走了。

此时，日子过得"叮当"作响的还是梁国辉的姐姐梁国华一家子。梁国华朝九晚五地在副食商店，下班就是买菜做饭照顾着丈夫儿子起居的同时唠叨着他们两个人。

儿子刘海涛没有什么太多唠叨的，他上初三了，无非是叮嘱他不要学坏；丈夫刘彪倒成了梁国华花费精力要看管的对象，因为，刘彪酗酒，属于闻着酒味就走不动道儿，沾了就晕，喝了就醉，醉了就不知道出什么事……所以，从六年前运输公司解体，刘彪买断工龄起，他已经不知道换了多少份工作了，而且每次换工作都和酒有关。"酒"成了刘彪的哥们，梁国华的天敌。

她三番五次地叮嘱刘彪千万别喝酒，甚至出门前要对刘彪进行搜身检查，口袋里绝不能让他装十块钱以上的人民币。

出门的时候，连儿子刘海涛都叮咛父亲：别喝酒啊！

送走了刘彪，国华用保温饭盒装了好吃的，送到了医院。见到姐姐，梁国辉是开心的。姐姐一来，就有好吃的。

国华心疼地说，除了我谁这么疼你啊。还拿弟弟当小孩子，伸手就摸脸，你怎么了？我怎么觉得你突然瘦了啊？

梁国辉急忙往后闪：没有啊！

让郑洁给你做点儿好吃的！男人，不靠吃靠什么补身体啊？国华说。

她也挺忙的！

忙！就她是女强人！……那也不能把你饿成这样儿啊！

我没挨饿啊姐。

国华把饭盒递给梁国辉，梁国辉打开饭盒闻着：茴香馅饺子！真香！

想吃给我打电话，我给你包。

唔！……姐，抽空回家看看爸爸吧。

一提梁老爷子，国华脸一沉：我没空。

梁国辉说：姐！这么多年过去了！还不原谅爸爸呀？……妈没了，他挺孤单的。

他什么时候认刘彪是他女婿，我什么时候回去看他。

你再带姐夫回去一趟，说不定……

国华坚决地说：我不试！

大夫护士们突然从梁国辉面前闪过，往病区里跑……梁国辉本能地跟着就跑。

梁国华在背后喊着：想着吃口热饭！

三病区的一个精神病人躁狂症发作，在这个信息爆炸的时代，网里面的信息太多了，他总觉得脑袋的内存不够用的，老想把自己的脑袋切开，往里面放一个内存条。

大夫们制服这个病人……

梁国辉在旁边目不转睛看着，但是没动手。直到病人打了针，安静了。

梁国辉说，伙计，我们谁的脑袋内存都不够使的，我们都用的外挂，而且挂不止一个硬盘——你拎一个笔记本电脑，再加上一个移动网卡不就行了吗？

病人轴，说：可那些东西在电脑里，不在我脑子里啊？

梁国辉说：你不知道这就是外挂机器啊？

可它会死机啊。病人茫然地看着他。

它死机你换一个。你的脑袋是主机，你也不能把主机切开，让你的主机死机啊？那不就彻底崩盘了吗？梁国辉说。

病人恍然大悟：老大！还是你聪明！

不，你聪明！你聪明！

病人执拗地说：就是你聪明！不许跟我争！

梁国辉露出一脸灿烂的笑容：行，不争不争！我聪明！绝对是我聪明！

梁国辉从病房里出来，一眼看见李长江了，李长江来医院一趟，就为了看一眼梁国辉，是不是还好。

梁国辉说：还活着呢。

走吧我陪你吃饭去。李长江说。

我还走不开呢。

我等着你。

你晚上没事了？你那么忙的人……

有事儿，我都推了。

这就是哥们儿！

梁国辉看着李长江，低声：医院里好多事儿，我得想法子交接……

你就是不交接又怎么样，没有你世界照样转。

梁国辉停了脚步：说得真对！走！

梁国辉和李长江一起坐在水边喝酒。

梁国辉说：一想到我马上就要没了，这世界还轰轰隆隆往前滚，我觉得真他妈的荒诞……这世界他妈的要去哪儿呢？它到哪儿算一站呢？它怎么就不能有个倒挡啊，刹车啊什么的呢？

梁国辉把酒一饮而尽。

李长江要拦着。

让我喝点儿哥们儿，喝了我就不害怕了。

他望着李长江，眼巴巴地说了一句大实话：跟你说，我怕！

梁国辉是喝多了回的家。郑洁阴沉着脸，一下就闻出来：你喝酒了？

梁国辉一把推开郑洁，一头倒在了床上。

第 2 章　结发夫妻

李长江也是喝醉了回的家。

白晓燕还没睡，白晓燕不知道领导让她带学生对她意味着什么，至少有一个警灯亮起，那就是竞争，她不是京剧团里唯一的一朵鲜花，她不是一枝独秀了。虽然她作为一个艺术家，多么希望自己是一枝奇葩，是一枝独秀。

就在这个时候，李长江提出了要孩子的事。

白晓燕却想也没想就拒绝了。

梁国辉和田律师一起见状告他们的病人家属。梁国辉耐心劝说病人家属撤诉，因为官司打下去，他们也是白花诉讼费……病人确实是精神病患者，有医院的诊断治疗证明，病人也不是他们绑架到医院来的，是被路人送进来的……他们也第一时间跟病人家属联系了，但在病人发作的时候联系不上，医院没有过错……

病人家属坚持应该把病人送到派出所，让派出所送到家……

梁国辉说：我们是医院，就好像普通医院见到心脏病患者，不管谁送来的，我们把他推出去，这不是见死不救吗？

病人家属坚持要告。

梁国辉又说：……你们就听不出来吗我是一片好意！为了给你们省点儿钱。这官司你们不会赢的……

梁国辉一片好意，想劝病人家属别干损人不利己的事儿，可劝不通，跟病人家属吵起来了。

田律师埋怨梁国辉应该耐心点儿，不该在这时候激怒病人家属。因为他希望能够庭下和解。说白了，打官司对医院有什么好处啊？

梁国辉回答：我没耐心了！

回到三病区，梁国辉再次失去了耐心，跟一个医生急了。因为他发现在病人吃饭的时候，主治医生不在场。

精神科病人吃饭的时候是一个景观，周围站满了医生和护士，因为所有的病人由于吃药的缘故，食道都僵硬，吞咽的时候特别容易呛着……梁国辉发现一个病人呛着了，但是他的主治医生不在。

主治医生被找来的时候，梁国辉劈头盖脸地骂人，直到主治医生被骂哭了。

这天，梁国辉在医院里忙到很晚才回家。回家的时候郑洁正在唠叨儿子思宇。思宇用自己的钱买了一部手机。郑洁一下子就急了，说你才十四，我不明白你拿着手机干什么，有什么国家大事非要你拿着手机不可。

看见梁国辉进门，郑洁的目标转向了梁国辉。她认为梁思宇有今天完全就是梁国辉对他的放任和梁山对他的溺爱。郑洁命令梁国辉必须去跟儿子问清楚，第一，买手机的钱从哪儿来的？！第二，没收他的手机！梁国辉照办了，他知道，如果他不去，郑洁会把手机变成"手雷"。

梁国辉进了儿子的房间就看见爷孙俩津津有味地坐在电脑前，他还没开口，梁山就告诉儿子，思宇买手机是靠给同学修电脑挣的钱……梁国辉正不知道该夸还是该批评的时候，父亲说，他已经夸奖了思宇自食其力。

梁国辉要没收手机的时候，梁思宇说，他已经在网上拍卖掉了。梁国辉又不知道该夸还是该批评的时候，梁山说，怎么能卖这么便宜？！

梁国辉觉得梁思宇挺正常，没问题啊。郑洁说这就说明你不负责任。

这一天一如既往，郑洁由儿子的教育说到生活和梁国辉的工作，梁国辉就像被郑洁所教育的第二个孩子。

郑洁说我没有别的愿望，就想让你调一个工作，让你多顾家，多挣点儿钱。我别的要求没有，你觉得我的要求多吗？过分吗？！

梁国辉看着郑洁，郑洁起皱的脖子，郑洁眼角的皱纹，心里涌起来的却是柔情。

梁国辉抱住郑洁，在郑洁的脸上亲了一下。

郑洁拒绝道：我没心情。

梁国辉真想跟郑洁说点儿什么：我想跟你谈谈……咱们俩平心静气，不吵，就平心静气说几句话，行不行？

说。

你把声音放低点儿。

郑洁声音往低降：说吧。

还高。

郑洁马上就要耐不住性子了：你说不说啊？

梁国辉耐着性子：我想跟你说，我不是草包。在学术上真不是，精神病学领域有我梁国辉这一号，怎么着我也算个专家，每次国内的学术讨论会都有我发言，在国外的学术杂志上发了十好几篇论文了……我觉得，我干得还行吧？啊？他真想听郑洁一句肯定的话。

郑洁说：那是在医院！就算你是一个天才！你不顾家，不管我，不管孩子，有用吗我问问你？

梁国辉一下就哑巴了。

良久。梁国辉说对不起，我知道这些年我欠了你好多……

郑洁不管这个，郑洁说你别跟我说这些漂亮话，对得起对不起又管什么用！我就问你一句实在的，工作你调不调？梁国辉看着郑洁，又认认真真地说了一句对不起。郑洁说你调不调？

对不起老婆……

你别给我说对不起！你不调是不是？

郑洁还唠叨着，思宇从另一个房间出来了，说，妈我爸都说三个对不起了你还要干吗呀？

郑洁说：对不起？我跟你们俩说对不起，我问问你们俩能当饭吃啊？

思宇说：妈我就是让你对我爸说话小声点儿。思宇把拍下来的郑洁照片放到郑洁面前：您自己看看。

郑洁一下子就傻了。发脾气的郑洁真是面目狰狞。

梁国辉没想到这个，梁国辉也傻了。

梁国辉刚想数落思宇，郑洁一把把照片拿过来，撕，撕碎了。

郑洁哽咽了：你们嫌我吵架不好看是不是？我知道我不好看！再好看的女人也得有人心疼！你们谁疼过我？我也美丽过，我也温柔过，过去我也是一朵花儿！梁国辉，不是你我不会变成今天这德性！

郑洁说不下去，出去了。

梁国辉看着儿子，胸口突然疼痛起来，他说不清是病痛还是心疼，总之，他不愿意让家人察觉，所以，梁国辉只是告诉儿子，你不能这么对你妈说话，你是男孩子，你要保护你妈！

思宇说我妈都强悍成那样儿了还需要我保护。梁国辉说再强悍她也是女人。你能干的力气活你妈就可能干不了。

郑洁确实是太能干了。所以白晓燕说她，怪不得男人不照顾你，你什么都干了让男人干什么？

思宇突然忧心忡忡问爸，你跟我妈会不会离婚。梁国辉说你为什么突然地问这个？思宇说因为我们同学的父母离婚了，离婚前他们就老吵架……

梁国辉温情地说：儿子，我跟你妈不会离婚，永远都不会离婚。

梁国辉说完这一句"遗言"式的话几乎是夺门而出地逃走。

思宇对郑洁说：我爸说的话你都听见了吗？妈你就不感动吗？

郑洁说：感动？他娶了我这么一个老婆，里里外外我伺候他，他当然永远不会跟我离婚。

台上白晓燕的学生付若林扮相俊美，先唱的是《穆桂英挂帅》中的唱段：

想当年桃花马上威风凛凛，敌血飞溅石榴裙。

有生之日责当尽，寸土怎能属他人！

番王小丑何足论，我一剑能挡百万兵。

我不挂帅谁挂帅，我不领兵谁领兵。

叫侍儿快与我把戎装端整，抱帅印到校场指挥三军。

戴着墨镜的白晓燕坐在人群里一动不动地听戏……

梁国辉进了李长江办公室，就倒在沙发上，一动也不想动了……

国辉？

让我在你这儿歇会儿，喘口气儿。

国辉……你觉得哪儿不好，要不我跟你上医院。

我不上医院，就在你这儿喘口气儿。……我永远都会感激你的长江，我活了一辈子，在单位，累，回家，累，就你这儿是喘口气儿的地方。

李长江辛酸：……郑洁又唠叨来着？你都这样儿了她还唠叨什么啊？

……她不知道。长江，也没必要让她知道。

那也不能不让她知道啊，国辉……得让她照顾你啊！

梁国辉摆手：……她唠叨唠叨挺好的……她越唠叨我越觉得回家可怕，活着可怕……死就不可怕了！

李长江心疼地说：国辉……你应该多得到点儿温暖。

又能怎么样！

走，我带你去喝点儿汤，补补。

我不去了。

走吧。

行吧，吃大户去，我知道就是敞开了吃这辈子也吃不穷你了，梁国辉说。

李长江难过了：国辉，能不这么说话吗？

梁国辉笑：别哭啊，还不到你哭的时候。

观众们不断叫好，戴着大墨镜的白晓燕坐在人群中格外显眼。

台上付若林扮演的虞姬雍容华贵、安详英武，从服装扮相、表演身段，以及唱念做打都完美无缺。

白晓燕周围的观众都入戏了……

当虞姬舞剑至悲壮自刎，整个茶馆里窒息了。

白晓燕的墨镜下涌出了两行泪水，她起身离开……

爆雷般的掌声响了起来。

李长江知道好友得了绝症之后对他的刺激也不小，他开始对自己的工作、应酬没了兴趣，想要一个孩子的愿望却越发强烈。他意识到自己虽然赚得日进斗金，但连个后代还没有……想到这里，李长江就非常郁闷。

白晓燕心情沉重地回到家，李长江正在等她。李大江殷勤地要带她去吃消夜，白晓燕没心情，干脆拒绝了。李长江又把一枚钻石戒指拿出来，想博娇妻一笑，但白晓燕没笑。他希望晓燕生孩子，再不生她年龄就大了。女人最佳生育年龄就是在三十四五岁的时候，这有科学依据。可白晓燕不想生。生孩子的最佳年龄肯定也是做事业的最佳年龄。她的事业正较劲儿的时候，如果她在这个时候被打下去了，她可能就永远被打下去了。白晓燕不能想象她没有舞台。

李长江很不理解：一个剧院不止你一个演员，舞台不是你一个人的，你可能永远站在舞台中央吗？

这说到了白晓燕的痛处。

白晓燕说：我不想当一个半吊子演员。我不想做半吊子的事。

李长江心里难过，想强行和白晓燕同房，两个人打了起来。

床单太滑，李长江从床上掉到了地上。

李长江坐在地上，没起来，眼泪掉了下来……

他告诉白晓燕，梁国辉病了，得了绝症。

白晓燕愣住了……

良久，白晓燕说：这跟咱们要不要孩子有什么关系吗？

有。

白晓燕沉默。

李长江说：人一辈子不知道什么时候就咔嚓一下子……我很受刺激，真的，国辉四十出头，我也四十出头了……我想要孩子。他抱住白晓燕，眼泪掉下来了，老婆，答应我吧，这辈子我跟你不求别的了。

李长江再度抱住了白晓燕。

这次，白晓燕没有拒绝。

背着李长江，白晓燕去买了避孕药。药房的工作人员警告白晓燕，长期吃避孕药不好，应该采取别的措施。白晓燕不置可否。

梁国辉回到家时，郑洁已经睡着了。梁国辉看着郑洁熟睡中的脸被乱发盖着，想到生离死别，心里一疼，怨怼消了好多，伸手拂去了郑洁脸上的乱发。

郑洁本能地在睡梦中伸手把他的手打开了，骂了句：讨厌。

梁国辉一笑：你骂吧，你还能骂几天啊？

李长江坐不住了，他冲到了梁国辉的办公室，死活要拉着梁国辉再去医院复诊！他告诉梁国辉，他一想到梁国辉要死了，自己也绝望得不想活了，所以，他必须给梁国辉找更好的医院复诊、必须给他们哥俩一些希望！

梁国辉为了满足哥们的一份心，去了。

梁国辉仍然坐在走廊里等着，李长江去见了医生。片刻，李长江黑着脸出来了，他看着梁国辉恨不得和他抱头痛哭……倒是梁国辉翻过头来安慰李长江。

李长江说，既然老天爷给了一个大限，那就去做自己高兴的事！自己最想做的事。

最想做的事？

嗯。有什么遗憾的？没来得及做的？

梁国辉想了好半天：遗憾的？

嗯。

梁国辉豁出去了：要说最遗憾的……假如生命可以重来，我当初不跟郑洁结婚。

说完了他一愣，自己都把自己吓了一跳。

李长江也愣了一下。

梁国辉索性过嘴瘾了：前些天我就想做一件事来着——休妻。

李长江无言……

梁国辉还过嘴瘾：休了郑洁，我就自由了……没人管我，我就可以为所欲为……我也没想到，没等我休她，命把我休了……

李长江再次沉默着……

我现在能做的，是让郑洁同志不因失去我而痛苦……你说，她失去我痛苦吗？梁国辉问。

梁国辉叫华硕把病区里所有病人的资料都拿过来，分期分批，他要过一遍。

华硕疑惑：所有的？

对，所有的。

华硕惊讶地看着梁国辉：……干吗？想把自己累死啊？

不累也会死。……把所有病历过一遍，我得手把手地教你一段时间，你跟了我几年了？

四年。

我真希望是十四年就好了。梁国辉说道。

华硕不明白梁国辉话中话的意思，她脱口而出的是：我可不想在这再浪费十年的青春……

梁国辉很吃惊地看着华硕。

华硕告诉梁国辉，她已经在精神病院坚持了四年，作为她来说只是想体验一个工种，对得起自己学的专业，现在她很想换一种生活。

梁国辉问华硕，是不是已经找到了新工作。

华硕很轻松地回答，没有，她现在只知道自己在这个医院里烦了、厌倦了。

梁国辉羡慕华硕，羡慕她的年轻和勇敢，工作、生活对于80后的年轻人来说怎么就换得那么容易？而他之前的二十年是没有勇气换，现在是没有机会换了。

梁国辉还是劝说华硕留下来，因为她是梁国辉最器重的"学生"，还因为原本就缺少医生力量的医院，总不能一下走两个人吧……

华硕问：还有谁要走？

梁国辉看着华硕，难过地说：我！

你走，那我肯定跟你走！

梁国辉苦笑着：你跟我走？

当然！你想去哪儿？

梁国辉道：到时候我告诉你。

剧团开大会，能来的都来了。

团长对这几场演出满意极了，兴致勃勃。演员们士气高涨，排练大厅喜气洋洋。

团长招呼白晓燕、付若林坐在自己旁边：白老师、若林，坐这儿来。

付若林一边往团长哪儿走一边招呼：白老师……

白晓燕没搭茬儿，径直从两人面前走过去，坐到没人的旮旯儿里了。

付若林坐也不是，走也不是……

什么事儿也不能影响团长的好心情，团长解嘲似的补充：随便坐，大家随便坐……今天我是真高兴啊，真的高兴。

团长巴结地拉着付若林的手：百变金刚，男旦反串，反响强烈啊。若林啊，你可是给团里立了大功了，这几次演出，论唱功，论做派，都有大师风范啊，哎哟喂，把个老外的眼珠子都看直了。

付若林被夸得不自在了，瞄眼望着白晓燕……

白晓燕一直面无表情……

团长感慨万千：若林，我真得说谢谢了，今天我总算也能给大家一个交代，我正式宣布，我们今年的吃饭问题解决了。……不光能吃饱，还争取让大家吃好。同志们，今天就签了三个合同，三个合同啊，签得我手都脱皮了，都是全年的演出合约……

付若林看了一眼白晓燕，打断团长：您签了全年的合同，那大戏怎么演呀……

团长给付若林面子：大戏还是要演的，一年总会演几场。但不能指望演大戏吃饭，这是经验之谈。我当了六年团长，从来都是求爷爷告奶奶地到处要饭。今天算是扬眉吐气了，第一次人家追着我签合同，我心里痛快呀，下一步团里出钱找老师，若林，你要学流行歌曲……

团长谈到学流行歌曲，白晓燕站起身就走人。

团里的人开始小声议论……

付若林站起来要追，团长一把拉住了：随她去吧，你现在的身份，说什么做什么都是猫哭耗子——假慈悲，干我们这行的，都有徒弟抢师傅饭碗的一天……

郑洁拽着梁国辉去陪中心医院的程院长吃饭，梁国辉却当着院长的面儿说，他压根就看不上中心医院、看不上他们这些用病人、处方、手术刀和仪器赚钱的医生！……

梁国辉的一番话说得院长脸红一阵白一阵，最后拂袖而去。

郑洁目瞪口呆望着梁国辉，接着真和梁国辉翻脸了：梁国辉，你是不是真神经了？！

梁国辉没有别的解释，就告诉郑洁一句话，人生苦短，您就不能让我干点自己喜欢的事情吗？！

郑洁急了：你先扳着手指头数数，你这十几年干过什么让我高兴的事？！

敢情这十几年你嫁给我，就没有一件高兴的事？

有，结婚那天高兴，生孩子高兴，没了。

你想解脱吗？……

郑洁怒了：解脱，你已经把我从青春年少熬到了人老珠黄，你跟我说这个？！她又一连串地问，像是问命运了。解脱，怎么解脱？怎么解脱？

郑洁给了梁国辉两个选择，要么去跟中心医院的院长负荆请罪调动工作；要么你也别解脱我，我让你解脱！

郑洁说完这句话摔门去医院值夜班了。

梁国辉举起杯子很想砸了，可他还是放下了手……剧烈地呼吸着，顿然开始胸闷、咳嗽。

此时，郑洁也在重症监护室抢救着一个肺癌晚期的病人。病人因为呼吸困难，必须马上做切喉管插呼吸机的手术。这种手术就意味着不能再说话，所以手术前，病人握着妻子的手，最后说了一句：老婆，照顾好自己……

病人的妻子泪如雨下。

但是郑洁没哭。郑洁看多了，司空见惯了。

李长江去中心医院找程院长，问去德国杜塞尔多夫"国际医院及医疗设备用品展览会"的事。德国杜塞尔多夫是世界知名的综合性医疗展，被公认为世界上最大的医院及医疗设备展览会。李长江问程院长去不去，程院长说当然去，他也收到了展会的邀请。

程院长跟李长江谈起了梁国辉调动工作的事。程院长说可不是我不调他，是他自己瞧不上我们这小庙，不来！

李长江无法解释，说：您别介意。……我替他跟您说对不起了。

李长江从程院长那里出来，犹豫再三，还是去找郑洁。

郑洁正在火头上，没一句好听的。李长江想劝郑洁，梁国辉也挺不容易的，毕竟两口子，互相体谅一点儿……

郑洁回道：他不容易？我容易？

这几天，梁国辉仍然是连续性低烧、胸闷，他也开始感觉到害怕了，因为肺癌的症状越来越明显了。

梁国辉坐在平时他的病人才会坐的长椅上，一片颓然，头低垂着，好久好久坐着……

华硕在医院值班，她看见梁国辉的状态，愣住。她走到梁国辉身边，伸手挽住了他：你怎么了？

第 3 章　弥留之际的爱情

梁国辉这天跟华硕谈到人生。梁国辉很希望自己的人生不这么琐碎，希望能辉煌一点儿……

华硕道：不会吧大叔，我本来就觉得你很辉煌。

你严肃点儿，我说真话呢。

我也没说假话啊，我是觉得你挺辉煌。

梁国辉哑然失笑：我？婆婆妈妈，妈妈婆婆……一堆一堆的碎事儿……想当初跟你这么大的时候，我相信自己会成为一个叱咤风云的人……可现在……

华硕说：现在怎么了？我觉得你在咱们医院本来就是叱咤风云的人……在精神医学界你也是专家啊。

梁国辉不是完美的人，梁国辉是喜欢听女人特别是年轻女人的赞美的。我听说八零后的女孩是不屑拍马屁的，梁国辉说道。

华硕开玩笑：我不是拍马屁，这是我们安慰老人的一种方式。

华硕在医院是梁国辉的助手，梁国辉是华硕心里敬重和崇拜的男人。

华硕从来不掩藏自己对梁国辉的崇拜和喜欢，她的爽朗和阳光、健康也感染着梁国辉。

华硕给梁国辉泡了他最爱喝的茶，平静地坐在他的对面等待着。而此时，梁国辉看上去就像是华硕的病人。

这份暖腾腾的茶和暖腾腾的气氛也让梁国辉逐渐平静下来。

梁国辉微笑地告诉华硕，他得了绝症没几天活头了……惊讶在华硕的脸上掠过之后，华硕笑了：大叔，编故事啊？

梁国辉说不是故事，是真事。

华硕的笑容变成了眼泪，她的微笑和挂在笑脸上的眼泪让梁国辉非常感动……

他们说你还有多少天？

大概六个月。

华硕看着梁国辉，好半天无语，眼泪大颗往下掉……

华硕慢慢地说：……然后你就消失了？真不靠谱，有你这么不负责任的吗？医院怎么办，病人怎么办！

梁国辉说：我都会交接的。

你是一个专家，病历可以交接，你的理论可以交接，你的经验怎么交接？你的直觉怎么交接？你……太不负责任了。

梁国辉笑道：讲点儿理好不好？

梁国辉将华硕的辞职报告递给了华硕，说他已经在上面签了字，华硕只需要提交上去就能离开医院去过自己想要的生活，他现在才明白，人能有时间做自己想做的事情是多么的难得……

华硕拿着辞职报告，看着梁国辉，却忍不住握住了梁国辉的手，说，你没道理现在就死。你得活下去。

这我说了不算……

可是华硕说：我要陪着我喜欢的人活下去，这我说了算！

华硕向梁国辉表达了自己的感情，这让梁国辉有一种受宠若惊的感觉。

接着，华硕做了一个决定，她撕了辞职报告，她告诉梁国辉，她决定陪伴着梁国辉度过最后的时光，也许她的感情能够拯救梁国辉的生命……华硕觉得这是一件非常悲壮的事情。

梁国辉说：这是同情。

华硕说：管它是同情友情还是爱情，先接着！没人跟你海枯石烂。

李长江依然是下了班就先来看梁国辉一眼，他来时，看见华硕和梁国辉在一起，很亲昵……

梁国辉马上就跟李长江解释：她是我学生华硕，这是我好朋友李长江。

李长江要走的时候，华硕拦住了李长江：你知道了……

李长江点头。

华硕沉默良久：……我没想到。一想到要失去他，我心里很难过。

我也很难过。

……他在医院的时候，我会好好照顾他。

他离开医院了，你告诉我，我照顾他。

行，那就说定了，咱们两做一个交接。

两个陌生人达成了默契。

第二天，梁国辉照旧骑着自己的自行车上班的时候，一个人赶上来和他并排骑着……梁国辉回头看见华硕。从这一天起，华硕不仅仅是梁国辉的助手，还是他最好的"伴侣"。她无微不至地关心着梁国辉的生活以及心情……她说，她每天的任务就是让梁国辉开心，看见梁国辉笑……

华硕做到了，梁国辉和她在一起确实是非常放松和愉快的。

但这种愉快过后，他总有一种负罪感。面对郑洁的时候，他不再坦然了……

梁国辉再到医院，心情竟然变得矛盾了。他不得不时常提醒自己千万别临了临了还辜负了一个跟他十几年的女人，这对郑洁不公平；他面对华硕的时候，也觉着对不起华硕，如果华硕真爱上了一个快死的人，这会影响她之后的生活，也不公平……

华硕笑了，说你真可笑，都没多少天了还这么累，想东想西……

梁国辉说：习惯了。

华硕说：得了吧，我不过是多给你一点儿阳光，照耀你一下。等有一天你没了，我还是阳光。你见过阳光受伤害吗？

梁国辉哑然：……等有一天我没了……

……怕不怕？

怕。

不是梁国辉抱华硕，而是华硕上前，把梁国辉抱在怀里。

被年轻女人抱一下，感觉好不好？说实话不许兜圈子。华硕问。

好。

新鲜吧？说实话不许兜圈子。

新鲜。

这不就行了。想那么多干吗？

华硕说反正你也要死了，我也不怕你知道，我也不怕你烦我，我也不怕别人知道，你都要死了我还有什么可怕的，我豁出去了，我喜欢你，我想跟你在一起。

你不是喜欢我，你是同情我……梁国辉说。

没区别。

……有。

华硕逼着问：你就说你喜欢不喜欢我……

……我喜欢你……是因为你年轻，可没别的……

这还不够吗？只要你觉得我年轻，有生命力……

梁国辉道：哪个下三滥的男人泡年轻小姑娘不是因为她年轻有生命力啊？这不就是小姑娘跟老婆的区别吗？……那我跟他们有什么区别啊？

有。

有什么区别啊？

华硕说：因为你要死了。不是你要泡我，是我要泡你！不是你诱惑我，是我诱惑你！说白了，你就拿我当一味药，当成兴奋剂，也许一兴奋你身体里的荷尔蒙一变化，新生的细胞就把癌细胞吞了，说不定你的病就好了呢！……万恶的旧社会管这叫冲喜！

那我不是利用你吗？

我主动的，叫你利用！

华硕伸手拉住梁国辉的手……过电一样！梁国辉很快又缩回去了：我都要死了，我的手怎么还这么敏感。……我有点儿做贼心虚。

你要死了，贼心不死！拜托，梁大叔，轻松点儿行吗？

梁国辉说：可你有男朋友。你不觉得……有点儿对不起他啊？

我又没为你献身！

有一天你不会恨我利用你吧？

华硕说，再问我都烦了！我就是你的一味药梁大叔！梁国辉笑道，男人都这德性，想吃怕烫。华硕说，知道，最怕粘上了甩不下去。……我还用你甩吗？过几个月你都灰飞烟灭了。

梁国辉哑然：……是……啊。

郑洁上班很忙碌，她没有太多的时间去关心梁国辉，作为医院重症监护室的主任，郑洁身上承受的压力是巨大的。

重症监护室的病人都在生死线上徘徊。病人家属无计可施，压力都给医生了。怕医生不尽责，就塞红包。郑洁也想杜绝红包，可不拿红包患者就犯嘀咕，怕医生不上心。郑洁是一个事业心极强的女医生，很想做一个著名的专家。但这不影响她活得很实际。

这天郑洁的重症监护室抢救一个大胖子。郑洁对着一个男胖子按胸，很多人盯着仪器看，到处是警报声。最后郑洁是被拖下来的。

大胖子没抢救过来，死了。

遇到这样的时候，郑洁也很受打击。

郑洁打电话给梁国辉，问他能不能回家做饭，因为晚上她值班。

梁国辉旁边站着华硕。

梁国辉对着电话说：行。

郑洁又叮嘱：盯着梁思宇写作业。特别是英语，千万别忘了盯着他背单词。他老是这样，单词明明都背会了，可一搁到书里就不认识！

不等郑洁唠叨完，梁国辉把电话挂了。

梁国辉没回家做饭，换句话说，是李长江请梁家一家三口加上华硕在外面吃饭。吃完饭送他们回家。回了家，梁国辉才催梁思宇写作业。

梁国辉问梁思宇，以后，比如我不盯着，你妈也不盯着，难道你不能自己写作业吗？

当然能！

你真能？

能。

梁国辉又说：思宇，咱是男人，让女人数落着长大有什么意思，男人应该是自己教育自己长大。

太好了爸，回头您把这话告诉我妈，以后别让她瞎操心。

梁国辉正色道：思宇！

……

以后别那么说你妈！……她不容易！

梁思宇赶忙写作业。梁国辉从后面看着儿子，心里一酸：……思宇，你长大了可得好好孝顺你妈。

光孝顺我妈，不孝顺你？……你够无私的啊。梁思宇道。

梁国辉一笑，拍拍儿子肩膀，起身的瞬间，眼睛湿了。

李长江单独面对华硕时，李长江问起病情，问华硕梁国辉的身体有没有什么大的变化……

华硕说：他还撑着。

李长江说：……我总是怕……

我也怕，他站着站着就倒下去了。

李长江道：你能不能在医院悄悄备一套急救设施。你要是没有我可以提供给你。万一他有个什么事，最起码得让他活着，完了再往别的医院送。

华硕说：我们这儿也是医院，还能缺急救设施吗？

李长江把一叠纸递给华硕……说，我找了个专家，做了一个治疗方案……

华硕翻着治疗方案：我明白你的意思。我可以在他不忙的时候，抽空给他用药。

你真聪明！

华硕又说：我需要一套专用的设备，放到梁老师办公室。但是设备我不能从医院设备科拿，他们会问的……

我知道，这事儿交给我。

你真够意思。梁老师能有你这么一个朋友，值了。

我也想说，国辉能有你这么一个红颜知己，值了。

李长江要走，又停住了，回头对华硕说：……这事瞒不了多久，早晚得让郑洁知道，只不过是挑一个合适的时机。

……我知道。

……华硕，你是个好姑娘。

华硕又一笑：这么夸我……我该说谢谢你吗？

李长江也一笑：不用，是我该说谢谢你。

梁国辉和华硕达成了默契，梁国辉在家的时间"归"郑洁，在家外"归"华硕……梁国辉嘴上反对，行动上却不自觉地遵守着他们的约定，因为华硕确实青春，有生命力，这确实带给了梁国辉全新的生活感受。

可以说，是华硕开始训练梁国辉，别活得那么沉重，有一天就过一天快活的日子。

李长江把专用的医疗设备送到了医院。放到了梁国辉办公室。梁国辉的办公室本来就有休息用的小床。李长江和华硕在小床和办公桌之间挂上了帘子。

华硕说服梁国辉，在中午休息的时候和晚上下班之后，用一些药物，控制病情。

梁国辉说：你知道有一些事是徒劳的。

华硕说：我从死神手里往回抢你，能抢一分钟是一分钟……如果你不配合，全院都会知道你病了。那你很快就要去住院。

别……

华硕孩子似的，在梁国辉额头上亲了一下：乖哦。

中午休息的时候，华硕把饭打到办公室。然后关上了办公室的门，给梁国辉用药，打上了点滴。

也许真是突如其来的爱情，或者药物的作用兼而有之，梁国辉突然地枯木逢春，愿意打扮打扮自己了，理了发，穿起了华硕送的彩色 T 恤，人整洁，精神也振奋了一下……

华硕毫不避讳地带着梁国辉出去玩儿，认识了她那个圈子的朋友，逛汽车电影院、学会了杀人游戏……

这颜色郑洁当然觉得挺扎眼的。梁国辉说怎么了？不就是换换衣服的颜色吗？郑洁说，我是想问，你医院那么忙，怎么还有空去商场买东西。

……人家送的。

你不是号称不收病人家属的东西吗？

我不是号称，我是坚决不收。

……

梁国辉说：这衣服是李长江送的。怎么了，不行吗？不信你打电话问问他。

我有那么无聊吗？

老爷子梁山感觉到了梁国辉的某些不正常，觉得梁国辉的衣服穿得真是不大靠谱。梁国辉停下来了，说您还挺新潮，连不靠谱都会说了。梁山说我跟梁思宇学的。梁山又说你这衣服颜色可真不怎么样，应该给思宇穿。

他穿太肥了吧？梁国辉转身往外走。

梁山冲着梁国辉的后背：你跟郑洁也没事儿吧？

梁国辉停了：没事儿。我们俩能有什么事儿。

梁国辉看着整天忙忙叨叨的郑洁，他显得越来越不关心郑洁，不关心这个家，他想要让郑洁去适应"没有"他的生活……梁国辉心里非常难受，能给予他安慰的只有华硕和李长江。

李长江跟梁国辉说这么瞒下去不是事，还是应该告诉郑洁。梁国辉不同意。梁国辉说只要郑洁知道了，第一件事她就是开始折腾我，她一定把我送到医院去，找最好的肿瘤大夫，完了放疗化疗。咱们是医生还不知道吗？癌症病人一半是吓死的，还有一半是折腾死的。

李长江说：可你总得让她有个适应吧？……总不能有一天咣当一下子……

……我知道……

然后梁国辉眼圈一红：郑洁啊，平时我觉得她真挺可恨的……可一想到有一天我没了，她上有老下有小，我又觉得她挺可怜。

李长江不知道该怎么安慰梁国辉了……

……你说，她要是恨我了，是不是我没了她就不痛苦了？

咱们不做这个设想行吗？你不是还在呢吗？

探讨一下都不行啊？你这叫掩耳盗铃。梁国辉道。

朱院长去医院找郑洁了。他想了解，梁国辉为什么这么不求上进。他毕竟是自己苦心培养的接班人。

郑洁明确告诉朱院长，她希望梁国辉调动工作，也希望他放梁国辉走。

朱院长问：这也是梁国辉的意思吗？

郑洁说：是的。

朱院长误会了，以为是梁国辉也想调工作但是不好意思说出来。

60 岁的精神分裂病人胖老谢推门进了梁国辉办公室。

……主任……我……

梁国辉说：老谢，你又忘了敲门了。梁国辉做了一个敲门的动作。

老谢好像大梦初醒的样子，拖着笨身子又出去敲门。

梁国辉响亮地说：……请进来……

老谢一进屋又迫不及待地开始说话：我是来告状的！唐护士长不给我吃东西，我快饿死了……

梁国辉表情严肃：这件事我要调查清楚，谁敢让我们老谢挨饿？

老谢一脸委屈：……是唐护士长！就是她一手策划的……不是一天两天了……每次吃饭都把我一个人隔离到宿舍里啃黄瓜，偷偷给别人吃肉……

梁国辉说：你和我说说，你每天都吃些什么？

老谢回答：黄瓜、豆腐，冬瓜，西红柿……都是些青菜，不给吃馒头，米饭一天就给一小碗，还是我硬要来的，我家里给买来的方便面也被她没收了……

梁国辉一脸的愤愤不平：太不像话了，这个唐慧娟，怎么能这么对待老谢呢……她和你说过为什么这么做吗？……

她说我血糖高，不能多吃碳水化合物，再吃就成糖尿病了……

梁国辉恍然大悟的样子：那我觉得她说的也有点道理，你说呢，老谢？你想得糖尿病吗？

不想……可是我……饿……

梁国辉说：……饿……嗯……这是个大问题，我让厨房给你加餐，加一个窝窝头，怎么样？

老谢开始讨价还价了：两个？

只能加一个，还得背着唐护士长……

老谢妥协了，但又加了个条件：那好吧，得是那种金黄金黄的，我们小时候吃的那种。

梁国辉答应了。走到门口老谢又返回来说：等我血糖不高了，我买两车皮馒头，三车皮花生米，请您一起吃！梁国辉笑了……

病人老谢出了梁国辉办公室，撞见了急匆匆跑过来的唐护士长。老谢昂着头，一副得胜还朝的样子，唐护士长也没顾上理他，直接冲进了梁国辉的办公室。

唐护士长对梁国辉说：吴建功自杀了……

梁国辉和唐惠娟赶到的时候，华硕和大夫护士们正推着病人奔向急救室。床上的吴建功已经昏迷，双眼紧闭，手腕已经做了简单的包扎，梁国辉看到隐隐渗出的血迹……

血浆包里的血液一滴一滴地顺着输液器流入吴建功的血管……上呼吸机，血压监测，心脏监测……

梁国辉观察到吴建功的嘴角有残留的药迹，马上用棉球擦拭，装在输液袋里。梁国辉吩咐护士：拿去化验。谁发现的病人，在哪里发现的？

华硕说：我，在家属会见室发现的。

检查家属会见室，看看有没有残留的药瓶。

华硕急匆匆地跑出去了。

梁国辉对唐慧娟说：准备洗胃，我估计他吞了大量的药物。

唐护士长马上开始着手准备，治疗盘内各有漏斗形洗胃管、镊子、石蜡油、纱布、弯盘、棉签、压舌板、开口器、听诊器等，量杯内盛着洗胃液。

梁国辉把吴建功的身体偏移到左侧，胸前垫上防水布，嘴巴下放了一个弯盘，唐护士长把开口器递给梁国辉，梁国辉用开口器轻轻地撑开了吴建功的牙齿……

华硕抱着三个药瓶进来了：两瓶肝泰乐，一瓶阿普措仑，割腕的工具是刀片。

梁国辉手一伸：拿胃管！

梁国辉抢救完吴建功，劈头盖脸就对值班医生急了。

梁国辉说：怎么会让他一个人在家属会见室。

值班医生辩解：他早就可以自由活动了。他都该出院了，就等家属来接！

他的家属来了吗？

没有。

梁国辉说：他的家属没来！三年前他就该出院了！他家属从来就没来过，这个情况你不知道吗？

知道！

梁国辉暴怒地说：知道你还白活儿什么！你再说！你再说！

梁国辉再三强调过医院的检查制度，一定要防范病人自杀！梁国辉吼了起来，你让他出现在有药品的房间，有刀片的房间，有酒瓶子的房间，有绳子的房间……任何一个可能导致他自杀的房间，那我告诉你，作为一个精神科医生，等于你杀人！如果你觉得你胜任不了精神医生的工作，如果你觉得端不起这碗饭，你可以脱下这身衣服，走人！

朱院长回到医院就找梁国辉，梁国辉刚救完吴建功出来。朱院长沉着脸让梁国辉跟三病区副主任做交接，他愿意走随时都可以脱下这身衣服，走人！

这和梁国辉刚刚训医生的话一模一样！梁国辉愣住了。

梁国辉说：……对不起院长，好多事是我不对……我用半年的时间，跟副主任交接。

朱院长带着怒气，转身走了。

在办公室里华硕给梁国辉热了一杯牛奶。华硕很难过，你刚才为什么不说实话？

别说！让我像个男人一样活着！就这么点儿时间，我不想全医院都拿我当病人！梁国辉说。

华硕抱住了梁国辉。梁国辉幽幽地说：八零后，拜托了。

华硕含着眼泪：好的。我很高兴，在医院这是你跟我的秘密。

华硕给李长江打了电话，告诉他梁国辉下班了。李长江开车来了。华硕简单地告诉李长江梁国辉在医院都还正常。梁国辉从里面出来了。

梁国辉说：长江，别接了，你都赶上接送上幼儿园的孩子了。

别废话了。上车。

梁国辉上了车。

今天想吃点儿什么，我带你去……李长江问道。

梁国辉笑：……你真想让我在死之前吃遍山珍海味啊？

李长江道：吃什么第二天早晨不是变成粪，混成什么样最后不是混成骨灰！……我啊，是想多和你待会儿。

今天我累了长江，我想回家。梁国辉说。

第 4 章　活着的烦恼

梁国辉回了家才知道朱院长找过郑洁。郑洁也不回避她跟朱院长说过调动工作的事。

梁国辉知道朱院长为什么那么发火了。梁国辉久久地看着郑洁：郑洁，就再给我半年的时间，这半年的时间你让我自己做主，行吗？

你能告诉我朱院长为什么突然找我吗？郑洁说。梁国辉沉默。

郑洁又说：朱院长从来没找过我，今天他突然找我，了解你怎么了！你觉得这正常吗？我也觉得你不正常。我也想问你怎么了！

我没怎么！

你有事瞒着我！

我没有。

你要是没有我就不是你老婆。……你就不能告诉我吗？郑洁真急了。

本来就没什么事。梁国辉努力平稳自己的语调。

郑洁为了弄清楚梁国辉到底怎么了？她找过李长江。李长江因为承诺过梁国辉，所以他什么都没有告诉郑洁。他只是再三劝说郑洁，放放手，让他怎么高兴怎么活吧……

李长江的话差点让郑洁和他翻脸，郑洁不明白了，怎么男人到了四十岁都这么不着调？！……

李长江却说：他现在混蛋成什么样儿我都理解。又说，两人在一起的时候，不知道唱的是一个什么曲儿，等曲终人散了就知道了……郑洁不明白李长江话中的意思，她是求解不得反倒弄了满肚子的委屈，她就不明白了，怎么弄得好像全是自己的错！

郑洁没回家，直接去了哥哥郑浩家。

郑浩是最见不得妹妹掉眼泪的，他能不分青红皂白撸起袖子就去揍梁国辉！……郑浩一直认为，妹妹嫁了梁国辉，亏了。郑洁看着忙里忙外、贤惠少语的嫂子，自己也开始反省，是不是自己太强了？

这句话白晓燕也说过，女人那么强，哪个男人肯保护你啊……白晓燕在李长江面前，一直扮演的是小鸟依人的女人。因为她知道做女人的艺术，她知道在一个宠爱她的男人的羽翼下她生活得是多么容易，多么舒服。李长江给了她房子，车，还有爱情。在这方面，白晓燕是个滋润的女人。在事业上，白晓燕也希望自己是一个焦点，希望自己得到观众的追捧，万千宠爱于一身。所以白晓燕很用功，跟自己较劲。所以白晓燕一方面对李长江笑脸相迎，一方面吃着避孕药。

白晓燕看着自己鲜活的徒弟一天天在剧团中变得引人瞩目，心里变得越来越不是滋味儿。她清高，孤傲，本就不是一个八面玲珑的人，八面玲珑人见人爱的是她的徒弟付若林。付若林的八面玲珑不光对剧团的人，也对白晓燕，周到得叫白晓燕什么也说不出来。

白晓燕回了家，当然兴致也提不起来，无论李长江怎么哄她，也高兴不起来。李长江那么宠娇妻的人，想知道为什么了。李长江去了剧团。

大老板上门，团长特热情，言语中透着点巴结。

团长说：晓燕的性格你最了解，她要愿意跑场子，随时回来当主力，现在场子多，正愁跑不过来呢。可话又说回来了，她得放下架子。

李长江听明白了：我说的呢，这些日子白晓燕情绪波动……

团长说：她啊，波动大了，她啊跟整个剧团较上劲了。不管是多大的角儿，都不能和大形势唱反调，是不是啊？

李长江松了口气：谁和你唱反调，白晓燕？她这么多年兢兢业业地跟你走南闯北，现在变成唱反调了，你知道什么叫过河拆桥吗？你是她的领导，工作上的事处理不好直接影响到家庭和睦。

团长说：物换星移，这是自然规律，可晓燕是台柱子，也没到退二线的年龄，谁敢有意刁难她，我知道不唱大戏，晓燕是有情绪，可这都是形势所迫，唱戏这口饭越来越难吃，只能把阵地战改成游击战……

李长江说：您可是剧团的团长啊，剧团，剧团，不进剧场，不演折子戏，那不是成跑江湖卖艺的了吗？

团长直挠头：我们团就算转型转得不错了，有些剧团整个改农村包围城市了，哪儿偏远上哪儿唱去，您说这城里人他整天在高压电网里生活，哪有闲情雅致听戏？……我们的日子和您李总不能比呀，您是医疗行业的老大，吃五谷杂粮谁家没个灾儿啊病啊，有病就得上医院，有医院就需要医疗器械，您卖医疗器械，捧得是钻石饭碗。我们呢，一个团的人都捧着烂泥巴饭碗眼巴巴地等食儿呢，不跑场子就在剧院里等着饿死，我现在当的就是这么个穷家，您说我该怎么办？

李长江道：办法是想出来的，你得两手抓，剧场、赶场两不误，既保持剧团的本色，又要搞创收。

团长道：能两不误吗？有这样的好事？……我看您这主意出得不怎么样，您是盘算着把我辛辛苦苦搞创收挣来的钱来补剧场演出的窟窿……

李长江也不想和团长兜圈子了，直接进入主题：您说吧，剧场平时的上座率是多少？

5%！

那多少上座率就能赢利？

30%！

李长江干脆地说：我包场！包50%的上座率。每周两场，先付钱后演出。您只负责撒开人马到公园，街头巷尾发票去，咱们随时随地签合同……

团长还有点儿没反应过来：我的做人原则是——天上掉馅儿饼的时候一定要想想为什么？

为什么？为我老婆！李长江站起身走了。

刚指挥医生护士把一个病人送进重症监护室，郑洁的手机就响了，是梁思宇同班同学家长，在外交部工作，跟郑洁商量关于梁思宇上重点高中的事。两家本来商定了让梁国宇和同学结伴上三中，但是现在有了更好的选择，上外国语学校，是直接跟澳大利亚的一家学校对接的，上完高中直接去留学。郑洁立刻就思路清晰了，跟人家谈关于上重点高中的选择。

郑洁就是这么利落地处理她认为重要的一切：工作，孩子，家。

郑洁给梁国辉打电话，让梁国辉早点儿回家，有事商量。郑洁又说，你千万别说你又没时间。

可是，梁国辉竟然说我有时间。

梁国辉买菜回家，梁老爷子正在看电视……看着梁老爷子头上的白发，梁国辉心里难过。

梁老爷子把新写的回忆录念给梁国辉听，说来说去还是老爷子负伤那一段……梁国辉没回应。

梁山回头，问梁国辉怎么了，是不是遇到了什么过不去的槛儿？……父亲的问话让梁国辉差点没掉下眼泪来，可他什么都不能跟老父亲说。

梁国辉说我没事儿。你接着写你的回忆录吧。起身要走。梁山说有事儿就说。这点事儿我要看不出来，我这辈子火眼金睛算白练了。梁国辉说您不就是在保卫处……

梁山来了精神：保卫保卫，没有点儿火眼金睛看不出蛛丝马迹怎么保卫？当初有人偷厂里的盘条，你以为我从哪儿看出来的？就凭那人抽烟的烟嘴！那烟那么贵，靠工资他根本买不起！这眼力我是在朝鲜战场练的……有朝一日，我真想再看一眼我战斗过的地方。

梁国辉说：我陪您去。

梁山一惊：哪儿？

鸭绿江，您战斗过的地方。在那儿您能跟朝鲜人民隔江相望。

所以，当郑洁回到家想要和梁国辉商量花钱送儿子去重点高中的时候，梁国辉却提出来花钱带老父亲去看鸭绿江……郑洁简直是哭笑不得，她不明白，眼见家里的存款就那么几位数，儿子上学才应该是头等大事，怎么就非要去看鸭绿江？！从电视上看不一样吗？……

梁国辉说当然不一样，再说家里的存款，供梁思宇上个重点中学还应该是富余的吧。

郑洁说那是我攒的钱，你就不应该做点儿贡献吗？

应该。梁国辉忙说。可他作为梁山的儿子也应该孝敬一回自己的父亲！他想满足老人的心愿……

郑洁说：再过几年不行吗？等思宇大了……

我不想等了。

梁山却接上话：我等。等几年怕什么啊？我腿脚还利利落落的……我等孙子陪我去。

爸，我陪您去。

我不去。

以前，梁国辉和郑洁的争吵，梁山是从不掺和，但这次他命令式地制止了他们的争吵，命令式地告诉他们，第一，是否能上重点高中，要看梁思宇的本事而不是存折上的钱！第二，梁国辉能有这份孝心，想着他爸爸曾经保家卫国，子弹曾经穿过他爸爸的肋骨，他就心满意足了！

剧院的后台，摘了眼镜白晓燕还是一脸倦容，带着黑眼圈。看着演员们在后台又是排练又是化妆，心里不知是什么滋味儿，熟悉又陌生，恍然如梦中……她还是挺胸抬头地从排练的人群中走过，隐隐约约听见人们在议论什么，见到她都不吭声了。付若林已经化好了妆，看见老师，热情地打招呼，还是老规矩，泡好一杯茉莉花茶送进了她的化妆间。

白晓燕的化妆间里，团长早就坐那儿等着了。现在白晓燕不光是台柱子还得当财神爷供着。看见白晓燕进来，团长赶紧站起来：晓燕，你可到了，等得我直冒汗。

白晓燕不领情，就那样淡淡的：您的弯儿转得太快了，我不太适应。

团长说：战术就讲究声东击西，神出鬼没。您进来的时候，瞧见台下黑压压的人了吗？没办法，观众的呼声，观众爱看，咱就得演。

我觉得哪儿不对劲儿……

哪儿不对劲儿？有什么不对劲儿的……

我懒得往深里想……白晓燕说。

付若林在白晓燕身边，帮着贴鬓角，插珠花，十分殷勤周到。对镜化妆的白晓燕，镜子里却不断出现那天付若林演出的情景，她神情有些恍惚……

透过幕布，白晓燕看到台下真是黑压压的坐满了观众，心中的阴影都烟消云散，兴奋起来了，手中拿剑，边唱边舞起来……

一朵珠花从鬓角上滚落下来……

白晓燕去捡珠花的当口，听到了幕布后两个演员的议论。

一个说：人家付若林多才多艺又平易近人，我就看不惯她那目中无人的样儿！……

另一个接茬：掉了毛的鸡插上翎硬当凤凰，不是全靠傍个大款老公给包场子嘛，张狂什么呀……

乐师们已经敲打起来了，团长过来催场……

白晓燕强撑着往前走，她眼里周围的一切都变了形……她突然从旁边的镜子里看到了一张极其丑恶的脸，她觉得是自己眼睛花了，擦了镜子再看，还是那么一张极其丑恶的脸，变形了，充满了嘲弄，向自己扑过来……

白晓燕举起虞姬的宝剑，奋力向这张丑脸刺去，硕大的一面镜子"哗啦拉"地被砸了……

演员们闻声而来，团长眼睁睁地看着这一幕，不知道白晓燕到底怎么了？

白晓燕又向另一面镜子砸去，人们才醒悟过来冲上去阻拦。当人们从白晓燕手中夺下剑，白晓燕身子一软，晕过去了……

开场的小锣还在敲打着……

团长打 120 急救，抬着人就往外跑，回头又吩咐：换戏，付若林救场，台下那么多观众还等着呢……

白晓燕被抬上救护车，120 呼啸着警笛驶向街道……

付若林在急促的锣鼓声中登台亮相。

白晓燕被送到了中心医院，李长江往医院跑，郑洁也往医院跑……

白晓燕还没到医院就已经醒过来了，李长江松了一口气，郑洁也松了一口气。

检查结果都出来了，白晓燕只是太虚弱而已。

白晓燕看见李长江，眼泪一下就掉出来了：你竟然……骗我！

李长江有口难辩：晓燕，我是……疼你啊。

你骗我！

这天夜里，刘彪捅了大娄子。

这天晚上刘彪在服装厂的仓库里值班。仓库里堆满了衣服和布料。刘彪是一个敬业的人，如果他不喝酒的话。他在仓库里巡视了一圈又一圈，确认一切是安全的，所有的门都锁了，窗子都关了，他来到自己的铺位上躺下……他在床上翻腾，翻腾，最终，还是忍不住，从床下拿出了酒。刘彪是一边喝一边劝自己的：少喝点儿，就喝一点儿，解解馋得了。明儿不值班了回家喝去。可一边劝着，一边刘彪就把一瓶酒喝没了……

刘彪自己不知道火是什么时候着起来的。不知道是烟，还是火或者是生命的本能，让刘彪睁开眼睛，火已经起来了……刘彪扑火，一扑，再扑，可火已经起来了。刘彪踉跄着冲出去，拿起电话报警……报完火警，刘彪又回到现场扑火……刘彪已经不记得了，火是怎么灭的，天是什么时候亮的。

梁国辉是被电话铃声惊醒的，电话里传来姐姐梁国华的哭声。然后他就赶快起床，说姐我这就去。

刘彪跟单位的领导解释不清楚，单位的领导怀疑，刘彪你是不是又喝酒了，刘彪含糊其辞，良心不能让他说没有。在派出所，刘彪也解释不清楚起火的原因，酒精测试，也许是因为扑火急的，也许因为时间长了，刘彪嘴里已经没有酒气……

梁国辉和姐姐国华赶到了刘彪的单位……也许是因为她的眼泪，或者厂长本身是一个善良宽容的人，他嘱咐刘彪，不管在哪儿，你都不能承认你喝酒了听见没有？……

梁国辉点头哈腰、递烟、拿钱，为姐夫解决着问题……最终，梁国辉把自己的年度奖金全部搭在了姐夫身上，换取的结果是刘彪被开除但免于刑事责任。

梁国华松了一口气，眼睛里反而汪上了泪水。他想接刘彪走，去给他戒酒。梁国华拒绝了。她不想给弟弟添更多的麻烦。

梁国辉让国华抽空回家去看看父亲。梁国华又冷淡了，说我回去他也不高兴，既然他不高兴我干吗回去招他。

梁国辉说姐，爸老了。你回去看看她就知道，爸老了好多。

梁国华说，她在父亲面前的那点脸让刘彪一把火全烧了！

刘彪没有被追究刑事责任，可单位也不可能再保留刘彪这样的职工，刘彪从这天起又下岗了……

梁国华对刘彪是恨铁不成钢，一番惊心动魄下来，她只剩下伤心了。国华没有责备刘彪什么，只是哭：万一你让火烧死了怎么办，怎么办？你让我上哪儿找你去啊？你让我从灰里往出扒拉你啊？你让我们娘俩怎么活啊？刘彪没话可说，甚至都不敢看自己的老婆一眼了。

这天晚上，刘彪很想出去喝，当他半夜想溜下床找酒喝的时候，他发现梁国华用一根绳子拴着他的手腕，绳子的另一头拴着自己的手腕……刘彪看着老婆，狠狠地打了自己的嘴，他也恨自个。

梁国辉替姐姐抹平了这件事，让梁国华再见着郑洁的时候顿然矮了半截。这件事也让郑洁非常不满。

梁国辉生气地提醒郑洁，郑洁嘴里的"那个女人"是当初靠给人打毛衣把他养活大的亲姐姐！他绝不容许任何人对梁国华有半点的不尊重！……

郑洁说：我没不尊重。可她破坏了我的计划。

郑洁的计划是让梁思宇进外国语学校，将来能出国留学。而出国留学是需要钱的，他们得为梁思宇出国攒钱。这一点梁国辉跟郑洁观点真的不一样。

梁国辉说，什么学校都出尖子生，什么学校也都出垫底的。如果梁思宇应该成为栋梁之材，他就是从隔壁的高中毕业，一样成材；如果他不能成材，就是出了国拿钱往出堆，也堆不成人才。

郑洁一听就急了：我懒得跟你说话。你这就叫不负责任！我问问你，从梁思宇出生到现在，你说说你为他做过什么？生病找不着你，花钱找不着你，开家长会找不着你……

你真像给我的一生做总结。对于这个家，我就像一个罪人。梁国辉黯然地说。

郑洁一点儿都不客气：你本来就是！

梁国辉呆住了：这就是我在你心目中的位置……

你在我心目中没位置。

梁国辉再度哑然。

他们吵架惊动了父亲梁山。梁山拿出了一张存折递给郑洁。梁国辉一下就急了。父亲作为一个老兵，退伍之后在一家工厂保卫科工作到退休，真没什么钱，就是退休工资，那是父亲养老的钱……

郑洁当然也没想拿老父亲的钱。但是梁国辉还是生气了。梁国辉说郑洁我觉得有时候你真有点偏执。

郑洁急了：你别拿对病人的口气跟我说话。

梁思宇就上普通高中怎么了？

梁思宇绝对不能上普通高中。梁思宇一定要优秀。

普通高中也不一定就不优秀。北大清华那么多学生我不信都是重点中学招上来的。梁国辉嗓门也不低。

郑洁更生气了：你说的每一句话都在推卸责任。我真跟你没一句共同语言，我懒得跟你说了，我得睡了，明天我医院还有一堆事。

郑洁睡下了，生命垂危的梁国辉真想跟郑洁说点儿什么……

可郑洁却算清了家里的存款，宣布从今天起 AA 制，她也不指望梁国辉什么了。

郑洁对梁国辉表现出来的绝望让梁国辉心寒，他真想说，郑洁，我一个快死的人了，给我点指望成吗？！……

梁国辉摔门而去……

第 5 章 情 敌

夜晚，梁国辉不由自主地游荡到了华硕的楼下，不由自主地给华硕打了电话……华硕在瞬间就出现在他的面前。

华硕陪着梁国辉在医院办公室坐了整整一个晚上，她看着梁国辉睡在病人的长椅上……梁国辉的手机不停地震动着，华硕看见手机上显示着"郑洁"的名字，她将手机递给了梁国辉，梁国辉摇了摇头。

华硕默默地将手机关了。

当手机里传来"您拨叫的用户已关机"的时候，郑洁一下紧张了……她第一反应是起身去找梁国辉，但还未消停的愤怒又让她坐回到了床上。

此时，梁国辉正躺在病人的长椅上昏昏欲睡……华硕几乎是一直看着梁国辉，时不时地摸摸他的体温和呼吸；梁国辉也会突然惊醒，他说，他现在很怕睡觉，怕一觉下去就再醒不来了……

华硕哭了，她再次劝说梁国辉去治疗。

梁国辉犹豫了，他两周之前能豪言壮语地说"不怕死"，扛了两周之后，尤其是华硕带给了他新的生活感受之后，他真有些扛不住、真有些怕死了……

华硕摸梁国辉的额头，他又开始发烧了。华硕一下急哭了，她紧紧地抱着梁国辉，说了好多话，她不要梁国辉死。华硕说我这么抱着你，这么关心你，喜欢你，这么……爱你，你舍得就这么去死吗？

华硕倾诉了很多，她对梁国辉的感情，对梁国辉的爱慕……梁国辉打着寒战，不知道是因为发烧，还是被华硕惊着了。以前他不知道华硕爱她。

华硕说：能跟你说吗？你有家有孩子。我当然只能埋在心里了。难道世界上最深刻的感情不都是这样的吗？说出来不就浅薄了吗？

梁国辉在濒死状态，确实像被打了一针兴奋剂，被这么年轻的一个女孩子爱慕的感觉太好了！

梁国辉回应了华硕的拥抱：有你陪着我，我死也知足了。

我可不是要送你去死，你得答应我去打吊瓶。

这一夜，郑洁是整整地坐了一个晚上，闹铃声让郑洁还是忍不住蹿出了家，直奔李长江那里。

郑洁告诉李长江梁国辉这段时间发生的变化……郑洁要李长江告诉他，梁国辉究竟怎么了？！……李长江什么都没有对郑洁说，因为他承诺过梁国辉，不让家里人知道病情。

当郑洁抓狂地告诉李长江梁国辉彻夜未归的时候，李长江顿然吓得面如土色，他甚至要公司的几个员工停下手里的工作去找梁国辉！……李长江的紧张让郑洁诧异，她心里也开始七上八下，意识到可能有事情发生。

就在郑洁和李长江疯狂寻找梁国辉的时候，华硕正陪着梁国辉在医院打吊瓶。

李长江几经犹豫给华硕打了电话，得知梁国辉正在医院……李长江不得不带着郑洁一起去医院。

郑洁见到躺在病床上的梁国辉，她的怒气全没了，本能地询问着梁国辉的病情……但当郑洁看见华硕双眼红肿，李长江和梁国辉又闪烁其词的时候，女人的敏感让她意识到华硕和梁国辉有问题。

郑洁问：你发烧为什么不告诉我？

打打吊瓶就好了，有必要那么兴师动众吗？

我是你老婆，你让她陪着不是兴师动众啊？

我们在自己医院里，她恰好值夜班，这算兴师动众吗？

郑洁逼问：她的眼睛哭得跟桃儿似的，为了你发烧会急成这样儿？

梁国辉不知道该怎么回答了。

郑洁问梁国辉，华硕是不是喜欢你？

梁国辉当然不承认：你胡想什么啊？

华硕和李长江站在医院的院子里，是另外的一重担忧。

华硕的眼圈又红了，她不知道梁国辉还能挺多长时间。

李长江安慰她：咱们都尽力吧华硕。你已经让我很感动了。八零后还有你这样的女孩子我没想到。

华硕嗔怪说：八零后应该什么样啊？在你们眼里都是怪物啊？

现在华硕正式地走进了郑洁的眼中和心里。过去，郑洁只是把她当做梁国辉的学生、小孩儿……她忘记了华硕已经是一个亭亭玉立的女人了。

梁国辉非常明白郑洁话中的意思。他告诉郑洁，华硕是陪了他整整一个晚上，但只是陪伴……其余的梁国辉不再做任何解释。

李长江来医院找梁国辉……他了解郑洁，猜到郑洁一定有所察觉。梁国辉说，他就是想让郑洁对他痛心、绝望，这样等他死的时候，郑洁就不至于太难过了。

李长江把一张银行卡送到梁国辉面前，说哥们儿你别废话，拿钱住院去。梁国辉说我不用。李长江急了，说我不用你还！梁国辉说那我也不用。李长江说你让我看着你一天天等死啊？有你这么折磨人的吗？梁国辉笑了，说哥们儿我真的不能去，就这我的时间都不够用。梁国辉又说你别这么伤感行吗？……接着突然说哥们儿我四十了，今天，整四十岁了。

李长江眼圈儿一下就红了，说，都说男人四十一枝花，按说咱们还是花呢，你说说你……梁国辉笑了，说生死场上没大小，黄泉路上没老少。我当不了那花了，你当吧。李长江说扯淡吧，你别跟我装大个儿了……我不信你不怕死。你怕不怕死？

梁国辉一点都没回避：怕。……哥们儿我很想表现得坚强一点儿，像个爷们儿，但是我真怕。

谁都怕。说个怕字也没什么丢人的。……你有什么想让我帮你的。

延长寿命。

两个人都笑，都知道这是不可能的。

哥们儿……可李长江实在不知道该说什么了。

知道，你想安慰我。可是所有安慰的话都是多余的。忙你的吧，我医院里好多好多事儿……梁国辉说。

某中学高三的高才生丁超爬上了他父亲带着建筑系学生设计的高楼。

阳光医院的自杀救助热线接到了街上行人打的求助电话。

梁国辉带着华硕和几个医生赶到的时候，楼下已经聚满了警察和观望的人群。丁超的脑子乱成一团，看着四周黑压压的人群仿佛所有的声音都在说跳吧跳吧……

梁国辉阻止了要上前的警察。

这时丁超听见另外一个声音。这是来自梁国辉的声音：孩子我理解你想自杀，不过在你自杀之前能不能告诉我为什么？

丁超告诉梁国辉脑子里有一个声音让自己去死。

梁国辉说，孩子我知道那是什么声音，如果我能帮助你让那个声音消失，如果我能帮你活下去，你愿意跟我走吗？

梁国辉向丁超伸出了手。终于，丁超抓住了梁国辉的手……

丁超患有严重的精神分裂症。听到这个诊断的丁超父母惊呆了。丁超父亲是某大学建筑系的教授。在这所著名的大学里，集中了全国各地的精英学子。这些学子中也不乏父亲的得意门生，不断地在家里出出进进。丁教授当然希望，丁超有一天会是这些学子中的一员……

丁超的母亲是这个学校图书馆的工作人员，天天也是泡在书海中。为了丁超能够感受到重点大学的气氛，为了让儿子天天得到这个气氛的浸润，只要丁超不在学校上晚自习，至少周六和周日，母亲会在图书馆里给丁超占着一个位子。丁超，母亲的宠儿，当然也天天在母亲宠爱的视线中，但是这宠爱，反而让丁超倍感威压……

丁教授尤其不能相信这个诊断结果。他说孩子想自杀是因为自己打了丁超那一巴掌他受不了，跟孩子赔礼道歉就行了……他坚持想把孩子接走，因为高考在即，不想让孩子耽误考试。

梁国辉违背了一个精神医生的原则，忍无可忍地跟丁教授急了。如果孩子从楼上跳下去了，做父亲的都不知道儿子是为什么死的，这就是为人父母的失职。

丁超的母亲吓哭了，终于决定把儿子留在精神病院。但是丁超的父母希望梁国辉别把丁超住院的事告诉丁超的学校。他们希望，过几天丁超好了，还能参加今年的高考。

梁国辉长长地叹了口气，没给这对夫妻任何承诺。只是嘱咐丁教授回去看一看有关的书。

丁超的父母向学校谎称丁超得了肝炎，为了不传染别的孩子在家复习，但他一定能参加今年的高考。

梁国辉指定华硕作为丁超的主治医生。丁超的父母不同意，华硕真是太年轻了。

梁国辉说：她是一个好大夫。你们不会失望的。

丁超父母走后，梁国辉很郑重地面对华硕说：华硕，这孩子就交给你了。

华硕热泪盈眶：真让人受不了，你的每一句话也都像临终遗言。

梁国辉伸手替华硕擦掉眼泪：把眼泪忍回去小姑娘，你可没时间哭。

丁超的临床诊断，怎么制订治疗方案，怎么跟丁超的家长谈，怎么用药，丁超发病时的特征是什么样，梁国辉真的是手把手教华硕……

梁国辉还带着托孤一样的心情，让跟自己合作多年的护士长唐慧娟好好跟华硕合作。梁国辉真可谓用心良苦。

唐慧娟目光异样地看着梁国辉，想到别处去了。梁国辉没有辩解……华硕心碎，也没有辩解。

丁超醒来的时候已经躺在精神病院的床上，手脚被保护带保护着。他脑子沉沉的，听着周围医护人员来来去去……

他醒了，可是脑子里的声音还在，还在嘲弄他，还在命令他死亡……但是他很快也听到了另外一个声音，那声音来自梁国辉……

梁国辉带着华硕适时地出现在他身边，轻声问：孩子你听得见我说话吗？你现在觉得怎么样？

从此丁超的脑子中两个声音交替存活着，魔鬼的声音让他死，梁国辉的声音让他活……

梁国辉告诉华硕：这是幻听的病人，他的耳边有一个魔鬼的声音缠绕着他……没有更好的办法，耐心用药，耐心等待，呼唤他，直到他脑子里魔鬼的声音消失。

华硕手里拿着个录音机，梁国辉所有的声音都录下来了。她含泪说，等有一天你走了，你的声音还陪伴着我。

删了吧，我不愿意有一天变成你幻听的一部分。

这是我的事。我在精神上爱你，这你管不着。

郑洁的心里也开始纠结和痛苦，执拗的性格让郑洁太想弄清楚华硕和梁国辉之间到底是什么关系，但她又无从下手，更不敢把这件事告诉哥哥郑浩……她只能把自己心里的怀疑痛苦全告诉了嫂子。

嫂子给郑洁支招说，往往这种事情一天不抓到证据，男人就一天不会承认！要先从不动声色地搜集证据开始……郑洁吃惊地看着嫂子。她没有想到在她眼里温柔、贤惠的嫂子居然有如此的"计谋"。嫂子难过地说，"两口子就是一场持久战，不是你先死就是他先死……"郑洁从来没想到，她的嫂子就是如此对付哥哥郑浩的，在郑洁心里大哥郑浩一直是完美男人。

郑洁还是按照嫂子的"招儿"做了。她不再盘问梁国辉什么，开始默默地关注和调查他的生活……很快，郑洁就发现"华硕的电话号码"越来越多地出现在她家的座机和梁国辉的手机记录上；接着，郑洁发现梁国辉也开始频繁的"加班"，他嘴里的谎话也越来越多。

郑洁握着电话记录单，双手颤抖着。嫂子说，"如果你还想过下去，就睁只眼闭只眼；如果不想过了，就睁大双眼去捉奸在床！让他净身出户！"

郑洁的眼泪掉了下来，今天是她和梁国辉结婚十四年的纪念日，她却面临着对"婚姻的取舍"……

郑洁还是给梁国辉打了电话，问他今天是不是回家吃饭？……

梁国辉说：我今天要加班。

梁国辉挂掉了电话，难过地回头看着华硕。

郑洁挂上电话，直接去了精神病院，她也从值班医生那里得到证实，梁国辉这一个月来确实一直在加班，不过是跟华硕大夫一起加班，而且郑洁来之前，他和华硕一起走了。郑洁说了声"谢谢"，转身走了。

郑洁一路步行，一路哭着，最后是坐在街边失声痛哭。路人都诧异地看着郑洁……郑洁不想把痛苦带回家。

第 6 章　丈夫的遗嘱

郑洁还是做了丰盛的饭菜，强颜欢笑地和梁山、梁思宇一起庆祝着他们的结婚纪念日。

门铃响了，郑洁以为是梁国辉回来了，打开门，看见的是送来的一大束玫瑰花，送花人的落款是"梁国辉"……郑洁捧着花儿，看着儿子梁思宇。

"我替我爸送你的……"梁思宇轻描淡写地说。

郑洁一下就哭了。

这束花让郑洁决定对自己的婚姻进行最后的拯救和保卫。

此时，梁国辉正在给华硕讲着他和郑洁结婚十四年的种种……梁国辉和自己老婆的纪念日却是和另一个女人度过的。

你心里还是爱她……华硕说。

她是我老婆，占据了十四年的生活，我没有第二个十四年了……

郑洁一定会想到我们俩在一起。

是……

你是故意这么对她，对吗？华硕问梁国辉。

对不起……梁国辉只能对华硕说这三个字。

这不公平……华硕说。

我知道，但我没有别的办法，恨总比生离死别强吧……

我是说对你不公平，你是一个好丈夫……华硕说。

梁国辉非常欣慰和感动，他对华硕是无以回报。

人要是有下辈子，你会娶我吗？华硕问梁国辉。

你相信有下辈子吗？

相信。……要是有下辈子，你会娶我吗？

梁国辉笑了：你有男朋友啊小姑娘，你难道不希望下辈子他娶你啊？

华硕也笑了：我是有男朋友，没错。……不管他是不是我老公吧，我都已经得到他了。既然得到一回了，我干吗还等下一回啊？下一辈子我不想跟这一辈子吃一道菜。你呢？你还想跟这辈子吃一道菜吗？

……也不想。

华硕说道：你还没回答我的问题呢。

梁国辉说道：……六个月以后，我不在了。然后我投胎，零岁。20年后，就算我又是一条好汉了……你快50岁了。他笑起来，下辈子我要是追你，你答应吗？

华硕也笑了：……我答应，算忘年恋吧？

梁国辉拍拍华硕的脸，柔声地：小姑娘，20年后，别说你不认识我。

华硕的眼睛湿了。

梁国辉回到家的时候，郑洁正捧着花坐在卧室里等着梁国辉。她告诉梁国辉，这是儿子送给他们的花儿……梁国辉也心如刀绞。

郑洁没有问梁国辉去哪儿了、和谁在一起，她只想知道梁国辉还想不想和她过下去……

梁国辉说，当初郑浩坚决反对妹妹郑洁嫁给他，他在郑浩面前立下的誓言是，"如果不让郑洁幸福，他就死无葬身之地！"……现在看来，他真要死无葬身之地了……

这么说你不想过下去了？郑洁追问。

……是我不能陪你过下去了。梁国辉痛苦地说。

你打算陪谁过？！华硕吗？！郑洁还是忍不住说了，她将电话记录全都摔在了梁国辉面前，她要梁国辉给他一个解释。

梁国辉看着郑洁，他迅速做了一个决定，就破罐破摔吧。

对！一年365天你有一半的时间在值夜班，另外一半是早出晚归，你陪着的是你的病人，陪着我的是枕头！……梁国辉开始和郑洁清算他们的生活，把他对郑洁的不满全倒了出来。

我要是不陪着我的病人，咱家哪来的这三居室？！儿子凭什么上重点高中？！将来拿什么出国留学？！……郑洁也愤怒地和梁国辉清算着。

梁国辉看着满脸愤怒、满眼泪水的郑洁，他一下又非常的难受。

你不是说AA制吗？咱们就彻底A吧，打今起，你就当我死了……梁国辉说的是真心话，但郑洁不明白，她伸手打了梁国辉。

梁国辉的眼泪掉了下来，此时，两个人的心里都很绝望。

第二天，郑洁没有想到，华硕直接在医院门口等着她。

郑洁和华硕面对面地坐着。郑洁说，她知道华硕想跟她说什么……郑洁尽最大的努力克制着内心的愤怒告诉华硕，她现在只希望给他们的婚姻留下最后的情面和自尊。

我是喜欢梁国辉，但他心里真爱的是你……华硕告诉郑洁。

华硕把梁国辉得了绝症，以及她这段时间如何陪伴梁国辉的情况全部都告诉了郑洁，她之所以这么做就是觉得对梁国辉不公平……郑洁目瞪口呆。

之后，好久，郑洁含着眼泪说道：谢谢你华硕。

郑洁直接冲到了李长江的办公室，她问李长江，华硕说的是不是真的？！……李长江拿出了他带梁国辉去瞧医生的所有检查结果给郑洁。

郑洁看多了生死，但就是不能相信这事儿落在梁国辉身上……

李长江说，是祸是福咱们得面对，对不对？再说你是一个大夫，说不定你能救他……

郑洁说我知道了，谢谢你长江。

郑洁的态度一下子变了。往昔的强硬、唠叨和愤恨都不见了。过去的都过去了，眼前她要做的，能做的，是尽量让梁国辉死而无憾。

所以她得先知道梁国辉遗憾的是什么。

郑洁凝视着梁国辉说：我知道了。

梁国辉不再回避了：知道了？

郑洁点头：你应该先告诉我。我毕竟是离你最近的人。说完这话郑洁都没信心了……因为我唠唠叨叨的，你烦了，所以你不告诉我……在你眼里我那么差劲吗？

不是不是……是不知道该怎么告诉你。梁国辉说道。

这天夜里，郑洁和梁国辉是这么多年以来最为真实的交流、交欢。之后，郑洁依偎在梁国辉的怀抱里，哭了。

我不相信你不行了。真的。我不相信。

……别哭了，我有好多好多话想嘱咐你。

郑洁含泪：你说……

你再找一个男人的时候，一定要……这个世界上也就我能忍你。梁国辉把平时对郑洁的不满都说了，把平时对郑洁的希望也都说了。

郑洁说：你喜欢温柔的善解人意的女人……

梁国辉说：当然，所有的男人都喜欢。

郑洁沉默。

还有，你要学会跟男人撒一撒娇……会撒娇的女人不吃亏。男人天生有保护欲，可是都强成你那样儿，谁站在你身边儿都多余，躲都来不及谁还保护你。

这么说你在躲着我。

梁国辉道：你一发火脾气那么大，我当然得躲出去……说实话我有时候真的不想回家。我这么说不是想伤害你，我都是由衷地为你的将来想。

说着说着郑洁急了：我也想温柔，我也想撒娇，可是那么多的事儿落在我头上，温柔和撒娇能解决问题吗？我跟你温柔，我跟你撒娇，你会去处理吗？管用吗？……我也告诉你实话，有时候我真是非常瞧不起你，我真想我是嫁了个什么男人，我能在什么事上指望你。

梁国辉沉默了。

郑洁也沉默。

半天。

郑洁说话了：对不起，我不想跟你急。

有时候我很想跟你聊聊天儿，找点儿情调什么的，可是你没发现吗，聊着聊着就变成指责……你指责我，把我贬得一钱不值。我有时候真怀疑，我在你心里有位置吗？梁国辉问道。

郑洁说：我希望你是个靠山，可我什么事靠得上你……

梁国辉点头：所以就没什么位置。

……

梁国辉说：你看你哪儿像一个女人，你就是一个战士。

……

郑洁开口说：我做女人做得真失败，就连自己丈夫得了绝症的大事，都是另一个女人告诉我……

在我这儿，失败就失败了。……在另外一个男人那儿，千万别再重复同样的错误。梁国辉道。

……别跟我提另外的男人……

我是跟你说面对现实的话。我是希望将来没有我了，你过得比现在幸福。

郑洁哭了：将来没你了……别跟我说这样的话。

有什么关系，反正你又不留恋我……梁国辉的话让郑洁的眼泪一下夺眶而出。

郑洁跑到哥哥嫂子面前痛快地哭了一场。嫂子第一反应是郑洁抓到了"梁国辉外遇的证据……"

郑浩听了，立马就要去找梁国辉算账。郑洁拉着哥哥说，梁国辉得了肺癌……郑浩傻了。

郑浩非常心疼妹妹，也再次勾起他当初对这桩婚姻的反对态度……尽管这个结局是郑浩不愿意看见的，但也证明了他的正确。

郑洁不认同，她告诉大哥郑浩，她要好好地陪伴着梁国辉度过剩下的日子，梁国辉愿意干什么她都陪着！

郑浩找到这个他一直看不上的妹夫进行了一次推心置腹的谈话。他希望梁国辉多为妹妹的将来考虑……

梁国辉告诉郑浩，能想的不能想的他全想了，甚至连遗嘱都准备好了，第一，将房子等等财产全部过户给郑洁，第二就是老父亲梁山，他会留给老父亲一笔钱，安排他和姐姐一起住……梁国辉让郑浩放心，郑浩没想到的他都想到了。郑浩对这次谈话很满意，至少，这次他觉得梁国辉还像个爷们。

一旦在心里对梁国辉有了认同，郑浩开始伤心了。他嘱咐郑洁，对梁国辉好点儿，怎么着也是夫妻一场。

郑洁转过脸：我知道。

就在这时，李长江和白晓燕之间却隔着"山"了。

白晓燕不能原谅李长江的包场，她认为，他这一招直接让她的尊严扫地，直接向世人宣告她并不是一个什么艺术家，她站在舞台上，只不过是一个有钱的大款的老婆而已……

李长江心里委屈，他都是为了让白晓燕高兴，他做的一切都是出于对她的宠爱……

白晓燕不领情，她警告李长江，不许他再到剧院去，那是属于她的一片净土，她不允许李长江用钱污染那块圣坛。

李长江也生气了：污染？我的钱污染了你的圣坛？

白晓燕道：是。我愿意用艺术用我的本事争取在舞台上的位置，胜败我都认，我都开心，而不是你的钱。你的钱要是没处花，你就捐给希望工程。

白晓燕不管李长江生不生气，她保持着早睡的习惯，为了保持容颜，她也习惯早起，去公园吊嗓子……

生孩子的事，白晓燕只字不提，也不配合……

李长江失落了……

郑洁把过去和现在的所有委屈都咽了，不但忍了，她还希望自己在梁国辉最后的日子里做成他心中向往的那种女人……

郑洁从梁国辉那里拿过了全部的病历和片子，抱着一线希望，她找到了中心医院的肿瘤科专家……但是郑洁的希望也飞快破灭了，毋庸置疑，梁国辉确实是肺癌。

第 7 章　完美状态

郑洁是一个每天都经历生死的大夫，对于死亡，她司空见惯了，麻木了……但当死亡突然降临到了她枕边人的身上，郑洁觉得自己像被子弹击中了……她不能接受枕边的梁国辉，有温度有气息有汗味儿什么都跟正常男人一样的梁国辉，几个月以后要从她的生命中彻底消失！

如果梁国辉消失了，她怎么办？她以后的生命怎么办？谁是以后漫长岁月中陪伴她的那个人？谁是陪她儿子长大的那个人？谁是陪她变老的那个人？

以前在郑洁的眼中一无是处的梁国辉，一下子变成了郑洁生命中最重要的那个人！生死与共的那个人。

郑洁背着梁国辉哭了。不是怕失去梁国辉，而是看着生命从梁国辉的身上消逝，而梁国辉无可奈何！

还有什么理智可言，郑洁的第一直觉，是千方百计，要梁国辉活下去……

郑洁说看在夫妻的份上，你一定要听话，要治疗，你要活下去。

梁国辉要郑洁别折腾了。他是医生，他知道癌症是怎么回事。放疗、化疗那些摧毁性的措施，能对治疗有用吗？梁国辉拒绝。

郑洁含泪了，说我又没求你别的，就求你配合。

郑洁就是那么一个轴人。她的生命中好像是注定得跟某个人和某件事较劲，这就是她生存的目标。现在她不跟梁国辉较劲，是跟贴近梁国辉身边的死神较劲了。

郑洁几乎动用了自己所有的关系，几乎找遍了所有的著名专家级医生，给梁国辉制定出了一个伤痛最小、最为保险的治疗计划。

所有专家得出的结论就一个，肺部造影面积还在增大，得做肺部穿刺做最后的定性，但这会引起气胸……郑洁在关于梁国辉的治疗上处在了两难的地步，她能果断地给自己的病人制订治疗方案，到了自己丈夫这里，她一下变得前怕狼后怕虎……

梁国辉配合郑洁，或者说梁国辉毕竟也有一线求生的希望，跟着郑洁去见那些专家，想听一听治疗的意见……每个专家都温和地跟梁国辉说没事，你会好的。然后他们把他支出去，留下郑洁单谈。

梁国辉就知道，十有八九，自己没戏了。

郑洁每回也得强颜欢笑，充满希望地回到梁国辉身边，说的都是鼓励的话。梁国辉觉得挺难为郑洁的，看着郑洁僵在脸上的笑容，他感到辛酸。

郑洁，别安慰我了，我知道是怎么回事。

我不是安慰你，真的，是专家说的！

郑洁是突然的，对梁国辉变得无微不至，饥寒温暖，无不挂怀。而且郑洁尽量地把在重症监护室的夜班推掉，一下班就到阳光医院去接梁国辉回家。这让老爷子梁山和儿子梁思宇变得惊讶。

爷孙俩私下里也在探究郑洁和梁国辉怎么了，怎么突然变得这么黏糊，但是没有答案。

郑洁对梁思宇说：怎么了，我跟你爸恩恩爱爱你也觉得不对啊？

梁思宇说对啊，就是觉得有点儿不正常。

郑洁是想瞒着梁山和儿子梁思宇的。她自己可以扛着，不坍塌，因为她知道她要是塌了家就完了。但是她不能保证老爷子和梁思宇也扛得住。一老一小，他们两个中塌下一个，郑洁都是雪上加霜，再也扛不起来了。

梁思宇正是无忧无虑，青春叛逆的年龄。郑洁把精力全部放到梁国辉身上，梁思宇感到了空前的自由解放和快乐。乐极生悲，梁思宇在学校打篮球的时候把胳膊撞成了骨裂。

老爷子是凡事不管的，只管通知了郑洁，让郑洁带梁思宇去骨科包扎上板子。郑洁心里全是事，对着梁思宇就急了：你能不能少给我添点儿乱啊。

梁思宇伤心了。

从梁思宇的角度，他受伤了，运动受伤谁也免不了的，怎么自己的妈连句心疼的话也没有啊？所以他跟郑洁说话也没耐心了：我愿意受伤啊？您要是懒得管我我找我爸去。郑洁一下就把梁思宇拉住了：你别去找你爸。

我就去！

郑洁拉住梁思宇没撒手，温柔了：别闹了儿子，你爸爸够累的……往后，咱们都对你爸爸好点儿。

背着梁思宇，郑洁眼圈就红了。

给梁思宇的胳膊打好夹板回家，老爷子梁山在家等着，等着郑洁回来做饭。郑洁真累，说爸爸以后您能帮我把饭做了吗？我真是挺忙的。老爷子一下子就要装，说肋骨疼。

郑洁无可奈何：爸，您别装了，您哪怕帮我把菜择了，洗了，回家我炒都行。

老爷子说：我可从来都没干过。你妈活着的时候从来都不用我干。

郑洁都懒得说了。

郑洁动了把梁思宇和老爷子送走的念头。

郑洁想把梁思宇送到哥哥家，对此，郑浩是一口答应而且马上把自己女儿的房间腾出来给梁思宇……

剩下的就是安顿老爷子梁山了。

郑洁背着梁国辉去找了梁国华。对于郑洁的"屈尊来访"梁国华很诧异。

郑洁的第一句话就是要梁国华把老爷子梁山接到她这里住……没等郑洁把话说完，梁国华就急了，她认为郑洁是连老公公都容不下了……郑洁说，她是不想让梁山经受白发人送黑发人的痛苦！梁国华愣住，当她知道弟弟得了肺癌将不久于人世的时候，她是号啕大哭，求郑洁救救弟弟，她救了那么多的人，一定也能救梁国辉……

他是我丈夫，我能不救他吗？！可这世上还没有人能攻克癌症，我们能做的就是说服他去治疗、手术，尽量延长他的生存时间！

郑洁和梁国华几乎要抱头痛哭了。

梁国华冷静下来之后，马上给父亲收拾出来居住的房间，并且和郑洁一起商量了一个接梁山过来的理由。

郑洁和梁国华一起坐在梁山面前，梁国华根本就不敢看父亲，倒是郑洁尽量保持正常地说，她打算和梁国辉出国旅游，所以，这段时间希望梁山去和梁国华住……

"那思宇呢？！"梁山问。

郑洁告诉老爷子，她已经给思宇收拾了东西，很快就送思宇去她大哥家……梁山的脸铁青。他根本不相信她们的"理由"，逼问着她们到底发生了什么事？！……郑洁还在搪塞着，梁国华就绷不住哭了。郑洁不得不告诉了梁山一切真实情况，梁山顿然捂着心脏，差点晕过去……但梁山不愧是经历过战场的老兵，他很快就做出了决定，他哪儿也不去，他一定要陪着儿子！

郑洁和梁国华都拗不过梁山。

郑洁说服了老爷子一点，那就是送梁思宇走，毕竟他还是个孩子，承受不了父亲死亡的现实。

可梁思宇却说什么都不愿意去舅舅家住，他不想和爷爷分开，其实，梁山也离不开孙子……梁思宇求助地看着爷爷，孙子的眼神让"铁人"梁山老泪纵横。

就在梁思宇和母亲撕扯的时候，梁国辉回来了，梁思宇就好像看见最后一个救兵般喊了一句：爸您管管我妈，不知道又受什么刺激了！

当梁国辉知道事情原委之后，他从郑洁手里抢过儿子的行李放回到儿子的房间，第一次命令式地告诉妻子，梁思宇哪儿都不去！

梁国辉明白郑洁的意图，他告诉郑洁，他的母亲去世的时候，他比思宇大不了多少……男人的精神需要历练，他希望用自己最后的生命将儿子培养成真正的男人！这也正是郑洁和父亲梁山一直以来对他最大的不满，那么，由他儿子替他做一个真爷们！

郑洁是苦口婆心地劝说着梁国辉，她说，她一想到梁国辉走的那一天，连她自己都受不了，更何况一个孩子……

这个家一直是你安排、你说了算，我一个快死的人了，你就让我说了算一回成吗？！你就让我爸爸和我儿子在我身边，成吗？！

郑洁看着梁国辉。

梁国辉看着郑洁。

梁国辉说：我希望跟亲人在一块儿。

郑洁能说不吗？

郑洁听从专家们的建议，对梁国辉保守治疗，选择先给梁国辉服用最安全的药品控制炎症和遏制肿瘤的生长……

梁国辉先是听话地吃药，当他无意间看见收费单的时候就急了，怎么一盒小药片要两万多块钱？！……

梁国辉拒绝服用这么昂贵的药品，郑洁怎么说他都不吃，甚至瞒着郑洁直接把药在药贩子那里变回了"钱"。

梁山也苦口婆心地劝说儿子吃药、治疗，他还等着儿子陪他去看鸭绿江呢……梁山一辈子没对梁国辉这么耐心和温情过。

过去是梁国辉伺候老爷子吃早点、晨练；现在是梁山按闹铃起床给儿子准备早点，小心翼翼地看着儿子的脸色行事……这也弄得梁国辉非常难受和别扭。

梁国辉终于也被父亲逼急了。他反过来求父亲，千万别这么对他，他现在觉得活着比死了还难受！……

梁山端着一盆热腾腾的洗脚水无所适从，他说，他实在不知道该为儿子做点什么，他现在才感觉到这一辈子为梁国辉做得太少了……梁国辉从父亲手里接过洗脚水，让父亲坐下，他给父亲洗脚。他说，父亲只要这么坐着，让他多孝敬孝敬就行了……

梁国辉在父亲面前忏悔着，忏悔着自己从小到大带给父亲的种种"失望"……梁山第一次像一个慈父般抚摸着儿子的头，也毕生第一次向儿子承认了自己作为父亲的失误。

爷俩还说到了郑洁母子，说到了将来很多很多……梁山说，只要他活着一天就会好好地照顾郑洁母子、将梁思宇培养成才。

梁国辉很伤感，到头来，他的家还得老父亲担着……

郑洁下了班到医院接梁国辉，免不了的就会碰到华硕。

两个女人是心照不宣的。

郑洁会向华硕问到梁国辉在单位时的身体情况，华硕也会问到梁国辉的治疗方案。对同一个男人即将离世的哀伤将两个女人拴在了一起。

梁国辉从病房出来，看见郑洁和华硕站在一起说话，有几分紧张，不知道她们在说什么。

华硕开玩笑：我跟郑洁说我喜欢你。

郑洁也突然有了幽默感：我跟华硕说我爱你。

梁国辉愣了一下，接着笑了，一左一右拥抱了郑洁和华硕：我真希望这一刻时间停顿，没有过去，没有现在，没有未来，没有生，没有死，我站在两个可爱的女人中间，我是这个世界上最幸福的男人。

华硕和郑洁脸上的笑容真是各有内容了。

华硕化解道：他真贪心啊。

郑洁也笑道：早知道这样，我早给他提供机会。

梁国辉说：可惜我行将就木。

郑洁和华硕脸上的笑容就都没了。

华硕给梁国辉开了车门，对郑洁：再见大姐，好好照顾他。

作为妻子，郑洁想要的，是给梁国辉的生命最后一段完美的时光。这完美，是郑洁要刻意营造的。

在他们的生活中，有了烛光，有了低低地音乐，有了郑洁的温柔。

梁思宇真觉得他妈变了，说妈你要是永远这样多好啊，你是世界上最可爱的女人。

这话梁山听见了，辛酸，关上门掉眼泪去了。

郑洁听着也辛酸。

梁国辉笑着说我跟你妈刚结婚的时候，你妈讲究过几天，后来就不讲究了。看来啊，还是我不好，怎么过着过着，就把你妈的小资情调给过没了呢？

郑洁说：不是你不好，是我不好。

当然包括忏悔。

郑洁，那么倔强强硬的郑洁，在死神面前对梁国辉说了软话，对逼梁国辉调动工作抱歉。

郑洁变得全力以赴支持梁国辉在医院的工作，甚至希望梁国辉在家里谈论一下他的病人。梁国辉笑笑，他了解郑洁现在的刻意，但他还是决定不谈，这是他们好久以前就约定了的，回家就是回家了，不谈医院的任何事，一边是精神病人，一边是濒死的病人，有什么可谈的。

可是郑洁失落，她觉得就因为不谈，所以说实在的，她不了解梁国辉。除了对梁国辉在生活中的不满，她其实对梁国辉一无所知。相应的，梁国辉除了生活中的郑洁，他对郑洁的另一面其实也一无所知。他们在十几年的生活中，其实互相只了解了对方的一个侧面。甚至这一个侧面因为带着情绪，也都看成了片面。

但是郑洁现在都顾不上挑剔梁国辉了，她只想在梁国辉的最后时光，扮演一个"梁国辉理想中的妻子"。

抱着共同度过最后时光的"美好"愿望，梁国辉和郑洁努力做起恩爱夫妻。郑洁逼着自己装出前所未有的温柔，甚至有时候也试着撒撒娇，弄得梁国辉一阵子一阵子起鸡皮疙瘩。梁国辉很不适应郑洁的变化，但因为感动他也得装出郑洁希望的那种丈夫的样子……两个人的"恩爱"是相互配合出来的。

郑洁在每件事上都征求梁国辉的意见。但是做主做惯了，郑洁有时候都处理完了，还补一句：你说呢？梁国辉回答：你定。其实她是不需要问的。这样梁国辉和郑洁的关系，不是走得越来越舒服，而是越来越尴尬。

梁国辉真的忍不住跟郑洁说：郑洁，你自然一点儿，我习惯你以前的样子。

我知道我以前不好。

也没有你想象的那样不好。

但还是不好，是不是？……我挺后悔的，我应该对你好点儿。

梁国辉反过去安慰郑洁：你没对我不好。你别想太多了。你又没虐待我，谁家不是吵吵闹闹过日子，不是都挺正常的吗？郑洁抱住了梁国辉：以后我再也不吵吵闹闹。你好了吧，好不好？梁国辉也由衷地认为，这时候的郑洁多可爱啊！

梁国辉身体的感觉，梁国辉是不是疼，是不是高兴……还有梁国辉身上那个可怕的病灶发展到了什么程度，都在郑洁的挂念中。

梁国辉正在医院忙的时候，也会接到郑洁的电话。梁国辉接了，郑洁在电话这边儿就松一口气。没接，郑洁就变得心急如焚。

梁国辉接了，证明他还活着。不接，也许人就没了。这种折磨也让郑洁快崩溃了。

梁国辉接了，证明他还活着的时候，郑洁就又会问华硕是不是也在，华硕在干什么……老这么问，梁国辉也快崩溃了。

这期间，李长江带着白晓燕来看过梁国辉。李长江说的全是安慰和鼓励的话，但白晓燕却送给梁国辉一本书——《人生的起点和终点》。

梁国辉开玩笑地说，"你是想让我早点进入轮回……"

白晓燕说：了解了生死是怎么回事，人会看开。

白晓燕的话让郑洁、李长江全愣住了。李长江当时就和白晓燕急了，她哪里是安慰病人，简直就是来"催死"的！

白晓燕说你们小心翼翼，跟国辉说了多少假话。国辉这么聪明的人，需要那么多假话吗？无数临终的人耳朵里塞满了没用的假话，有的话甚至是骗人的。大多数人是在欺骗中去世的。

梁国辉不能不承认，白晓燕的话是对的。

但是正确的话让人愠怒，让郑洁愠怒。

李长江拉着白晓燕就走。他从把白晓燕塞进车里就开始指责她，一直说到家。白晓燕则是一路无语。

该说话的时候你不说，不该说的时候你是语出惊人啊！李长江无奈地看着白晓燕。白晓燕说如果我的真话你接受不了，我只能说你是伪君子。

我是伪君子？我们都是伪君子？你是真君子？白晓燕你食点人间烟火懂点儿人情世故好不好？

我不懂。

所以你在剧院混不开！

一下子把白晓燕顶墙角上去了。

白晓燕躲进了卫生间，打开了花洒。

李长江愤怒地在卫生间门口咆哮，你是我老婆，那你就得传宗接代！我不想等我死的时候，坟头连个上香的人都没有！

李长江愤怒之下踢开了卫生间的门，他看见白晓燕泪流满面地坐着，他的心一下就软了……李长江见不得白晓燕哭。

梁国辉的病情没有太大的"恶化"，他和郑洁之间的戏却演偏了。他们原本想要在最后的日子里做一对相濡以沫、心心相印的真夫妻，但却互相做成了忏悔者和牧师。

郑洁帮梁国辉洗头，洗着洗着郑洁哭了。郑洁说你看你还这么年轻呐！你都没什么白头发。

梁国辉心里一疼。梁国辉面对郑洁，像对一个牧师，该招的不该招的都招了。梁国辉告诉郑洁，他也打算在最后的日子里全说实话，至少他会觉得对得起自己这一辈子……可他所有的大实话其实对郑洁都是一次又一次的巨大伤害。

郑洁回过闷儿来了，这哪里是忏悔者和牧师的真诚谈话，简直就是反攻倒算。

梁国辉历数了和郑洁结婚十几年来的种种痛苦，感觉他得了肺癌就是郑洁给气的……

"这么说，你如果不娶我就不会得肺癌了？"郑洁问梁国辉。

"……也许吧。"梁国辉回答。

你混蛋！郑洁忍无可忍地脱口而出。

"我是混蛋，让你还不到四十岁就要守寡了，所以没必要为一个混蛋守寡，找个肩膀结实能扛着你的男人……梁国辉说。

梁国辉甚至跟郑洁承认，他喜欢上了华硕……一个年轻姑娘带给一个中年男人的新鲜感，他都对郑洁说了……那是他精神上的安慰。但只是精神上的安慰，在肉体上是纯洁的。

可郑洁不是牧师，郑洁本能的反映是震惊和愤怒，她觉得梁国辉背叛了自己。梁国辉说没有。郑洁说精神上已经背叛了，肉体上只是来不及实现而已，如果梁国辉再活下去，再有三年五年，也许只是一年，说不定梁国辉就会背叛了。

梁国辉说你不能在想象中把一个人变成罪人。郑洁说我不是想象，你心里清楚。梁国辉说我心里清清楚楚，你这是想象。

郑洁真生气了：你别拿对精神病人的口气跟我说话。我是你老婆。

梁国辉说：就因为你是我老婆，我不想到最后最后欠你什么，才跟你说真话。

郑洁说：要不是你病了，你打算骗我一辈子吗？

梁国辉说：可现在我病了。

梁国辉又加一句：郑洁，别恨我。

郑洁此时心里是五味杂陈：……要是你能好，你愿意干什么都行。

梁国辉笑：你有这么大度吗？

郑洁当然没有那么大度，先是这世上最不该告诉她真相的人——华硕告诉她了自己丈夫得了绝症；然后又是自己的丈夫揭开了婚姻的真相……郑洁想大哭一场，她明白了一点，活生生的华硕摆在面前，她永远不可能成为梁国辉想要的那种女人。

华硕正在跟自己的男朋友意大利人托蒂约会。托蒂来自意大利的托斯卡纳，一个出产红酒的阳光灿烂的地方。"谁曾经到过意大利，就会忘记了其他地方，谁曾经待过天堂，就会忘记了人间。欧洲之于意大利，就如阴霾的天空对着阳光。托斯卡纳，是被上帝和阳光同时宠爱的地方。"

"调情在意大利是一种基本礼仪。和女人调情，是我们意大利男人的义务。"这是电影《托斯塔纳艳阳下》的台词。

华硕在托蒂的怀抱里，在意大利式的浪漫中品着红酒，含泪谈起了梁国辉……

托蒂没有拒绝听这个故事……华硕也没回避告诉托蒂，她感觉到自己开始迷恋和崇拜这个在死亡面前闪现光辉的男人。

托蒂抱住了华硕：我感觉到，他可能要成为我的情敌。不过我不讨厌他。

丁超的父母是到医院探视得最勤的病人家属了，几乎天天都来，天天都问丁超的病情进展。

一开始，他们希望，丁超只是短暂的神经错乱，几天过去了，他还是过去那个聪明绝顶的孩子，还可以去参加今年的高考……丁超的父母甚至是心照不宣的，他们一天一天计算着日子，计算着高考一天一天地临近……

梁国辉给丁家父母分析丁超的病情，以及当前青少年作为独生子女并面对巨大升学压力所引发的种种疾病。但丁教授最想知道的，还是丁超能不能好，将来能不能上学。

梁国辉毫不犹豫地打碎了丁超父母的梦想：丁超没有参加高考的可能性。他现在仍然处在医护人员的严密监护之下……

梁国辉叮嘱华硕，要时刻防范他再度自杀……

在华硕看来，这种时候，梁国辉像是一个救世主……

而这个时候，在郑洁看来，梁国辉精神上的救世主是华硕，不是她。

第 8 章 双份爱情

郑洁几经犹豫找到了华硕。

两个女人，同时是两个不同领域的大夫面对面地坐着，商量如何救助梁国辉，怎么做才是对梁国辉更好。两个女人都有自己的理由。

郑洁直言不讳地说，她作为西医能做的就是尽可能地帮助梁国辉的身体少经历病痛，但华硕认为自己的爱情救助的是梁国辉的心，是给梁国辉重生的希望，也许一次全新的爱情能让梁国辉脱胎换骨，也说不定因为爱的刺激，能够让梁国辉身体中的癌细胞转变，迎来新生，在医学上不是没有这样的先例……

郑洁太想为梁国辉做一件事，让梁国辉高兴。所以她告诉华硕，梁国辉其实心里喜欢她，那么，她愿意满足梁国辉最后的情感愿望，甚至和梁国辉离婚，也许华硕的爱能够延续梁国辉的生命……

华硕说你没必要离婚，我的爱和你的爱是两回事。郑洁说，爱就是爱，还有区别吗？华硕说，也许有。如同我的疼痛不是你的疼痛。

郑洁又说，如果……他没了，你也……华硕说，……疼痛。但我不会痛不欲生。郑洁说，我会痛不欲生。华硕说，这就是差别。

两个女人都哭了。

之后，华硕毫无顾忌、毫无保留地向梁国辉表达和传递着自己的爱……当梁国辉知道华硕的行为是经郑洁许可的时候，他百感交集，两个女人都让他如此的感动，但他不能接受这样的安排。

梁国辉告诉郑洁，他不能临了临了，不但耽误了一个二十来岁的姑娘，还背弃了自己的结发妻子，他的死就真成报应了……梁国辉的态度还是让郑洁感动不已。

但从这天起，郑洁有意识地制造机会让华硕经常和梁国辉在一起，她心里也难受，可看着梁国辉高兴，她就满足了。

两个女人在他生命临终时"爱的施舍"把梁国辉逼急了：你们这是爱情吗？

你们这爱情我承受不起！

华硕甚至希望能怀上梁国辉的孩子，这样当有一天梁国辉在世界上消失了，还有一个生命在她的生命中孕育。这想法被梁国辉断然拒绝了。梁国辉说这不是爱情，这是玩火，玩火自焚。

后来甚至连郑洁都赞同这想法。郑洁也觉得如果你死了，至少有另外一个女人和我共同追忆你，我并不孤单。

梁国辉表面上跟女人们急，事实上毕竟是被爱滋润着，并且是两个女人的爱，面对着即将消失的他，两个女人同时把爱连同利息提前预支了。所以除了死亡的阴影，梁国辉是快乐的。

他更多的时候是在医院里，处理着各种事务，游刃有余……

丁超的父母坚决不相信丁超精神分裂，背着华硕偷偷地把丁超接出医院去参加高考……这让梁国辉暴怒了，指责华硕失职……华硕哭了。

第一天的考试，丁超竟然像一个正常孩子一样答完了，交了卷子。尽管他的脑子里依然回荡着死亡的声音……

梁国辉和华硕找到丁超家，面对的是喜气洋洋的丁超父母，以及貌似正常的丁超……

梁国辉跟丁家父母急了，要接丁超回医院，丁超父母拒绝了……

第二天的考试，丁超被脑子里的声音完全控制了，他再度想到了死亡……他答着答着卷子，突然起身就走了，离开了考场……

丁超的父母像所有的学生家长一样在考场外面等着。看着儿子突然出来了，不知道发生了什么……

丁超对父母也视若无睹，直接走上了自杀的道路……还好父母一直跟着，可他们根本制服不了身强力壮的丁超，幸亏路人和警察的帮助……在制服丁超的过程中，丁母不得不含着泪对警察喊：把他捆上，捆上！

梁国辉看着丁家父母把丁超送回来了，暴跳如雷……他不客气地指出，丁家父母太自私了。他们根本不管孩子在想什么，要什么，他们想的是自己的梦想，望子成龙，光宗耀祖，想的是自己的面子……他不客气地说，这也是天下父母的通病，从某种意义上说，这也是偏执的一种，当然他不能说这是精神病。他让丁教授仔细想一想，丁超是不是像正常的孩子一样，有过快乐的童年，有过快乐的青春期……

作为一个高级知识分子，丁教授从来没有这么被人训过。梁国辉不客气地说，作为高级知识分子您应该比普通人聪明，比普通人理智，比普通人能正视现实，而不是比普通人偏执。您的儿子得了精神分裂症，这是我作为一个医生再一次下的诊断。

华硕跟在梁国辉身后，看着梁国辉跟丁教授发火，一言不发……

离开了病人，回到医生办公室，独自面对梁国辉，华硕眼睛会蒙上泪花。华硕说病人还没康复，医生却要走了，你真不负责任。梁国辉安慰华硕，人吃五谷杂粮，生生世世都免不了生病，也生生世世都有济世救人的医生，我走了还有你。你走了还有后来人。

梁国辉看到丁超的状况，就想到了梁思宇，为人父的他最放心不下的也就是梁思宇的成长了。

"是不是告诉梁思宇自己的病情"成了梁国辉最大的"心病"，他一想到自己去世之后，谁来充当梁思宇的父亲指导他成长就受不了。但他每每看着儿子的时候，又没有勇气开口。

就在这时，梁国华一家三口来了。梁国辉都有点怕了姐姐他们了，所有人都在对他实施着临终关怀。梁国华是隔三岔五的就来，来了就直奔厨房捣鼓出一大堆的营养汤菜，然后就看着梁国辉吃，她在一边抹眼泪……最后，梁国辉都弄不清楚谁安慰谁了。

在梁国华的照料下，梁国辉居然还胖了几斤。

刘彪是被梁国华逼着来看梁国辉的，刘彪不是不想来，是怕见老爷子。刘彪最好的挡箭牌就是儿子海涛，让海涛哄着外公，他就能少听数落。

梁国辉是苦口婆心地劝刘彪戒酒，刘彪是一边喝一边点头……最后，刘彪居然在众人的劝说下喝高了。

海涛喜欢到小舅家来完全是因为思宇。他虽然是哥哥，但非常喜欢和佩服这个弟弟，他总是能在弟弟这里听见很多新鲜事，就好像这世上根本没有思宇不知道的事情。

但今天，海涛却无意间告诉了思宇一件他不知道的事情，那就是他的爸爸快死了……梁思宇根本不相信，认为这是海涛对父亲恶毒的诅咒，从不和海涛动手的思宇冲上去打了海涛。

梁国辉姐弟等人听见两个孩子的打架声，赶紧冲进思宇的房间。思宇愤怒地指责海涛，咒梁国辉快死了！……梁国华冲上去就给了海涛一下，这是她第一次动手打儿子，她也心疼。刘彪见妻子打儿子，借着酒劲也跟梁国华翻脸了，摆出要动手的架势。梁山见刘彪居然敢和女儿动手，他先急了，抄起拐棍就打刘彪，梁国华本能地上前抓住父亲的胳膊……

这顿饭吃得是鸡飞狗跳。

这天晚上，梁思宇破天荒地要和父亲睡在一起。他一直在追问父亲，他真的快死了吗？……梁国辉诚实地告诉儿子，死亡是每个人每天都要面对的问题，这是自然规律……

梁国辉对儿子最后的教育，就是让他勇敢地认知死亡。

这一夜，郑洁却辗转反侧，她意识到梁国辉的病情不能再这么拖下去，必须果断地作出决定。

第二天，郑洁找到了肿瘤科主任，告诉他，她同意直接给梁国辉做手术切除病灶部位。

主任马上给梁国辉安排了手术时间，以及特护病房。当郑洁告诉梁国辉，现在先去住院的时候，梁国辉一口拒绝了。梁国辉说你明明知道绝症病人住在医院里，被延长的生命毫无质量可言。而且梁国辉也不能容忍自己躺在郑洁的重症监护室里，让郑洁亲眼看着自己的心电图最后变成一条直线……

无法说服梁国辉的郑洁第二次找到华硕。她告诉华硕，最终的治疗方案出来了，那就是手术切除病灶部位……郑洁希望华硕能站在她这一边，能和她一起去说服梁国辉做手术。

就这样，两个女人一同坐在了梁国辉的面前，一同晓之以理动之以情地说服着梁国辉。两个女人说得梁国辉很感动，她们的情全是真的啊，他也从来都没有觉得自己的"生命如此的有价值"……

梁国辉答应了，因为他意识到，放弃生命就等于把"见死不救的罪责"留给所有爱他的人，让他们活在负罪感当中。

梁国辉提出一个要求，从他住院那天起，华硕就不要去看他了，既然最终的结果都是一个，那么他想让自己走得有尊严一些……华硕答应了。

这个结果对郑洁是一个刺激。在郑洁看来，她在梁国辉的心里分量还没有华硕重。他把美好都留给了华硕，把尊严留给了自己，可留给她什么？

……郑洁心里的酸楚李长江都看在眼里。

他告诉郑洁，梁国辉是想完完整整地把自己的一生交给郑洁。

郑洁不想再跟梁国辉较劲儿了，她默默他帮梁国辉收拾着东西，安顿着儿子。当梁思宇知道父亲要去住院的时候，他好像突然长大了，懂事地嘱咐妈妈，一定要治好爸爸，他会自己上学、放学、写作业，会照料好自己……郑洁一下将儿子拥入怀中失声哭了，梁思宇就是梁国辉留给她的最大财富。

　　梁国辉去住院的那天，所有的人都来送他，包括李长江两口子、郑浩两口子……梁国辉是笑对每一个人，但场面真是有点"壮士一去不复返"的感觉。

　　华硕履行着自己的诺言，没有去送梁国辉住院，她守着丁超。丁超闹着想要见梁国辉，华硕告诉丁超，梁国辉会回来的……华硕嘴上说着，眼泪却不由自主地掉了下来。

第9章　死里逃生

梁国辉住院了。手术前，梁国辉必须做各种术前检查，郑洁几乎是一刻不离地守在梁国辉身边，仔细审阅着每一项检查报告。院方也对梁国辉格外重视，上至院长，下至重症监护室的小护士都来看望梁国辉。

人们的关切、同情每时每刻都在挑战着梁国辉和郑洁的心理防线。

梁国辉睁开眼睛，看见守在身边的郑洁，他抓着郑洁的手，还开玩笑地说，他现在才知道人们为什么管郑洁这样的医生叫天使了，身上都是仪器、管子，只有看见她的时候，才觉得自己还活着呢……

郑洁告诉梁国辉，他明天一早就要手术了。

这天晚上，郑洁和梁国辉的手一直握在一起，他们都不知道梁国辉还能不能从手术室走出来，此刻，他们真正感到了生离死别。

梁国辉真的开始对郑洁说临终忏悔和遗言了。

他告诉郑洁，其实他心里一直觉得对不住郑洁，如果当初郑洁不嫁给他，她的人生就不该是这样，是他耽误了郑洁……

梁国辉最放心不下的就是梁思宇了，他是个早熟的孩子，他走了，郑洁可怎么对付梁思宇啊……结婚这十几年，都是郑洁一个人操持着一大家子，现在，他没能让郑洁幸福却先让郑洁给他送了终，真是应了他自己说的话，不得好死啊……

郑洁不让梁国辉再说了，她听不下去。她告诉梁国辉，她一直觉得是自己担着全世界，可现在才明白，梁国辉担着她呢……

梁国辉听了这句话，哭了，他不想死，他真的怕死。

郑洁紧紧地抱着丈夫，不住地说，你会好的，会好的……生离死别之刻，梁国辉和郑洁才真正体会到这十几年的时光早就让他们长在了一起，分离，那就是撕心裂肺的疼啊。

这个晚上，老爷子梁山和梁思宇一直相拥在一起，他们显得那么无助和害怕。

从不信鬼神的梁山也禁不住为儿子念叨着"阿弥陀佛……"梁思宇脸上还挂着眼泪，但他抓住爷爷颤抖的双手泣不成声地说，爷爷，别怕，爸爸要是走了，我养活您……梁山抱着孙子老泪纵横。

第二天清晨，梁山发现梁思宇不见了，他知道梁思宇一定是去了医院！他赶紧给梁国华打了电话，然后也赶去医院。

郑洁给梁国辉擦洗脸、刮胡子，梁国辉一直保持着微笑，郑洁一直在默默流泪……这时，梁思宇冲了进来。看见儿子，梁国辉所有的坚强坍塌了，他紧紧拥抱着儿子。他不想让儿子看见他哭……他悄悄擦掉眼泪之后，告诉儿子，他离开的只是一个躯壳，他的精神会永远伴随着梁思宇……

爸爸，你害怕吗？梁思宇哭着问父亲。

梁国辉摇摇头说，"我会带着你们的爱长长地睡一觉，等醒来的时候，也许我就会在天上了……思宇，你要替爸爸好好照顾妈妈，从今天起，你是个男人了……"

梁思宇点点头，他敬佩地看着父亲说：爸爸，你是个英雄！

记着，好好活着才是英雄！……现在，爸爸要你转身走，去上学……

梁思宇还是哭着说：我不走，你去了天上，我就再也见不着你了！

梁国华冲进来，强行拉着梁思宇离开。出了病房，梁国华就把梁思宇塞给了刘彪，刘彪几乎是扛着梁思宇离开了医院，梁国华一下瘫软地靠在墙上。

梁国辉就要被送进手术室麻醉的时候，一下抓住了郑洁的手，他饱含深情地看着妻子，将她拉入怀中，最后一次亲吻了妻子……这一幕让很多人潸然泪下；这一幕，也让站在病房外的华硕看见了。华硕没能管住自己，她还是来了医院，等着梁国辉从手术台上平安下来的消息。

郑洁竟然坚持要在手术期间守在丈夫身边，看着医生们实施开胸手术……

这太残酷了，梁国辉坚决不同意。

李长江也不同意，医院也不同意。

万一梁国辉下不了手术台，这对郑洁来说太残酷了。这将成为郑洁终生忘不了的一幕。

李长江和华硕紧紧抱住了郑洁，直到手术室的门关上。

郑洁的眼泪掉了下来。

李长江、郑洁和华硕都守在手术室外。

梁国华陪着梁山坐在一旁，等着。

这是生死攸关的时刻，郑洁和华硕的手紧紧抓着。恐惧让她们忘掉了敌意。

手术顺利结束了，医生们惊喜地告诉郑洁，梁国辉肺部的肿瘤是良性的，已经成功切除了病灶，很快就会康复……郑洁简直不能相信自己的耳朵……同样的，华硕也不相信……李长江一再问医生这确实是真的吗？医生说是真的。

这个意外的"惊喜"让所有人都激动得哭了。这惊喜真的是太巨大了，当郑洁回眸看见华硕的时候，郑洁和华硕紧紧拥抱在了一起，都忘了她们本来是情敌。

梁国辉被推出了手术室，亲人们都簇拥了上来看梁国辉，他还活着，让所有人都松了一口气……尽管还没苏醒过来，双眼紧闭，露在外面的肩膀上带着手术的血痕……但他毕竟活了。

华硕和郑洁是同时要扑上去……

就在这时候，华硕被李长江拉住了……华硕惊讶地想要挣脱，李长江坚决地拉着她，没松开……

华硕看着郑洁拉住了梁国辉的手，梁国华和老爷子也簇拥上去，护送梁国辉去了重症监护室……

李长江对华硕说：华硕，看来老天有眼，他真可能要活过来了。

华硕抹着眼泪：我很高兴。

李长江说：华硕，他活过来了，咱们就该消失了。

华硕泪眼看着李长江，一下子就明白了：我知道，你是想说，我该消失了。

李长江没再说什么。

我明白。华硕走了，再没到医院来。

梁国辉整整昏睡了一天一夜，等他再睁开眼睛的时候，又是一个清晨了。他看见了阳光、看见了正在给他换吊瓶的护士、看见了守着他的郑洁。梁国辉确定自己活着出了手术室。

梁国辉问郑洁，手术成功了？

郑洁也不回避护士，在梁国辉脸上亲了一下：你活过来了，你没事了，你肺上的肿瘤是良性的！

梁国辉不相信地看着郑洁。

老公，你回来了。你还可以活下去，活好几十年。

好几十年？……郑洁，你别骗我。

梁国辉一把抓住了郑洁的手：替我谢谢上帝。

梁思宇在旁边笑了：爸，你得谢谢我妈。我妈这些天差不多就没合过眼。

梁国辉真的心存感激：谢谢你老婆。

郑洁告诉梁国辉，李长江和白晓燕他们来过，老爷子来过，姐姐国华也来过……

哦。

郑洁没提到华硕。梁国辉也没提。

华硕回到托蒂那里，告诉托蒂梁国辉重获新生的消息。简单的意大利人托蒂把华硕抱了起来，亲了又亲。托蒂说华硕，我相信你是一个天使。

华硕说我不是。托蒂说你当然是。不过，在梁国辉那里，你天使的使命结束了。以后你是我一个人的天使。

华硕笑了。但是华硕的笑容中带着几分失落。

生命重来。这种巨大的生命喜悦掩盖了一切，梁国辉心里腾腾燃起来的热望催使他康复。郑洁感激命运重新把丈夫还给了她，精心地无微不至地照顾梁国辉……一起走过生死线的感受像是巨大的黏合剂，把夫妻两个人紧紧黏合在一起。

梁国辉让郑洁低头，在郑洁脸上亲了一下，郑洁，谢谢你。郑洁心里幸福，这像老夫老妻说的话吗？梁国辉说，我想出院。我想快点儿回家。郑洁说，当然不行！你的伤还没好，你是我的病人，你得听我的！梁国辉看着郑洁，看着郑洁的笑脸，觉得郑洁真亲。

你真像个白衣天使。

真酸。

我是真心的。你不知道我心里的感激。梁国辉由衷地说。

这段时间，李长江和白晓燕到医院来过。

而华硕，自始至终再没有出现。华硕在自己医院里，照顾着病人。

梁国辉这次手术有一大笔医疗费用，有二十多万。阳光医院报不了那么多，只给报了八万多，剩下的是李长江付的。郑洁要还他钱，李长江不要。李长江说国辉要是没了，我多攒这么十万二十万的管什么用啊？

郑洁心里真是感动，她知道，她和梁国辉生命中最应该感激的人，就是李长江了。

梁国辉躺在医院里，从窗子看见外面的一片天空和树梢。下过两场雨，接着是艳阳高照，然后飘过一次风筝，落过几只小鸟……

梁国辉熬到了出院的一天。

郑洁张罗好了一桌子饭菜，梁国华一家人也在，大家都准备好了庆祝他的劫后余生……这一幕，梁国辉还是非常感动的，他拥抱了每一个人，说我回来了。回家了。

每一个人也都拥抱他，欢迎他回家。

李长江和白晓燕也在。李长江眼睛是湿的：你真不够意思，把我们每个人都吓了个半死！你又成没事儿人了。

梁国辉也笑，眼睛也是湿的：是啊，差点儿躺在鲜花丛中换一堆挽联。

在卧室里，郑洁紧紧地抱住了梁国辉。梁国辉回报了郑洁的拥抱。

郑洁说真是觉得失而复得了一个老公，以后，以后一辈子都对梁国辉好了。梁国辉说我也一样，我一辈子对你好。

郑洁又说：老公，欢迎你回家。希望你是回到了我一个人的怀抱。

梁国辉愣了一下：当然，是回到你一个人的怀抱。

是吗？

当然。

郑洁沉默了一下。

不相信我了是吗？

郑洁没回答。

梁国辉说：……我不会跟你海誓山盟。以前我也没跟你海誓山盟过。现在海誓山盟像假招子。就是以前，我也没有越轨，你不相信吗？

相信。

这不就行了？

郑洁没提华硕的名字。梁国辉也没提。

郑洁说：现在我才知道害怕，如果那个诊断是真的……

梁国辉说：再过几个月我就不在人世了。

郑洁说：你一走一了百了，我呢？不负责任。

梁国辉说：现在我活过来了。我负责任。负我该负的责任。

……真的吗？郑洁问。

真的。想到我要是死了，你一腔的抱怨，认为我是一个从来不懂得负责任的人，我心里也特别内疚。现在我既然还有时间，我就想尽量满足你的愿望。梁国辉说。

郑洁很感动：真的？

梁国辉说：真的。

郑洁说：我也希望我能尽量满足你的愿望。

真的？

真的。

郑洁说，一个误诊让她好好地诊断了自己和梁国辉的婚姻！……现在他们可以对症下药。

说这些话的时候，两口子是浓情蜜意的。找着"假如一切可以重来"的感觉了。

这时候，华硕和托蒂在一起，在酒吧里狂欢，喝酒，跳舞……

之后，怎么也绕不过去了。

郑洁说你在家多养一段时间吧，别急着上班。

梁国辉说我不急。郑洁说这么大的手术，你需要静养，养好好的，不留后患。梁国辉担心了一下：还会有后患吗？郑洁说要是你养不好，身体虚了，弱了，不就是后患吗？梁国辉说我不虚。郑洁说这么大的手术，哪儿有不虚的道理？在家静养，听我的。梁国辉说好，听你的。

郑洁拍拍梁国辉的脸：这样多好啊，你乖得像个孩子。梁国辉笑了：你就希望这样，我跟思宇似的，都听你的，是不是啊？郑洁也笑：你不高兴这样啊？梁国辉说高兴。郑洁说言不由衷。

梁国辉抱住了郑洁。

郑洁上班去了。梁国辉百无聊赖，跟老爷子下棋。

一盘棋结束，梁国辉起身，出去走走……

梁国辉半辈子没闲着过，满街都是忙忙碌碌的人……

走着走着，梁国辉去医院了。

每一个见到梁国辉的人，知道他康复的无一例外地说，"恭喜你啊……"梁国辉满面笑容：有惊无险，有惊无险……不知道他康复的人都吃惊地看着梁国辉说，呦，您怎么也来上班了？！

梁国辉答着，好了好了，我全好了……

梁国辉的病人们欢迎"老大归来"，团团把他围住了，拉的拉扯的扯，直到华硕的声音出现：哎，你们别乱抱他啊，他可刚动过大手术。

郑洁在办公室上班，终究是不放心，往家里打了一个电话，想嘱咐梁国辉吃药。

电话是老爷子接的。老爷子说梁国辉出去遛弯去了。

办公室里，大家都散去，就剩下梁国辉和华硕两个人的时候……梁国辉打量华硕，问她嘴上怎么这么多血泡……华硕哭了……梁国辉心里一震……华硕禁不住扑到梁国辉怀里：我很着急，我很想去医院看你……

第 10 章　活着是一件尴尬的事

梁国辉回应了华硕的拥抱，然后轻轻推开了她……但是华硕不顾一切，又抱住了梁国辉：你就让我抱一下吧，还好是良性的，不然的话，我可能抱的就是你的骨灰盒。梁国辉心里一震：……小姑娘，别哭了，你现在抱的不是骨灰盒，是我本人！华硕使劲掐了梁国辉一下：疼吗？

疼！

华硕笑了：嗯，看来是梁国辉同志本人。

梁国辉轻轻推开了华硕，替华硕擦掉了眼泪，真心地感激：华硕，谢谢你。我的召唤真的起作用了吗？

当然！我这不是好好地回来了吗？

华硕笑了，打量，两个人面对面，很近……互相能感受到对方的呼吸。华硕说，你能继续活下去我很开心。梁国辉说，谢谢你华大夫。华硕也笑：不客气梁大夫。华硕突然又抱住梁国辉，亲了一下。

郑洁来医院接梁国辉，正好看见梁国辉和华硕亲吻的这一瞬间。

郑洁站在门口，僵住了。

梁国辉看见郑洁，也僵住了。

华硕一愣，很快朝郑洁迎过来：我们俩正面对面哭呢，你来了正好，加上你一起哭。

郑洁勉强地笑：我都哭过好多回了。

华硕说，这回是为他活过来而哭啊！

郑洁说：你们哭完了吗？哭完了我接他回家了。他可还是个病人呢。

梁国辉急忙就着台阶就下：就是就是，我还是病人呢，我回家了啊。

梁国辉坐上郑洁的车。郑洁沉默了，再没说过一句话。梁国辉尴尬，也不知道说什么才好……太压抑了，梁国辉没办法，开口了……我跟你说……

别解释……

我不能不解释……华硕那丫头就是见着我高兴……

高兴了就亲啊？

梁国辉给噎住了。

郑洁沉默。

梁国辉还想解释：我跟她真没什么……

怎么才算有什么？

梁国辉又噎住了。

郑洁沉默。

急躁中郑洁在街上很快开着车……差点撞上骑自行车的……

梁国辉说：你慢点儿开。

郑洁不说话。

梁国辉说：你慢点儿开行吗？要是生气你先停边儿上，你先消气，把气消了咱们再接着开。

郑洁不搭理梁国辉，接着往前开，横冲直撞……

梁国辉抓住郑洁手：……你再这么开我跳车了。

你跳吧。

你想干什么啊？我跟华硕没怎么着，你还让我对天发誓啊？

别发誓，有什么没什么你心里清楚。对天发誓，你把天喊下来有什么用啊！

梁思宇放学回家，看见郑洁和梁国辉的车在家门口停下来，忙往前迎。

老爸老妈……

郑洁没搭理梁思宇，进楼了。

梁思宇问：爸，您又怎么招我妈了？

梁国辉答：这回我算犯到你妈手里了。

不喝酒，刘彪是个好人。

不喝酒，在大杂院中刘彪是最好不过的一个人了。院子里永远充满他的声音，满院子张罗着，张大爷李大妈您有活儿吗，有活儿吱声啊，不管是房漏了，煤气罐该换了，自行车坏了，在刘彪眼里都是自己家的活儿……

可现在刘彪找不着工作了，慌了，他知道他刘彪这辈子，结束了，以后该怎么活下去，不知道了。国华把钱给刘彪，让刘彪去超市买米，刘彪去了超市，看见货架上的酒，酒瘾上来，忍不住打开就喝了，让保安抓住。刘彪跟保安打起来了，超市把刘彪送进派出所。隐忍的国华上派出所把刘彪保出来。劝刘彪以后能不能不喝。刘彪拍着胸脯保证不喝了，不喝了……

同样的一张床，同样的两口子。梁国辉面对郑洁，成罪人了。郑洁出来进去，就是不搭理梁国辉。梁国辉拉郑洁，郑洁用手打开了。梁国辉抱住郑洁就亲，郑洁拼命推开……

别碰我，我嫌脏！

郑洁死命推开梁国辉，没轻没重，撞着梁国辉伤了……梁国辉一疼痛，倒在床上，不动了……

郑洁心疼，又生气：你招我！恨死你了我！

梁国辉不说话。

毕竟是两口子，郑洁坐在床边，伸手拉梁国辉……梁国辉顺势抱住郑洁，不撒手了：……别再闹了，你伤着我了。郑洁也不挣扎了：……你是外伤！我是内伤！梁国辉笑：行，你是内伤！我承认错误还不行吗。郑洁不说话了。

梁国辉说：郑洁，不闹了行吗？我好不容易活过来了，我想快乐地活着！我想快乐地过每一天！每一分钟！每一秒！我不想沉重！

郑洁沉默……

梁国辉又说：你没死过，你不知道活着的生命多可贵！前一段时间，我真羡慕所有活蹦乱跳活着的人……现在我活过来了，梁国辉翻身，面对着郑洁，咱们高高兴兴过行不行？

郑洁拍拍梁国辉的脸，算作回答。接着，郑洁说：可是……梁国辉等着……郑洁也试图开玩笑：你上班就要面对华硕……

梁国辉沉默了。

一想到你们在一块儿工作，我心里不舒服。

别是我活过来了，你又说让我调工作吧？

我没说，我就说想到你们俩一块儿工作，我不舒服。

梁国辉能说什么呢？

那我也不能不上班吧？

你们俩就非得一块儿工作，你们俩就不能调开啊？

梁国辉到医院上班，他不能不面对华硕，不能不正常处理工作关系。他过问丁超的病情，又跟华硕一起查房。之后，在食堂里吃午饭，华硕跟梁国辉坐到了一桌。

梁国辉的保温桶里带着郑洁熬的营养汤。这是郑洁晚上熬的，熬汤要用小火，郑洁熬了一晚上。这是郑洁的心意。同时，郑洁用这种方式宣布着对梁国辉的占领。因为她知道，她挡不住梁国辉和华硕一起吃午饭。

华硕没客气，分享了这筒营养汤，并且称赞这汤很好喝。梁国辉趁机絮絮叨叨告诉华硕，这是郑洁熬的，用了多少多少时间。

华硕说：废话啊梁大叔，不是她是谁啊？

梁国辉趁机说：她挺照顾我的，现在。

华硕直直地看着梁国辉……

梁国辉又说：她挺好的，现在。

华硕说：你跟我说这个干什么啊？我没说她不好，我说她不好了吗？再说了，她好还是不好跟我有什么关系吗？再多说一句梁大叔，我得说你无聊了。华硕起身走了。

华硕再在医院里看见梁国辉，装看不见。跟梁国辉擦肩而过也不打招呼。

梁国辉没辙了，只能由她去。

快下班的时候，梁国辉给郑洁打电话，让她别来接他了，他自己坐车回家。

郑洁开玩笑：你是不愿意我到你们医院去吧？不等梁国辉回答，她说行，那就不去。你多加小心。

这段时间，郑洁和梁国辉是甜蜜的。虽然关于华硕，偶尔的郑洁会敲打一下梁国辉。但是这种敲打，敌不过梁国辉的重生带给他们的欢乐。对于郑洁，对于梁国辉，有什么比梁国辉的重回人间，更值得庆幸呢？其他小小不言的生活烦恼，跟巨大的欢欣比起来，都微不足道，可忽略不计。

这段时间，郑洁和梁国辉是恩爱夫妻。

似乎从梁国辉恢复工作的那天起，一切也都恢复正常。

健康的梁山老人仍然在写他的朝鲜战场回忆录，孙子梁思宇替他起了个有煽动性的名字《子弹穿过我的身体》。这回忆录被梁思宇贴到了网上……没想到，竟然换来了不低的点击率……至少在好几十人那里，梁山老人成名人了……这让他非常有成就感。出来进去的，都哼着"雄赳赳气昂昂跨过鸭绿江……"

儿子梁思宇高兴了几天之后，一下就把对父亲的依恋和"崇拜"扔到脑后了，该顶嘴顶嘴，该调皮调皮……

这段时间，郑洁是努力"改变"来着，她想让自己变成一个温柔的女人，所以一开始郑洁没发作。她什么事都征求梁国辉的意见，事无巨细都问你说呢？梁国辉真的不习惯郑洁这样，就说你定。郑洁说什么叫我定啊？我这不是跟你商量呢吗？

郑洁真有那么几天是细声说话，温柔得梁国辉一身一身起鸡皮疙瘩。梁国辉说你还是正常说话吧，我觉得还是那样自然。

郑洁说你觉得我不自然啊？我跟你商量事呢！

梁国辉说还你拿主意吧，有什么天塌地陷的事再告诉我。郑洁笑，那我要你干什么啊？又说，我是努力想让咱俩好。梁国辉说，我知道。我也努力想让咱俩好。

找一个辙，刘彪又去饭馆喝上了。刘彪喝醉了酒就是一个魔鬼附身的人，这回，和饭馆的客人吵上了，人家一拥而上，开始打……

国华闻讯跑过去，一下就扑到刘彪身上，挨打的就是她了……国华哭，别打了，我家彪子是个好人，不喝酒是个好人。

刘彪没怎么着，国华伤了。儿子海涛急了，问爸爸怎么就不能戒了酒啊？国华反跟海涛生气，不许他没大没小跟父亲急。

刘彪自己酒醒了，也会站在大杂院的中央，满院子抱拳说对不起啊……

在医院，梁国辉不得不跟华硕谈一谈。

梁国辉说……为了正常地生活下去，华硕，咱们得保持正常的同事关系。华硕说，哦，我这味药用完了，该当成药碴子倒掉了？梁国辉说，谢谢你为我做的一切。华硕说，嗯，那你谢吧，拿什么谢。

梁国辉给问住了。华硕还问：拿什么谢？梁国辉说我给不了你什么……我记在心里。华硕说然后保持距离，互不相关？

梁国辉点头。华硕说这就是你继续活下去送给我的礼物？梁国辉说我没有礼物可以给你华硕，因为我不是你的人。

华硕看着梁国辉：我觉得你挺可笑的。

梁国辉说那你笑吧。华硕说本来吧，我对你就是同情，又不是爱情，你活过来了我高兴，就完了呗！你非要下一个逐客令，把我从你的生活中驱逐出去。这么一来，我就不高兴了。梁国辉说那我道歉。

我觉得你有点儿像个伪君子。

……那就是伪君子吧。只要……

只要我不纠缠你。那我告诉你吧，我没想纠缠你。我有自己的男朋友，我纠缠你一个一穷二白的老头子干什么？

梁国辉生气了：我不是老头子。

华硕说：在我眼里你是！华硕走了。

梁国辉的死而复生让李长江再次感叹"人生无常"，踏踏实实地趁活着把心愿全了了才是最实在的，因此，李长江开始实实在在地投入到"造人计划"当中。

他先是自觉自愿地戒烟戒酒少应酬，自觉自愿地调整着和白晓燕的生活，对她百般呵护和温存，并且买了很多关于孕产方面的书籍，临睡前就念给白晓燕听；还买了很多保健的药，给他自己，也给白晓燕……

李长江所有的行为是生生把白晓燕给激怒了，她撕了所有的书、将保健品全部倒进马桶！……李长江也怒了，怒过之后，他还得硬着头皮哄白晓燕。

李长江和白晓燕十年的婚姻模式就是如此，他宠爱白晓燕，因为无原则的宠爱，所以，李长江在白晓燕的面前，无论多么有钱，他都是跪着的……

白晓燕不是不想要孩子，她的心思不在这上面，她沉浸在人生下滑时的失落中……因为在剧院里，眼看着她的学生付若林粉墨登场，取代了她的女一地位。而付若林因为年轻，在各种人面前谦恭有礼，只要有登台的机会，毫不挑剔场合待遇，博得了上下一致的称赞。

付若林更因为是男子，台上貌若天仙，台下翩翩君子，台上别具风韵，台下更是别具魅力。这就是新人。他的出现，必然让所有的人耳目一新，赏心悦目。这就是所谓出现在人间的那些星星。他照亮世界，让世界闪亮。当然他自己的人生也闪闪发亮。他的闪亮，同时也让白晓燕黯然无光。

在白晓燕面前，付若林谦虚谨慎，不骄不躁，围着老师白晓燕团团转，更是让白晓燕一句话也说不出来。白晓燕的话就都憋在肚子里了。这加深了白晓燕回家后的沉默寡言……

当李长江侧面了解到了白晓燕的境遇时，他顿然理解和心疼妻子。毕竟这么多年白晓燕一直在台前，前呼后拥，现在突然失落……

李长江是宠女人的那种男人，白晓燕失落，李长江就想哄她，李长江给白晓燕买了一款新车，作为礼物，以博红颜一笑……

同时李长江也希望白晓燕转移注意力：有什么嘛？你太在意太脆弱，只说明你还不成熟。知足常乐！你毕竟有一个疼你爱你的老公。而且没有那么重的演出任务，两个人正好可以专心地做好准备，培育下一代……其实，李长江的努力，也是希望给他们日渐沉闷的二人生活一线生机……

对于李长江的建议，白晓燕努力地维持着那种魅惑的微笑，说：好。

李长江真的以为他们的生活会出现生机，但他所有的忙碌都是徒劳，白晓燕背着李长江在偷偷服用避孕药。

当然李长江并不知道。

这时候郑洁碰见李长江，也是开心的。梁国辉劫后余生，他们都感到庆幸。李长江也劝郑洁，梁国辉好不容易熬回来的，他愿意做什么就随他去吧。郑洁知道李长江说的是梁国辉工作的事。郑洁说我知道……

李长江要走，郑洁叫住李长江，问他关于梁国辉和华硕的事……李长江打马虎眼：他俩怎么了？……华硕人挺好的，国辉病的时候，她真是照顾他。别的……别疑神疑鬼的，郑洁，对两口子没好处。

郑洁说，你是想让我睁一只眼闭一只眼吗？李长江还打马虎眼：我没说。

郑洁问起李长江和白晓燕生孩子的事，李长江就只有叹气了。

郑洁说要不让晓燕来一趟医院吧，我找妇产科主任好好给他看一下。李长江说，我说了她不听，要不你给她打个电话吧？

第11章 仕 途

郑洁给白晓燕打电话。对于郑洁的热心，白晓燕不领情。她给白晓燕约好了大夫，但是白晓燕没来。

李长江不高兴了，问白晓燕为什么不去医院，让医生查一查不就知道了吗？白晓燕抱住李长江撒娇：等到明年再生孩子行吧？就一年的时间你就等不了了？李长江没办法。

可是一背过脸去，白晓燕脸上的笑容就没有了。

秋天来临，李长江陪着医院院长们到德国参加医疗设备展。白晓燕待在家里，多少的，白晓燕感到了几分自由。因为不必每天应付李长江关于生孩子这个问题。但是白晓燕并没有迎来新的转机。有电影到剧团来挑演员，最终挑选到了付若林。电影的宣传攻势，网络的推波助澜，让付若林更加的闪亮起来……

付若林的身边前呼后拥，白晓燕从旁边静悄悄地走开了……

梁国辉重回医院，做一个挑大梁的医生。朱院长也是开心的。

梁国辉来到院长办公室，名义上是汇报一下第三病区的工作，实质上，他主动问起了关于主管业务副院长任命的事。

朱院长问：你有什么想法？

有。

朱院长看着梁国辉。

梁国辉说：我跟您的看法是一样的，我觉得我是最好的人选。

朱院长说：可以前你拒绝了。

梁国辉说：那时候我是病人……现在我不是了。我觉得我是最好的人选。您考虑一下。

朱院长还是那么看着梁国辉：你身体行吗？

梁国辉说：我感觉我像20岁一样年轻！

新燃起来的生命热情让梁国辉在医院里不知疲倦地工作……丁超是梁国辉重

回医院之后重点关注的一个病人。因为丁超是极典型的精神分裂症患者，梁国辉希望丁超成为医院里治愈成功的一个病例……

梁国辉的希望，当然也成为主治医生华硕的一个压力……

丁家父母来探望丁超。没想到，丁超一见父亲，脑子中的声音就告诉他，父亲是来杀他的，丁超立刻躁狂起来，把脑子中的声音说了出来……丁教授伤心了，他怎么也没想到，在儿子的视线中，他自己变成了一个杀人恶魔……

母亲也解释，跟丁超说，父亲是爱你的。但是丁超怎么也不相信母亲的话了……

丁教授沉浸在自己的巨大失望之中，他不明白，自己爱子心切，望子成龙心切，怎么会在儿子的心目中反而成了死敌……

他变得沉默寡言……压抑久了，会突然暴发一种暴躁……当然这暴躁，是倾泻到丁师母的身上……

倒是丁师母，心中怀着母亲的本能，相信儿子是真的病了，而且是她最不愿意相信的——精神病。

丁师母一哭再哭，几乎哭瞎了眼睛……但最后还是打起精神，决定配合医生给儿子治病……母亲的心是有本能的，谁夺走了儿子，她都会想尽办法再把儿子夺回来……她就不信了，别的得了绝症的孩子的爹妈都是怎么活的？

丁师母颤抖着手签了字，同意对丁超实行电击疗法……

电击疗法过后，醒过来的丁超只信任一个人——梁国辉。甚至连服药，都要梁国辉到场之后，丁超才会确信这不是谋杀，才会放心服下去，并且张开嘴给梁国辉看……这让主治医生华硕感到很挫伤，因为梁国辉生病那段时间，一直是华硕在照顾丁超……梁国辉安慰华硕，丁超的不信任是暂时的。

当然，一个精神科医生想要一个病人完全依赖，说白了以生命相托，只有一条道路，走到那个病人的精神深处……可那是一块看不见摸不着的地方，就因为看不见摸不着，所以需要非凡的耐心，非凡的努力……

梁国辉打比方说，就像谈恋爱一样，你怎么才能让对方爱上自己。只有一条道路，用自己的灵魂寻找另一个人的灵魂……这么说话的时候，梁国辉像一个诗人。

华硕很迷恋梁国辉讲话的这个瞬间……华硕说你真有魅力。

梁国辉说：行了华大夫，到吃饭时间了。

丁超现在深深依赖着梁国辉……梁国辉留在医院，等丁超吃过晚饭吃过药才回家……华硕替梁国辉在食堂打了饭，梁国辉在医院吃了……

之后梁国辉在医院待到很晚才回家。华硕当然也在医院，陪着。

一个家庭中出现了一个精神分裂的孩子。对于丁家父母而言，无疑等于切断了他们关于将来的希望，切断了与欢乐有关的一切……巨大的绝望让家庭气氛变了，丁家常常变得没有声音。即便是吃饭，丁家夫妻也是相对无言……

丁教授把全身心投入到教学中，投入到系里接的建筑设计任务中，回避家里有一个精神分裂的儿子的事实……丁师母慢慢觉得，做父亲的对儿子太冷漠无情了……

郑洁在家里等着，一直等到梁国辉回家还没睡。郑洁问梁国辉吃饭没有，梁国辉说吃过了。郑洁问梁国辉有没有感到哪儿不舒服，梁国辉说没有，他恢复得很好，只是在阴天的时候觉得有些上不来气，还有就是刀口会隐隐作痛。

你得注意身体。

我知道。

郑洁还想听点别的，问梁国辉在医院怎么样。梁国辉说还是那样，那些病人，老样子。郑洁当然还想再问点儿什么，可是不好开口了。

在一个阳光灿烂的日子，朱院长在会上宣布了对梁国辉副院长的任命，朱院长把一部分权力下放，交给梁国辉，由他主管医院的业务。梁国辉成为阳光医院朱院长之下的四个副院长之一。因为主管业务，所以梁国辉在医院的地位，成为第二把手。梁国辉的照片上了医院领导班子的公告栏，他的照片和朱院长的照片紧挨在一起。

梁国辉亲眼看到了后勤工作人员布置橱窗。梁国辉不虚荣，但梁国辉心里仍然觉得很舒坦。工作人员看见梁国辉，改口管他叫梁院长。梁国辉一下子也有点儿摸不着北，笑着说还是叫我梁大夫听着舒服。工作人员说那怎么行啊？院长就是院长。梁国辉说那也是副院长。工作人员笑，说您听见谁把副字挂嘴边上的吗？

华硕也改口管梁国辉叫梁院长。梁国辉皱着眉头说你跟着起什么哄啊？华硕说应该的啊，全院不是都改口了吗？

梁国辉配了车,有了司机小齐。尽管车不是什么好车,但毕竟是汽车,梁国辉迈过了骑自行车上班的年代。

这是梁国辉没料到的。以前,梁国辉是一个医生,从来没觉得自己跟仕途有缘,他只想做一个好医生。但现在梁国辉想法变了,当副院长乃至院长也没有什么不好。生命都是捡回来的,有什么不可一试呢!

梁国辉在一片祝贺声中搬进了副院长办公室。主管全院五个病区的工作。办公室就在朱院长的隔壁。华硕帮梁国辉将办公室收拾得光鲜而有活力。同时,梁国辉也没放弃对三病区的专门领导。他不想离开医疗一线,不想放弃专业。

梁国辉升任副院长,梁老爷子是开心的,梁思宇也跟着傻开心,唯一不那么开心的是郑洁。郑洁嘴上是开心的,心上不是。郑洁知道,梁国辉一升任副院长,就更不可能调动工作了。这意味着梁国辉跟华硕要一直共同工作下去……一直工作下去的后果是郑洁不敢想的。

以前梁国辉在郑洁心里曾经像鸡肋一样一无是处。现在,梁国辉被提升了副院长,并且雄心勃勃地想要做一番事业,这种雄心是挡不住的,郑洁明白自己管不住梁国辉了……既然管不住了,郑洁就害怕失去梁国辉了……一怕,郑洁心里就又纠结了……

梁国辉对家里没什么实质性的大贡献,只是涨了三千块钱工资而已,而且梁国辉的习惯,工资是全部上交的……这一点郑洁从来没担心过。可是郑洁就是怕起来了,怕失去梁国辉……说白了,这怕,还不是因为华硕吗?

所以说来说去,最让郑洁内心纠结的,还是梁国辉去上班这件事。梁国辉一上班,就面对着如花似玉青春逼人的华硕。而且名正言顺,一对就是一天。有时候还同时值夜班。一想到这个郑洁就心如刀割。

郑洁是心里兜不住事的人,郑洁把话跟梁国辉说了。梁国辉看着郑洁,说郑洁我觉得你是自己钻死胡同,我要是想跟华硕有事,你就是天天看着我,看得住吗?

所以只能靠你们自觉。

你想让我们怎么自觉?你说。

郑洁回答不上来了。

梁国辉说:你自己别钻牛角尖行吗?我都说了我活过来了不容易,我想开开心心过日子。咱们就不能开开心心过日子吗?

郑洁被问住了。

人生本来就是如此，所有一帆风顺的人生都需要某种程度的自觉。可是你靠什么让一个人保证从始至终都自觉呢？如果人不想自觉，你能怎么办呢？

郑洁的生活中，可以说一件顺心的事也没有了。郑洁开始失眠……

同样失眠的还有白晓燕……

挂在剧院的大明星照，白晓燕的被摘下来，挂到了角落，正中间换成了付若林的巨幅照片……

人生的落差，让白晓燕黯然的心情更加黯然……绵绵的秋雨加深了白晓燕心情的黯淡……白晓燕开车在街上走，泪水模糊了视线……之后在雨夜的街上，传来急刹车刺耳的声音和汽车撞击的声音……有路人救了白晓燕……

白晓燕在血泪模糊中，告诉人家打电话给梁国辉……

第12章 两个女人不能同时看你生

梁国辉正在医院里研究丁超的治疗方案，电话响了……梁国辉一边往外跑一边给郑洁打电话……梁国辉赶到现场的时候，120急救车还在路上……

梁国辉看见白晓燕被夹在座椅中间，满脸是血，梁国辉急了，叫了起来：白晓燕！

白晓燕看见梁国辉，哭了：国辉……

梁国辉说：你别怕，别着急，我救你，我能救你！你别怕啊！晓燕，你也别闭眼，跟我说话啊……梁国辉一边喊着跟白晓燕说话，一边撕碎了自己的衬衣，给白晓燕包扎止血……之后，梁国辉拉住白晓燕的手，一直呼唤白晓燕，跟她说话，安慰她：没关系啊晓燕，现在能看到的就是皮外伤，你没关系的……别闭眼啊，跟我说话……

白晓燕在血泊中，感受到了梁国辉的呼唤，以及梁国辉传递给她的温暖和希望……

直到急救车驶来……

李长江不在国内，责任落在梁国辉和郑洁身上。

好在安全气囊救了白晓燕的命，她撞断了鼻骨，脸上一道撕裂伤，轻微有一些脑震荡……

白晓燕生命无羔。但对于一个演员来说，这伤口是严重的，医院美容科已经做了美容修复，但仍可能会留下疤痕……白晓燕意识到了这点，她一直跟郑洁要镜子，但是郑洁坚决不给她。

郑洁越是不给，白晓燕越是意识到了问题的严重，在能动的时候，在去卫生间的时候，她从镜子里看见了自己的脸……

白晓燕几乎一下就崩溃了……不肯吃饭，也不肯配合治疗，就连点滴也不肯打了。

郑洁安慰白晓燕，现在的美容技术那么发达，这么一点小伤算得了什么啊，好多演员磨下巴削腮骨，哪个手术也不比这个小啊……但是就是安慰不了钻牛角尖的白晓燕……

郑洁只能把这些事告诉了梁国辉。梁国辉到医院来了，从白晓燕手里夺下了镜子。梁国辉说白晓燕你太自恋了。你爱的是你自己那张脸，除了那张脸你连自己的身体都不爱，别说心灵！你不觉得自己太过分了吗？

可不管怎么说，白晓燕就是不肯吃饭，也不跟梁国辉和郑洁说话……

梁国辉忙，郑洁也很忙……梁国辉火了，说白晓燕我可没空像李长江那样哄着你，我忙得火都上房了，我就是把你捆在床上，也得让医生把点滴给你打进去！你要是不消炎，你的脸可能会烂，会留更大的疤！你听见了没有？

白晓燕就是拒绝打点滴。

梁国辉真就做主，把白晓燕的手捆在了病床上。点滴滴进了白晓燕的胳膊。白晓燕躺在床上呜咽：梁国辉你凭什么呀？……

梁国辉说：凭我是长江的哥们儿。凭我是一个医生。这理由够吗？

毕竟李长江不在国内，梁国辉守着白晓燕，梁国辉说相信你好了以后还是一个大美女。梁国辉做精神科医生多年，有他安慰病人的方法，梁国辉竟然能让白晓燕破涕为笑……梁国辉在跟白晓燕谈笑风生的时候，他脸上的笑容那么灿烂，有魅力……

白晓燕说：谢谢国辉，你真好！

当然了，好大夫嘛！

当梁国辉和白晓燕谈笑风生的时候，不能不说，郑洁感到几分嫉妒……因为，这么灿烂的笑容是郑洁在日常生活中看不到的，这笑容大概梁国辉只在医院有，在面对病人的时候有……

这几天，白晓燕对梁国辉有几分依恋，郑洁在医院也一直照顾着白晓燕，但是白晓燕会跟郑洁聊起梁国辉，说以前我不了解，我觉得梁大夫人真好。

那是你们觉得。

白晓燕惊讶：你觉得他不好啊？

好啊，我说他不好了吗？

听到白晓燕受伤的消息，心急如焚的李长江立刻改机票回到国内，到医院看望白晓燕，可白晓燕坚决不让李长江看她，白晓燕不愿意让李长江看到她一张受伤的脸……

李长江问梁国辉有多严重。梁国辉说从医生的角度看不严重，但是从白晓燕的角度看，严重，因为，脸上会留下疤痕。

梁国辉说最严重的情况是白晓燕离开她热爱的舞台。

白晓燕拆线，脸上真的留下了一道疤痕。这道疤痕在白晓燕脸上，更横亘在白晓燕的心中，横亘在白晓燕的人生路上……

李长江一再地哄白晓燕，说没关系的，可以做美容手术把那道疤痕除掉……但白晓燕还是哭了……

宠白晓燕的李长江很快做了安排，送白晓燕到韩国去做美容手术。

尽管郑洁一再地劝说，根本用不着去韩国，就是在国内，经过几次去疤痕的小手术，白晓燕也能完好如初，但李长江还是放下一切，带白晓燕去了韩国。

郑洁真的是羡慕白晓燕了：至于么，就脸上一道疤，把老公折腾成这样。换个说法，白晓燕多幸福啊，瞧人家的老公，怎么就那么疼她啊！这感慨，郑洁是跟梁国辉说的。

梁国辉一笑：白晓燕太脆弱了，李长江那么疼她她还崩溃，要是不疼她，她还活得下去吗？

郑洁说我不明白的是，怎么有的女人就那么让男人疼啊？

女人就是让男人疼的啊。

这话真让郑洁觉得受伤。沉默了好半天……

那你什么时候疼过我啊？

咱们不这么比行吗？你不是白晓燕。我也不是李长江。

我要是白晓燕你就会那么疼我啊？

梁国辉说：我不是李长江，我想疼你我也没有那实力啊！宝马良驹我给不了你，一个月就那点儿工资……咱俩也就这点儿日常生活……

郑洁想一想觉得没劲：算了不说了。梁国辉想开个玩笑：是不是觉得别人的生活无比精彩，咱们的生活无精打采？郑洁说是你觉得跟我生活无精打采吧？

一下子把梁国辉噎住了。梁国辉说，我提醒你啊，这话说着说着可又往不和谐那边儿去了。郑洁把没说出来的话忍住了。

梁国辉不是成心不回家，是因为被丁超这个病人拖着，有几天回不了家。

郑洁多心了。郑洁去医院找梁国辉，华硕告诉郑洁，梁国辉去卫生局开会还没回来。

郑洁说：怎么他去卫生局开会你也知道？

华硕淡淡一笑：因为我们中午一起在照顾病人啊。

郑洁说：我能跟你谈谈吗？

郑洁拉住华硕的手，首先感谢华硕为梁国辉做的一切，当初她跟华硕面对面谈过怎么救梁国辉，让梁国辉活下去的问题，现在，梁国辉活下去了，她们得面对面地谈她们怎么活下去的问题，怎么跟梁国辉相处的问题，她希望华硕顾及梁国辉在医院的影响……郑洁太想从华硕那儿要句话，要个保证。郑洁甚至暗示希望华硕调动工作……

华硕把手从郑洁手里抽出来，笑了：……我挺佩服你的哦，你都快恨死我了还能跟我手拉手。

郑洁说：咱俩一块儿手拉手面对过他的死亡。

华硕说：但是咱俩不能手拉手面对他的新生，对吗？

郑洁沉默了。华硕却把话说得很直白：我尊敬并且爱慕梁老师。我愿意在他领导下工作，这样我很有快感……

郑洁生气地说：快感！

快感啊！怎么了？

你不觉得你用词不当吗？

我用词不当吗？

郑洁看着华硕扑面的青春和不吝：我觉得很刺耳！

华硕说：我只能说你太脆弱了。……你这么脆弱怎么跟得上时代啊？

郑洁生气了：跟得上时代就得厚脸皮啊？……

华硕笑：我不是厚脸皮！我是顽皮！成心气郑洁说，跟你说啊阿姨，在我眼里，人生里所有的事都是好玩的！管他是什么，我都想拿来玩一玩！我以玩乐的态度面对一切，这是我的人生态度！

郑洁说：梁国辉是个大活人，你也玩吗？

华硕说：对啊，我也是以玩乐的态度对待梁老师，梁大夫！这样不行吗？你非要让我特别特别庄严吗？那我不知道该怎么庄严，你教教我？

郑洁说：……你心里什么都明白，你是不想负责任。

华硕说：你想让我负什么责任。

郑洁说：咱们都得活下去。梁国辉不能有两个女人。我不想跟你分享梁国辉。

华硕问：这就是你来的目的，你想跟我要个保证？

郑洁点头。

华硕说：我过去说过的话都是真的。那时候梁老师在生死边缘徘徊，我希望刺激他一下，给他活下去的一线生机……现在他从生死线上回来了，他的生命远远没有完结，那他的生命中就包含各种可能。

……你什么意思？

你听不明白吗？真理！每个人都一样，只要他的生命没有终结，就包含各种可能。

郑洁瞪着眼睛望着华硕。

你认为我说得不对吗？你认为你的人生就这么跟喷了定型发胶似的，梳成什么样儿就什么样了？那有什么意思啊？华硕说。

我觉得有意思。

就这么定型了？奔着老死去了？你不觉得是悲剧啊？

我不觉得。

华硕起身要走。

郑洁追着她：你还没回答我呢。

华硕说：我回答了！生活充满变数，只能走着瞧。我想不想是我的事。我也许想，也许不想！明天怎么想今天我不知道。答应不答应是他的事。他也许答应，也许不答应。明天他答应不答应今天我不知道！只能走着瞧！

郑洁急了：你没资格跟他走着瞧！

华硕成心气人：阿姨，你这么着急啊？我问你一句成吗，你心里真觉得梁老师可贵吗？他是你生命中最重要的人？没有他你活不下去？是吗？

郑洁说：……他是我老公。他当然重要！

华硕说：他在你生命中可能就是一块鸡肋，留之无用，弃之可惜。

郑洁气结：那对你呢？他是什么？

华硕说：天空。她眼睛看着郑洁一点也不留情面，无比广大的天空，深邃，辽阔，空灵。阿姨，由衷地说，你别欺骗你自己，他在你眼里，有在我眼里那么美好吗？

郑洁被华硕把嘴给堵住了，把心也给堵住了。

华硕最后说：他在你眼里就那么回事，是不是？那你何必不转让呢？我觉得我是转废为宝，解脱你，解脱他，成全我自己。

华硕走了。

可想而知郑洁心里受到的挫伤。她可能再相信梁国辉吗？就算她相信梁国辉，她也绝不相信华硕会放过梁国辉。

郑洁开始坐卧不宁了。

此时，只有梁国华一家三口的日子过得还是叮叮当当但有声有色。梁国华再次张罗着给刘彪找工作，当她得知郑洁所在的医院招聘救护车司机的时候，她不得不去求郑洁，这是让梁国华最头疼的事情，因为，她实在不愿意去求这个原则性极强的弟妹，但她还是去了。

郑洁和梁国辉的夫妻关系正处在微妙的关头，郑洁很愿意为梁国辉做一点什么以博得梁国辉的几分感激，所以对这事很上心。竟然就把这件事办成了，刘彪如愿以偿成了一名救护车司机……

梁国辉却是紧张的。他特意嘱咐刘彪，一定要知道当救护车司机责任重大，一定不可以喝酒……

刘彪一口答应了……

国华对郑洁帮了这个大忙是感激的，常在家里做点包子饺子之类让刘彪带给郑洁。刘彪不肯，说郑洁在重症监护室，那么忙，别打搅她吧。国华说忙才去呢。郑洁肯定经常吃不上饭，带点包子热热就行。

郑洁让刘彪别再送了，她用不着。国华认为这是郑洁客气。

郑洁不是客气。郑洁是有洁癖。包子郑洁一个也没吃，都带回家给梁国辉了。她不得不给国华打了个电话：说别让姐夫再带了，医院里人多眼杂，让人家看见搞裙带关系不好。

梁国辉维持着他想要的那种快乐，所以梁国辉回家尽量是哈哈笑着满面笑容。他也理解郑洁为家庭付出的努力，所以梁国辉想竭力做个好丈夫为家庭做点什么。他一旦在家，会尽量做些家务……

郑洁不是不知道。但是她管不住自己多想，梁国辉的笑声那么爽朗，充满生机……郑洁认为，这快乐和生机不是因为她，而是因为华硕……说到底是因为梁国辉身边有华硕那么一个年轻美丽的女医生。郑洁真是跟这事儿轴上了……但是郑洁得装，因为梁国辉要快乐，梁国辉不想不高兴……郑洁当然也不能让梁国辉不高兴，就装……

一装，就有痕迹，有尴尬的地方。所以两个人面对面的时候，不像夫妻，而是像两个演技不怎么样的演员……两个人的感觉不是越来越近，而是越来越远。

梁国辉终于忍不住说，这还叫两口子吗？！……郑洁说，他们不是两口子，是三口！……

梁国辉知道，郑洁是说华硕。

梁国辉说郑洁你不是那样的人，能不能不夹枪带棒地说话……你这么说华硕，其实是你自己对自己不自信，是你自己不尊重你自己。郑洁说我没夹枪带棒。你喜欢她是你自己说的！她也说她喜欢你！你们俩抱着互相亲我也看见了……要不我就往后退一步，成全你们算了。

郑洁把跟华硕谈的话原原本本告诉梁国辉。梁国辉才知道郑洁去阳光医院的事。梁国辉心里当然不高兴，他不明白郑洁去医院干什么，监视他？她能监视他一辈子吗？郑洁说我当然不能。所以我想问你怎么办。梁国辉说不怎么办，你把心放在肚子里，该干什么干什么！

然后呢？我提心吊胆地过日子，等着有一天你回家跟我下最后通牒？

哪儿有那么一天啊？你别自己编故事吓唬自己行不行啊？

是我自己吓唬自己吗？你喜欢她，她喜欢你，是你说的！

梁国辉亲口说过的话，现在变成了郑洁攻击他的武器。梁国辉真没话说了……

梁国辉说，是，我说过。郑洁，那我问问你，后半辈子你就打算倒后账了是吗？往前咱们不过了，咱们就天天往后倒……郑洁说，我就是为了往下过，才得把眼前的事说清楚。

梁国辉说：行，那你说吧。我问问你怎么才算说清楚，我陪着你说。郑洁反被梁国辉问住了。

梁国辉又说：我再问你一个问题，如果说不清楚你想怎么办？

郑洁反问：你想怎么办？

梁国辉急了：我问你呢！这日子你还想不想往下过？

梁国辉走了。住到医院去了。

李长江陪着白晓燕从韩国回来了。白晓燕经过整容，脸上真的恢复如初，容光焕发地回来了。白晓燕是开心的。李长江也是开心的。毕竟，他们又过了人生的一劫。

李长江和白晓燕自然要请梁国辉和郑洁吃饭。梁国辉来了，郑洁没来。

白晓燕见到梁国辉，难掩由衷的欢欣：国辉，谢谢你救了我。梁国辉呵呵笑：应该的应该的，看到晓燕仍然美若天仙，我替长江高兴。梁国辉自己烦成那样了，还不忘开导白晓燕：没有永远的美貌，就像没有永不凋零的花儿一样。人生得接受适度的平淡。

私下里，梁国辉苦笑着告诉李长江，他觉得，他治好了病不是人生劫难的结束，而是刚刚开始。因为他得了"癌症"，所以他把该说的不该说的全跟郑洁说尽了；郑洁也违心地将该做的不该做的全为他做了，夫妻两人从来没那么坦承相见过，太坦承了，就没有留什么余地。一个被宣布死刑的人，一个顶多还只能活半年的人，还留什么余地，他把大实话全说了，彻彻底底毫无余地地将他们婚姻的"真相"揭了个底儿掉，他和郑洁之间是真正赤裸裸连层面纱也没有了……可现在，他又"活"了，以后也许还有三四十年的时间他得面对郑洁……

两个人过日子，没有面纱多可怕！还有比这更可怕的事吗？三四十年，就是一辈子，他都得赤裸裸地面对郑洁，梁国辉真觉得头皮发麻了……

梁国辉都快哭了，他告诉李长江，他现在真不知道怎么进那个家门，玩笑，绝对是玩笑，梁国辉觉得，命运这玩笑开得太大了！

梁国辉愁眉不展，李长江反倒哈哈大笑……

李长江说：想想前一段时间，你多美啊，左拥右抱，一边江山一边美人……现在你不苦恼几天你也对不起命运的安排啊。

梁国辉说：长江，不开玩笑，我是真苦恼。……你给我支个招，往后，你说我怎么对付郑洁啊？

李长江打量梁国辉：你真打算跟郑洁再过三四十年吗？说实话！

第 *13* 章　　温柔的捆绑

梁国辉看着李长江说：废话。

李长江说：别回避，哥们儿，你真打算跟郑洁再过三四十年？没想过离婚什么的？你可是想过休妻的，你生病时候告诉我的。

梁国辉都快跳起来了：我说，你怎么也倒上后账了，咱们不倒后账行不行啊？

……现在经过生死考验，不想休妻了？

……想。

李长江看着梁国辉。梁国辉说……但是不能。李长江还看着梁国辉。

梁国辉又说：……这不是明摆着吗？思宇那么大了，郑洁没功劳有苦劳吧……把她扔半道上？我不是不想，可我也就是想想，过过瘾！你让我真干，那么损阴折寿的事儿我还真干不出来！

李长江笑了，拍拍梁国辉肩膀：放松点放松点儿！我在道德上崇拜你。在精神上，我知道你跟郑洁过下去不容易，你要忍受非人的折磨……

梁国辉说：……可现在问题是郑洁不依不饶的，你说怎么办呢？

李长江做深思状：人生多有意思啊！太有意思啦！两个女人，能手拉手看着你去死！但绝不可能手拉手看着你生！他哈哈大笑，梁国辉同志得捶胸顿足地活下去！

梁国辉苦恼……

李长江又说：总而言之言而总之你得放弃一个！

梁国辉看着李长江……

你舍不得放弃郑洁，那就只能放弃华硕！

梁国辉又急了，要站起身来：我跟华硕什么都没干！……

李长江说：精神上的精神上的！又用手按住梁国辉，我知道我知道！不辩解不辩解！……你在精神上要和华硕继续下去吗？

这犯法吗？

不犯法不犯法。

我连个红颜知己也不能有啊？就不能给我的人生留点儿……念想吗？

不是我不让你留的问题。是郑洁让不让你留的问题。

梁国辉一下子眼神黯淡了：……说实话吧，一提到郑洁我直头皮发麻。一想到跟郑洁过到老我基本也觉得人生黑咕隆咚一片了……那我活过来干吗啊？

那就放弃郑洁。

可我不是不能那么做吗？

李长江不说话了。

那合着你也什么招儿都没有啊。

碰到这样的事儿谁有招儿啊？

不光梁国辉跟李长江倾诉，郑洁也跟李长江倾诉。李长江能说什么呢，李长江让郑洁相信梁国辉。

郑洁说：你让我相信梁国辉什么呢？相信梁国辉对我绝对忠诚？

李长江问道：郑洁，你相信人间有绝对的忠诚吗？

郑洁反问：就是说梁国辉不可能忠诚是吗？

李长江哭笑不得：郑洁，你不觉得你是钻牛角尖吗？……我的话就是这么简单，郑洁，你要想跟国辉过下去，你就相信国辉，他不会抛弃你，抛弃孩子。

郑洁淡淡一笑：不抛弃我？但是他也不放弃华硕，对吗？

李长江说：郑洁，我真替国辉说句话，啊，我相信，华硕顶多就是国辉一个红颜知己，别的都够不上线。

你真相信吗？……郑洁问。

你要是不相信，我也没办法。……再说了郑洁，就冲在咱们是同班同学的份儿上我跟你说这话，你别把他们捏在一块儿。

郑洁说怎么叫我把他们捏在一块儿啊？李长江说你跟国辉闹，老闹，不是把国辉往出推是干什么？你把国辉往出推，不就等于把他们往一块儿捏吗？不就是作用力与反作用力吗？郑洁，聪明点儿！

郑洁不说话了。

郑洁我跟你说，对国辉就仨字儿——藤缠树！梁国辉是树，你是藤！藤缠树，绕指柔，缠得住不就都因为软吗？他是棵树，你不会也想肩并肩跟他一样也是棵树吧？郑洁那我得说你傻。李长江最后说道。

郑洁心里再充满委屈，还是主动给梁国辉打了个电话，要是不忙的话，让梁国辉回家吃饭。梁国辉说好的。这就是两口子，一个叫另一个回家吃饭，他能不回吗？

郑洁休息，主动下厨，做了一顿丰盛的饭菜等待梁国辉。

该下班的时候，梁国辉下班了，开着车要回家。华硕看着，心里有几分不舒服了……但是她能阻止梁国辉回家吗？当然不能。

重新面对梁国辉的郑洁是温柔的，或者说装，也装出了几分温柔。郑洁满面笑意，照顾梁国辉，照顾得无微不至。一家就一个女人，郑洁满面笑容，就意味着整个家满面笑容，老爷子梁山和儿子梁思宇都跟着快乐。

梁国辉回家被快乐包围着，他当然是开心的。

梁思宇说爸，我觉得我妈变好了。梁国辉说本来你妈也挺好的啊。这话都是当着郑洁说的。一边老公，一边儿子，不能不说，这个瞬间，郑洁心里是暖的。

郑洁说：你们俩啊，还算是有良心。

梁山加了一句：还有我还有我！我也挺有良心的！

梁国辉笑：你看看你看看，一顿好饭收买了三个老爷们儿！梁家男人怎么这么没出息啊！

郑洁眼圈都红了：要是老这样我多幸福啊！

郑洁这话是由衷的。

回到卧室，单独面对的时候，郑洁把梁国辉抱住了：咱们俩好好往下过，好不好？梁国辉能说什么呢？梁国辉当然说好。梁国辉说你看你现在这样儿多好啊，现在这样儿我都找着点儿谈恋爱的感觉了。往后啊，你一发脾气你就想想咱们谈恋爱的时候，那时候我一回家你准备好拖鞋，后来我一回家拖鞋在你脸上，还是黑色儿的。

郑洁愣了一下：……我变化那么大啊？

……嗯。

郑洁抱着梁国辉，没松开：那行，往后我天天提醒自己对你温柔点儿。梁国辉反过去抱住郑洁：这样老公才会对你温柔知道吗？天底下跟老公叫板的老婆都是傻老婆，知道吗？

真的，温柔才是绳索。梁国辉被郑洁的温柔缠住了。

回到医院重新上班的梁国辉，看见华硕就要躲，被华硕叫住了。华硕请示的当然都是关于医疗的事，谈完了梁国辉马上就要走。

华硕说：你那么刻意躲着我啊？

梁国辉说：我没躲着你啊。我是忙着呢，你不知道一堆一堆的事……

华硕说：知道，当上副院长了嘛，全院就你忙。

梁国辉跟华硕玩成熟男人那套：你啊！我听得出来你挤对我！可我是真忙！我走了啊。

梁国辉真就给了华硕一个背影。

梁国辉履行阳光医院业务副院长的职责，极其繁忙，每天有忙不完的事，全院的眼睛都盯着他，他也真是没太多精力跟华硕玩小儿女情长。

梁国辉不能再像以前一样专注于病人的治疗和病理研究，他一半的时间忙于医院制定业务发展规划、负责科研课题与论文的评审等事务性工作。梁国辉现在一半时间在开会：去卫生局开会，跟精神研究系统的专家开会，跟院里各科室业务负责人开会。要是谈恋爱，梁国辉不年轻了，但是当一个医院的副院长，梁国辉是年轻的，前景广阔。而且一个男人总把眼睛放在小情小爱上有什么出息。所以梁国辉兴致勃勃奔着事业去了。梁国辉要迎接的不是走向衰退的十年，相反的，是"奔腾十年"。

华硕越来越喜欢梁国辉，恰好是因为梁国辉在医院中的地位，当一个男人领导着一个医院的时候，他果断，雷厉风行，只有贴近他的华硕，看见了这个男人最有魅力的一面。

一个精神病人被送到了医院，但是不肯下车。梁国辉看见了，走过去，一看是老病人。梁国辉笑呵呵跟人家打招呼，像是对待一个久违的老朋友。

梁国辉说：大姐来吧，我背您下车。

病人不好意思了：我自己走我自己走。

梁国辉说：来吧，趁我年轻，我还背得动您。

多温暖的一幕。这一面又恰好是郑洁一点儿也看不见的。

何况重生的梁国辉带着激情……他谈笑自若，举重若轻，似乎一切总是在不经意间，华硕听见梁国辉爽朗的笑声，看见梁国辉灿烂的笑脸……华硕真正被梁国辉成熟的男人魅力迷住了……

这迷恋是危险的。对于华硕来说是，对于开始大干一番事业的梁国辉来说也是。

白晓燕脸上的伤好了，不等于白晓燕因此就快乐了。事实上白晓燕的心田里仍然一片灰暗。

更为可怕的一点是，白晓燕发现自己的声音也不对了，说话开始语吃，似乎脑子里太多想要表达的东西但却说不出来……她不会想到这是长时间的抑郁造成了生理反应。这让白晓燕非常着急，因为，"声音"就是京剧演员的生命。白晓燕的焦虑日盛一日。

一旦看见梁国辉要安全地长期地活下去，郑洁的思想就回到了从前的轨道上。郑洁作为中心医院的重症监护室主任，她也很忙，她也有自己的一份事业要做。同时，郑洁心里较劲儿的还有儿子梁思宇。

她想让梁思宇上重点高中，上重点高中得给儿子备下钱。……而且高中跟大学之间只有短短的三年，高中毕业想让儿子出国留学，得给儿子备下出国留学的钱……

郑洁又开始给人生上弦儿了：……给儿子上弦儿，当然也给梁国辉和她自己上弦儿。

梁国辉亲眼看着丁超成了那样子，反而更想看见梁思宇正常发展，树大自然直，只要他身心健康……但这件事上，郑洁却不妥协。郑洁说你忙你的，儿子的事你别管了。

就在这时候，梁思宇早恋了。

这天，郑洁被梁思宇的班主任郭老师请到了学校，请他们看了一篇帖在校园网上的"情书"，这封情书看得郑洁目瞪口呆。

老师告诉郑洁，一定要多多关注梁思宇的思想状态，好好引导和管教他，因为他的思想太早熟了！

出了学校的门儿，郑洁就爆发了压抑不住的愤怒，她马上就要去了解那个女孩的情况，要去找那个女孩的家长……郑洁坚信梁思宇的"早熟"肯定是那个女孩子诱使的。

很快，郑洁就非常麻利地通过校方找到了那个女孩子，并且直接约见了女孩和她的家长进行了一次郑重其事的谈话。结果是郑洁和女孩的母亲吵得不可开交……

回到家里，郑洁开了电脑，要看梁思宇的网络日记，没想到，日记的文件被梁思宇设上了密码……梁山瞪着眼睛看着郑洁鼓捣电脑。郑洁火冒三丈，问梁山梁思宇的密码是多少……

梁山叉着手说：我怎么知道！他已经加密了！他要是轻易被你破解了，那他对敌战争的战术不是白学了吗？

郑洁都快气晕了：合着都是您教的啊？

梁山火上浇油，说不就是对女孩子有点儿小意思吗？能怎么的？就现在孩子吃的那些东西，激素化肥加上防腐剂，一堆垃圾食品，再加上网络……梁思宇这样儿已经不错了。

郑洁火了：您一天到晚都教他什么啊？

梁思宇回家，郑洁好一通审，梁思宇跟郑洁吵起来了……

原本一个正常的"情窦初开事件"被郑洁弄得鸡飞狗跳……

梁国辉下班回家，正赶上郑洁和梁思宇吵架，梁国辉喝住了梁思宇……也让郑洁别跟儿子较劲了，他跟梁思宇谈谈……

梁国辉压根没有提情书的事，而是拉东扯西的和儿子套近乎……他想和儿子好好交流交流，因为他发现自己和郑洁都太不了解他们的儿子了，从情书的文笔来看，孩子的成熟远远超过了他们的想象。梁国辉甚至不耻下问，问儿子关于电脑的好多知识……其实他是想借机问一下儿子现在是一种什么状况……而令他想不到的是，儿子谈的女朋友现在都是第二个了……

梁国辉大吃一惊，他的第一反应，是这事儿可千万别让你妈知道。

梁国辉缠着儿子聊，趁机给儿子上课，想给儿子灌输一下责任感之类的话……这都是一个父亲该给儿子上的课……

郑洁问梁国辉梁思宇下了什么保证没有。梁国辉说当然，梁思宇保证好好学习，再不和女孩子来往了。郑洁说，这还差不多。梁国辉想起梁思宇说的话来了："我妈多弱智啊！"梁国辉真替郑洁悲哀了……梁国辉跟郑洁说，这么对待梁思宇也不对……

我不对！我怎么不对？噢，我不对，他对！他不好好上学，他……

梁国辉叹气：初恋是美好的，你应该给他留面子……郑洁说着说着就要急：他不好好学习，他还美好……梁国辉急忙安抚：生理卫生！生理卫生！生理卫生课上的那点儿事儿嘛！？荷尔蒙闹的！男孩子女孩子互相有好感，这不是人生必经的一课吗？应该好好引导他，别跟他吵……吵有什么用啊？吵你也挡不住他躁动不安啊！小心他逆反！

郑洁还是没好气：你倒挺理解他的！梁国辉一噎……

郑洁没要求梁思宇别的，让梁思宇放学就回家，回家写作业……

梁思宇老老实实答应。

梁国辉说郑洁，你就是捆上他你也挡不住他的青春期啊！关键是疏导！你得疏导他！你是他妈，你越急他不是越逆反吗？对他温柔点儿……

我……我不温柔了吗？

你觉得你温柔吗？

郑洁噎了一下，又火了：噢，你们都在外面胡作非为，回家来都让我温柔！你觉得我温柔得起来吗？

梁思宇的同学，那个女孩子恨上了梁思宇……

这件事也让梁思宇恨上了母亲，他对付郑洁的方法就是不和她说话，郑洁问什么梁思宇都不搭理她……母子俩的冷战让整个家里充满了紧张的气氛。

梁国辉在医院一直和华硕保持着距离，这种距离感让华硕很难受和委屈，她认为是梁国辉的态度把她变成了一个低贱的"小三儿"，这是华硕绝对不能接受的……华硕认为自己的感情很光明，很透亮，也很高贵，敢于面对一切世人……

华硕直接就跟梁国辉挑开了，说梁大叔你能不能正常点儿，你正常地面对你的工作和生活，还有我，行吗？梁国辉说我很正常。华硕说回避我你就不正常。梁国辉说回避你就等于回避麻烦。……我现在没精力找麻烦。我一大摊子的事。华硕说梁大叔，千万别说我站在这儿影响你在全院的形象，影响你的仕途……梁国辉说什么话！你觉得我是个官迷吗？华硕说那你就面对你的感情！梁国辉说华硕，华大夫，我现在就是面对感情的态度。……你，还有我，都必须面对一个事实，我没法把过去的生活全部推翻重来。人生路走过去了，脚印儿留在那儿了，我没法擦了重来。

第14章　托斯卡纳式的浪漫

梁国辉看着忙碌的华硕，他暗示地问华硕，你不是……想离开精神病院吗？华硕回身看着梁国辉，你想让我走啊？！梁国辉说我不是那个意思……

梁国辉现在是看华硕的勇气都没有了。华硕愤怒地指责梁国辉胆小，她不明白为什么"病重"的梁国辉是那么豁达勇敢，现在的梁国辉是那么"无可救药"？！……

梁国辉说：那时候勇敢，因为人生没剩下几天，还有什么不敢面对……

华硕说：所以你敢于为所欲为。

梁国辉又说：现在人生还有好几十年……

华硕斥道：所以就不敢面对了，是吗，梁大叔？梁院长？我真瞧不起你。

梁国辉无奈地说：瞧不起就瞧不起吧，你才二十多岁，华硕，你自己照顾自己。只要你快乐。

华硕气急了说：伪君子！

梁国辉叹气：我这是负责任！负责任怎么就变成伪君子了？噢，我为所欲为就不是伪君子了？

华硕说：为所欲为说明你真实！你忠实自己的感情！

梁国辉说：那不是忠实自己的感情！那是忠实自己的欲望！你要问我对你有没有欲望，我有！……我，一个男人，我是贪心的，我当然想老婆也有，情人也有。我跟一般二般的吃着碗里看着锅里的男人一样！

华硕顿住了……

梁国辉又说：我唯一还剩的这点儿不一样，就是没付诸实施。就这点儿德性我比一般二般的男人好点儿，知道吗？这也是你迷恋我的原因，一旦我也那么做了，华硕，接下来你就是恨我了，恨我耽误了你。郑洁也恨我，恨我不忠。

华硕望着他说道：现在我也恨你。

梁国辉叹气道：是啊，现在郑洁也恨我。……你们……恨吧！

华硕觉得很受伤，她对梁国辉的态度也是直接一个180度大转弯。她看见梁国辉就像看见空气一样，但行为却是处处针对梁国辉。

华硕管理的一个病人在吃饭的时候被呛住了。……因为这次工作失误，被梁国辉狠狠训了一顿。

华硕觉得自己很受伤。觉得是梁国辉借题发挥。

梁国辉说：你是我的学生，你是医院的一个医生，对你严格要求是我的责任！

华硕说：在感情上，需要治疗的是你！你太不像个男人了！

华硕，我们把工作和感情分开才能正确认识问题。梁国辉说。

梁国辉现在无奈的是，他和华硕也不能正常交流了，说什么都能落在情感上。

梁国辉尽可能平稳自己的语调：华硕，你的人生不能只剩下感情吧？别的事你不干了？

华硕立刻堵他：不用拿人生吓唬我，一个阶段有一个阶段的重点。我知道我该干什么。我已经正确地认识了你，所以你放心，我会严格要求自己，我会找一个真正敢爱我的男人！……

这次争吵之后，华硕把意大利人托蒂带到了医院，隆重地向人介绍托蒂，介绍美丽的托斯卡纳和意大利式的浪漫，并告诉大家，她跟托蒂下个月就要结婚了。

托蒂热情地跟梁国辉握手，他知道梁国辉就是那个死而复生的人。

华硕一身青春无敌的装束，被托蒂毛哄哄的手臂拢着腰……梁国辉的目光落在托蒂毛哄哄的手上，心里难受了。不仅仅是难受，是绞痛。梁国辉背着人吃下了硝酸甘油。

华硕真要结婚吗？这个如花似玉的姑娘真要在他的人生中彻底消失？梁国辉嫉妒了……梁国辉问华硕真的爱托蒂吗？华硕回答，当然。梁国辉说，在婚姻大事上千万别制气，跟谁都别制气，一定找个相爱的人结婚。华硕嗤之以鼻：一堆陈词滥调！梁院长，你直接说你嫉妒不就得了吗？梁国辉说：我嫉妒？我嫉妒什么？华硕说：不嫉妒就祝我幸福吧！

华硕扔下梁国辉走了。

梁国辉这段时间情绪明显地低落了。医院里家里都听不见梁国辉的笑声……

这正中华硕下怀，她全当看不见……

梁思宇老实了一段时间，没想到，一天，他和女同学在街上手拉手被郑洁看见了。

郑洁急了。回到家里跟梁思宇吵。

梁国辉情绪低落地回到家，听到郑洁的声音，一下子就火了，他问郑洁能不能小点儿声说话，在楼道里就听见郑洁的声音了。郑洁说你再不管你儿子他不知道要堕落去哪儿了！梁国辉说有那么严重吗？

郑洁说：这么大点儿就跟女同学手拉手，那你认为他得怎么着你才觉得严重啊？

郑洁三说两说又绕到了华硕的身上，在她看来，梁思宇有今天纯属上梁不正下梁歪。梁国辉被激怒了，他警告郑洁，以后进了家门就不要再提"他和华硕！"

梁国辉思春，心里对人生有怨了，可他又不能说出来，邪火全集中到郑洁身上了……郑洁一愣，问：梁国辉怎么了，不是说要快乐地生活吗？怎么现在不快乐了？梁国辉真恼怒：你让我快乐吗？

梁国辉在要痛失华硕的时候，没有掩饰对郑洁的怨言。得不到郑洁基本的尊重，找不着男人的感觉，梁国辉现在是连碰都懒得碰郑洁了。

郑洁被梁国辉的话气晕了：梁国辉这就是你跟我说的话！郑洁真是新仇旧恨不断涌上心头。她立刻恢复到了自己的本来面目，甚至对待梁国辉的态度更加强硬……

郑洁首先是愤怒地提出离婚！梁国辉说我没做对不起你的事，郑洁，离婚你给我个理由。郑洁说，好，那就调工作！梁国辉告诉郑洁他也不可能调工作。

郑洁真怒了，说那我们分居。分居总行吧？

郑洁说到做到，真搬上一大箱子东西住到医院去了。不用看别的，光看郑洁的脸，梁老爷子和梁思宇就知道，郑洁和梁国辉感情又不好了。

梁思宇实在不明白：当初是谁拿枪逼着我爸我妈结婚的啊？

梁山说：他俩是自由恋爱。

梁思宇说：那他俩怎么走眼走成这样儿的？

梁思宇说爸，我妈老跟您吵架不对。可万一你们离婚了，我得跟着我妈……爸我不明白，天下女人那么多，怎么当初您单挑我妈结婚啊。

说什么呢你，没大没小！我跟你妈不结婚有你吗？梁国辉说。

有了我对宇宙也没什么贡献，所以还不如没有。只要你们俩天下太平，我在另一个空间也就放心了……梁思宇说道。

梁国辉给了梁思宇一巴掌：臭小子，说什么啊你！

父子两个人倒是跟朋友似的。

梁国辉在生活上是夹在妻子、儿子和父亲中间；在工作和情感上对待华硕和郑洁都是轻不得重不得，烦恼透顶。最要命的是，精神病院改制之后，就面临着创收的问题，但精神病医生即没有高昂的药可开也没有手术之类，拿什么创收？！更何况这是梁国辉最为反对和反感的事情，但作为副院长他又不得不应付……此时的梁国辉可以说是内忧外患。

华硕仍然每天出现在梁国辉的视线中，但是华硕变了，华硕的谈话中处处是托蒂和她没有去过的意大利托斯卡纳。华硕也邀请梁国辉一定要出席她的婚礼，梁国辉痛苦地问华硕时间，华硕笑着说会是在一个阳光灿烂的日子……

梁国辉真的情绪低落了。

梁国辉和李长江又坐在一起了。梁国辉告诉李长江，华硕要结婚了。

李长江说，长痛不如短痛。华硕结了婚，你就解脱了。

梁国辉指着胸口说：可我真的痛，绞痛。……我老是想起我病重的时候……那时候华硕抱着我，她说要用她的爱情救我。长江，你说这世界上还有比这更好的女孩子吗？

李长江沉默。

梁国辉说：那时候我怕死。可我也甜蜜。真的，挺甜的。要不是死亡将至，我真觉得人生太完美了。

李长江继续无语……

梁国辉接着说：现在我活过来了吧，可是华硕要消失了。等于我生命里最亮丽的那道光消失了。……要是这样的话，你说我活过来干什么啊？

梁国辉竟然潸然泪下了。

李长江终于开口了：你这堆话不应该跟我说，应该跟华硕说。那华硕肯定就不跟那个意大利人结婚了。

那我又能拿她怎么办呢？

所以说长痛不如短痛，短痛不如不痛啊！

梁国辉再在医院里碰见华硕，梁国辉就躲了……看着梁国辉的背影，华硕眼圈也红了。

这段时间梁国华和刘彪是前所未有的"好"。

刘彪在医院干得很出色和踏实，他明白一点，这是老婆求弟妹得来的工作，他不能再让梁国华抬不起头了……刘彪的体恤让梁国华很欣慰。最让梁国华高兴的是，刘彪酒也喝得少了，几乎不出去见那些狐朋狗友……刘彪说，他在医院开救护车，车上坐的都是那些要去鬼门关的人，见得多了，就知道"好好活着，爱惜自己有多重要了。"梁国华听了这番话，激动得都快要哭了。

刘彪要妻子相信他，这回他一定能管住自己……

"我信。"梁国华嘴上说着相信，但实际上哪能真信啊，再说，她"盯"刘彪也已经盯成习惯，按点见不着她就开始心慌。

有一天，梁国华下班回来没见着刘彪，海涛告诉妈妈，爸爸被前院的叔叔叫走吃饭了……梁国华脱口而出就说怎么不看住他！

梁国华和儿子马上分头去小饭馆找刘彪。

此时，刘彪真和一帮许久未见的哥们坐在一起，桌子上摆放着一堆酒瓶子，哥们正端着一个杯子劝刘彪喝，刘彪看着酒杯，还是馋。

刘彪接过了酒杯，然后把酒倒在了地上，他告诉哥们，我真戒了！……

这一幕被冲进来的梁国华看见，她激动得眼泪都涌了上来。

这次之后，梁国华是真信了刘彪从此就是一个真正的"好人"。丈夫、儿子都听话懂事，一时间，梁国华觉得自己是世界上最幸福的女人。

郑洁还在郁闷中的时候，白晓燕来找郑洁帮忙开"安定"，郑洁帮了她，同时，感觉到白晓燕的焦虑和憔悴，还有白晓燕表达上的迟疑……

郑洁还是给李长江打了电话，叮咛李长江多关心白晓燕，安定对她没有好处。

这天晚上，李长江想要"关心"白晓燕，可他是真不知道如何下手。就在他想制止白晓燕吃安定的时候，却发现白晓燕还在服用长效避孕药……李长江一下就怒了，他以为白晓燕愿意要孩子，可全是白忙活！他感到自己被愚弄了！

白晓燕也告诉李长江，她觉得夫妻俩如果连精神上的水乳交融都做不到，怎么可能要孩子？！……李长江实在弄不明白，孩子和精神有什么关系？！……

两个人又是一场牛头不对马嘴的争吵，自然，两个人也睡不到一张床上了……

此时，梁国辉和郑洁各睡各的，李长江和白晓燕也是各抱着各的枕头……他们想不通，二十多岁的时候，俩人睡一条扁担都嫌宽，四十岁了，怎么就睡不到一张床上了……他们都悟出了一个道理，什么叫不惑之年，就是什么都看不明白了……

李长江郁闷的时候来找梁国辉……提起婚姻两个人都感慨万端，早知这样，当初干吗非要上套结婚啊？

谁也回答不了。此题无解。

第 15 章　再见情敌

华硕这段时间喜欢上了一个叫"铁拳"的网络写手，迷上了看他的连载小说《两个傻瓜的荒唐生活》，华硕觉得这简直就是梁国辉的生活。因为世界上没有那么巧合的事儿，一个傻瓜是精神科医生，一个傻瓜是重症监护室主任，他们一到一起就变成一对弱智，这样的两个人除了梁国辉和郑洁，还能是谁呢？从此，华硕化身 UFO 和这个"铁拳"在 MSN 上交流……

华硕从"铁拳"的描述里，相信梁国辉的日子过得相当苦闷，这给了华硕希望……华硕用这种方法，悄悄了解着现在的梁国辉，而且知道郑洁离家出走了……

电脑的这一边，梁思宇飞快打着字。门一下被推开，开完家长会的郑洁拿着梁思宇只有 65 分的考试卷回了家……梁思宇赶快下了线。

华硕面对着下了线的"铁拳"，脸上微微露出笑容……

这是郑洁一个多星期以来的第一次主动回家，按照梁思宇的话说就是，"我不考 65 分，怎么让我妈回家？！"郑洁听了这话是伤心加愤怒，三言两语就掀起了一场母子大战……

梁思宇理科不好。不止是不好，梁思宇在理科上简直是块木头，一考试理科里面肯定有一科不及格，这一点真让郑洁崩溃。学习成绩这样子，离重点中学得有多远！得花多少钱才能进得了重点高中的大门啊。

郑洁急了，天天下了班回家就监督梁思宇补理科，还特意给梁思宇请了个家庭教师补理科，补的结果，单元测验，梁思宇的成绩不升反降……

郑洁简直怀疑了，他人是在桌前坐着，脑子在哪儿呢都不知道。

更让郑洁崩溃的，是梁思宇根本就不想上重点高中，他连普通高中都不想上，他想去读职高，想学动漫设计……

这想法简直让郑洁疯了！更让郑洁发疯的，是梁国辉不觉得梁思宇的想法有什么不好，人生一世，做他自己真正愿意做的，又不祸国殃民，有什么不好的呢？

郑洁急了：你为什么就不能教育教育你儿子，树立远大志向，成为国家的栋梁呢？

梁国辉说：你怎么知道他学漫画就成不了国家栋梁呢？

郑洁说：他学动漫还能成国家栋梁！梁国辉你脑子在家吗？

梁国辉说：我脑子在家。我清清楚楚跟你说话呢。就算梁思宇他成不了国家栋梁，但是只要他健康成长，我也高兴。

郑洁说：我不能容忍千辛万苦培养的孩子，天天抱着电脑去画漫画……

梁国辉却说：他要是成为一个动漫设计师，那我觉得也很骄傲。

郑洁更急了：你这不是鼓励孩子学好，你这是鼓励他不学无术。

梁国辉道：那就拜托你了郑洁，你让梁思宇在数理化上开开窍。

可是梁思宇是来不及开窍的。梁思宇马上就初中毕业，马上就面临着升高中。梁思宇找郑洁谈了：妈我不想上普通高中，我就想上职高。我决定了。

郑洁看着儿子，真失望了：我当妈当得真失败，我培养了你半天，你就报答我一个职高。

梁思宇说：我才十五，我三十的时候你就不这么想了。

郑洁喊道：你给我出去。

郑洁硬的不行来软的，几乎是求着儿子能不能再拼一下，哪怕上一个普通的高中也行。

可梁思宇坚决不干。这次数学考试是他在初中阶段最后一次考试了。然后他就跟讨厌的数理化说拜拜，他要去学动漫设计。郑洁晓之以理，动之以情，眼泪都下来了，可就是说服不了梁思宇。挫败之下，郑洁严禁梁思宇再用电脑，她给电脑设置了密码并且反锁了梁思宇。

郑洁出去之后，梁思宇不费吹灰之力解开了电脑密码，继续写他的《两个傻瓜的荒唐生活之——傻瓜的智商只有65分》

华硕在 MSN 上又碰见了"铁拳"，华硕作为化身 UFO，号称不了解人间，不理解这个世界上好多人的思维，这让"铁拳"大悦，引为知音……

梁思宇飞快地打字，告诉华硕自己对这个世界的看法……

梁国辉在对医生研究课题进行评审的时候，发现华硕以丁超为观察病例所写的论文非常出色，他几经犹豫还是顶着风言风语的压力给了华硕"优秀"的评定。

华硕看着论文上详细的批注，为之动容……她去了梁国辉的办公室。

梁国辉正在办公室里抽烟，华硕一把把梁国辉手里的烟夺了，说你的肺都切了一半了你还抽烟，你不想活了？

华硕紧紧抱住了梁国辉。

梁国辉却说：托蒂……

你能不能不这么扫兴，不谈托蒂，就谈你跟我。

尽管梁国辉一直回避华硕，一直企图把他和华硕的关系变回到以前那种师生关系，但华硕明白，变不回去了。

原来在梁国辉"垂危之际"华硕的示爱有几分施舍的成分在，现在华硕却是真真正正地被梁国辉成熟的魅力迷住了……华硕意识到他们三个人必须有人站出来打破现在这种难受的局面。

当梁国辉在医院值班的时候，华硕几经犹豫后有意拨通了梁国辉家的电话，如她所料，是郑洁接的电话。郑洁克制着愤怒说：梁国辉不在家……

……我找你。

郑洁拿着电话愣住，她不明白华硕是想示威还是谈判，但她答应了。临出门前，郑洁有意识地打扮了一番，出了门。

梁山看着收拾精致的郑洁出门之后，非常纳闷，他很少见郑洁穿戴正式，更不要说化妆了……梁思宇说，她是去约会了，而且是跟同类。你怎么知道？！梁山问梁思宇。

动物世界看过吗？俩母的争配偶的时候，全身的毛都会竖起来。

梁山禁不住笑了，他没法和儿子成"朋友"，和他这个精灵古怪的孙子倒成了忘年交。

梁山的心里还是七上八下的坐不住了，他犹豫一下，还是给梁国辉打了电话……

梁山把梁思宇的话复述给了梁国辉，梁国辉挂上电话，将信将疑地给华硕打了电话。

华硕说，我和她在一起呢，你要说话吗……华硕把手机递给郑洁，手机里却传出"嘟嘟"的挂机后的声音。

郑洁看着华硕，她浑身每个细胞都充斥着愤怒。郑洁石板一样的脸让华硕感到自己这一盆热水泼上去也顿然结成了冰。

华硕跟郑洁谈不拢，直接变成了攻击，跟郑洁分开的时候，华硕说郑阿姨你平常一向就这么绷着脸吗？你脸上的纹路都是向下的，你应该找一家美容院去做做提升。

郑洁回击道：至少我不是金玉其外，败絮其中。

华硕"80后"的言行让郑洁不屑一顾，甚至嘲笑梁国辉怎么会喜欢一个如此浅薄的孩子！……郑洁轻蔑的嘲笑比她的愤怒还要让梁国辉不能接受。梁国辉说郑洁你可以不宽容，但你至少能不能别这么刻薄。

郑洁说：我刻薄？从现在开始我不刻薄了梁国辉。我宽容，我给你自由，咱们离婚。

梁国辉说：你别拿离婚威胁我行吗？

郑洁说：你看看我，我像是在威胁你吗？……明天，咱们到民政局去，办手续。

梁国辉说：明天我没时间。

郑洁说：那就后天下午两点。梁国辉，别说你没勇气。

郑洁真豁出去了，真到民政局去了。被离婚的冲动鼓舞的郑洁真像一个勇士。

但是梁国辉没去。梁国辉正在院里开会。郑洁给梁国辉打电话，问梁国辉为什么没去，离了婚他不就自由了吗？梁国辉真生气了：郑洁，你跟男人别跟战士似的行吗？你把男人顶墙上对你有什么好处啊？

是我愿意当战士吗？我是被你逼成了战士。

你再想想吧郑洁，离婚对你有什么好处！我是为你着想。

谢谢你了，我用不着你为我着想。

那我也得做到仁至义尽。还有郑洁，你别再提离婚的事。有一天我绷不住要是答应了，那么告诉你你就再也没有回头的余地。

你是在威胁我吗？

梁国辉把电话挂了。

郑洁还是对着电话喊：你是在威胁我吗？

华硕来到梁国辉面前。梁国辉颓丧地批评华硕不该去找郑洁。华硕说梁大叔我觉得在这点上你没我高尚。咱们三个人，被人生给弄死机了，僵在这儿了，总要有一个人点一下鼠标，关机重启，换来新的生机。我不过是关机重启的那个人，你觉得我错了吗？

梁国辉哑然。

华硕说道：一个人能豁出去把骂名背在自己身上也挺不容易的。我就是豁出去背骂名的人。在这一点上，我觉得我比你们俩都高尚。

华硕在 MSN 上跟"铁拳"聊天儿，了解"两个傻瓜"的现状。"铁拳"告诉"UFO"，两个傻瓜在战争白热化阶段。

托蒂来到了华硕身旁，抱住了华硕……华硕不得不关了电脑，她告诉托蒂，她不过是看一篇网络小说。

托蒂说他想带华硕去意大利见他的家长，在家乡的小教堂里举行一个浪漫的婚礼……华硕说可是其实你还没向我求婚。

可你不是跟你的同事说……

傻吧你托蒂，那是一个游戏。

好的，我的东方之珠，我现在正式向你求婚，你嫁给我好吗？

……让我想想。

李长江也得了心病。他发现白晓燕和他没话，沉默地待在她自己的世界，再加上白晓燕不愿意给他生孩子，李长江心里开始犯嘀咕……他开始翻腾白晓燕的包、查她的电话记录……其实，李长江也不知道他究竟要找什么证据，也就是在给自己找一个理由和心理依据：白晓燕没有变心。

李长江的行为让白晓燕觉得是对自己的侮辱，生活上和丈夫的不同步，工作上的不顺心使她整个人被烦躁所笼罩……莫名的恐慌感让白晓燕越来越不正常，她觉得自己从长相到性格全变了。

白晓燕去了剧院，看着新人们粉墨登台排练，心里不知是什么滋味儿。她去了后台，对着镜子上妆，在镜子里，她突然看到了一张极其丑恶的脸，她觉得是自己眼睛花了，擦了镜子再看，还是那么一张极其丑恶的脸，变形了，充满了嘲弄……

白晓燕举起椅子，把硕大的一面镜子砸了……

团员们闻声而至，团长也来了，不知道白晓燕到底发生了什么。

团长甚至对白晓燕做思想工作：无论多么优秀的主角，都有从舞台中央淡出的一天，就好比好花不常开，好景不常在，就好比世界上总要有人出生，有人死亡，总有新老交替，这是自然规律……他让白晓燕调整好自己的心态。

白晓燕含泪掏钱包，拿出钱放在团长面前，为自己突然控制不住自己的情绪道歉，说这是赔镜子的钱，团长，对不起……

回到家的白晓燕一边哭一边疯狂地砸着自个家，砸够了砸舒服了畅快了，她又笑了……她觉得自己唱了一辈子的花旦怎么在生活中就唱成了个丑角儿。

白晓燕的行为让李长江傻了，他仓皇地追问白晓燕出了什么事？……白晓燕说，砸自个家的东西总不用赔吧？！……一头雾水的李长江说可你总得告诉我为什么吧？白晓燕说为什么为什么没有为什么。

李长江也怒了，他扔出了"离婚"两字儿，白晓燕说，随便……

李长江永远拿白晓燕没有办法的是，他和她打架永远像打在墙上，人家瞧着没什么，他却生疼……这次，李长江真觉得日子没法过了。

李长江来找梁国辉诉苦，哥俩面面相觑真不知道该谁安慰谁，他们彼此在生活中都有一种找不到出路的感觉。

就在这时，精神病院的一个老头因为突发脑梗，在梁国辉的建议下，被送进了郑洁所在的重症监护室，毕竟郑洁是心脑血管方面的专家。经过郑洁的治疗，老头的状况很快就稳定了下来，但毕竟是依靠器械延长生存期。

老头的老伴董老太太，坚持要守候在老伴身边。郑洁生硬地拒绝了，因为这违反监护室规定……老太太却是怎么说都不成，最后哭着求到了梁国辉这里。

梁国辉带着老太太去找郑洁。梁国辉也很反感郑洁所谓的"原则性"，在梁国辉看来，任何一种原则都应该尊重人性本身，更何况这叫做"临终关怀"！……

梁国辉以院长的身份直接找到郑洁的上级，最后，郑洁做出让步，破例容许老太太每天在病房多待十五分钟……

这件事将郑洁和梁国辉在工作上的矛盾推向了白热化。梁国辉认为，郑洁那种医生根本没有人味儿，就会用机器看病，然后收钱，不懂得人的内心和情感、不懂得对生命的尊重！……郑洁坚持认为，救人先救其身再救其心，不然哪儿来的那么多人性？！……

两个人看似是围绕工作的争论，说的全是互相不尊重和伤感情的话。

郑洁的职责是救命。

梁国辉的职责是救心。

梁国辉说不救心，留着身体就是臭皮囊！……这句话让郑洁一下就想起了华硕对梁国辉的"救赎"。

郑洁说：就是说，我们中心医院还有我忙了半天，再救也是救了你的臭皮囊。救你心灵的还是……

梁国辉立刻说：打住！郑洁！你还是要倒后账是吗？

郑洁说：是啊，我还倒后账干什么啊，因为现在我根本不在乎你。

郑洁甩下梁国辉走了。

真正让李长江意识到白晓燕是精神和心理有问题的是在一次演出上。李长江已经很久没有去看过白晓燕的演出了，他这次去是抱着最后一次的态度，准备和白晓燕摊牌说分手的……可就是这次演出，白晓燕最后的心理防线也坍塌了。

白晓燕站在台上张着嘴却发不出声来……台下一片哗然，其他演员又是提词儿又是忙手忙脚地救场，白晓燕完全懵了似的站在台上泪流满面。

观众们开始喝倒彩，更有甚者站起来哄白晓燕下台……李长江本能地冲上台，几乎是抱着白晓燕离开了舞台。

回到家，李长江看着脸上还带着粉彩的白晓燕，他一边给白晓燕擦拭着脸上的妆一边问她心里究竟怎么想的……一直都是李长江在说，白晓燕一言不发呆呆地坐着，直到她开始撕心裂肺地大哭。李长江却一下又不知道该安慰她、抱着她，还是离她而去……最后只能无措地看着不能自制的白晓燕号啕着。

第 16 章　抑郁症

　　李长江忙不迭地找到了梁国辉办公室，梁国辉也正要找李长江帮他在"搞创收"上想办法……李长江是满口答应，他急着将白晓燕的情况全部告诉了梁国辉。

　　他几乎是带着哭腔说，帮哥们一把，治治晓燕，不然她得作死自己作死我……

　　梁国辉告诉李长江，白晓燕应该是重度抑郁症……李长江哭笑不得，他给白晓燕吃的用的全都是最时尚流行的，没想到她也得了最时尚流行的病，"抑郁了"。

　　哥俩达成一致，李长江帮梁国辉想办法"搞创收"，梁国辉给白晓燕做心理治疗。其实后者更加紧迫，因为抑郁症再发展下去，梁国辉担心白晓燕随时都会把自己逼到自杀的境地……

　　李长江一下就给吓住了：自杀？我都把她捧天上去了！她为什么要自杀？

　　梁国辉说：抑郁症，跟你宠她不宠她没关系。

　　李长江说：我还是不理解，我这么宠她，她怎么会得抑郁症啊？按说该得抑郁症的应该是我啊。

　　白晓燕一开始面对梁国辉是戒备的，毕竟梁国辉是李长江的朋友。但是梁国辉作为精神科医生，他有一种打开病人心扉的能力，他的声音，他的语气，他的表情，不知不觉间让病人信任他……

　　白晓燕发现，以前她以为跟梁国辉很熟悉了，但其实并不真认识梁国辉……

　　作为医生，梁国辉认定白晓燕的艺术生命并没有结束，她仍然是一个出色的演员，目前她只是得了严重的抑郁症而已。她对自己的评价过低，不自信，在台上出错，认为人生毫无意义，甚至想自杀，都是因为病在作怪，并不是她有其他严重的问题……

　　梁国辉认定白晓燕有一天仍然会再度赢来自信，美丽和掌声……白晓燕看着梁国辉，升起了一丝信心：真的吗？梁国辉向白晓燕保证，她一定会好的，她只是得了抑郁症。

　　……我相信你的话。

你配合我。坚持吃药。

好的。

还有……

白晓燕听着……

梁国辉说道：一定要给我时间，也给你自己时间，等着治疗发生作用。在这段时间，你千万不能自杀。

白晓燕沉默了。

梁国辉问：你想过自杀，是吗？

白晓燕沉默。

告诉我实话晓燕，现在我是你的医生。

是的。

梁国辉说道：我告诉你原理，你之所以情绪那么低落，觉得人生一片惨淡，不自信，活下去没有意义，是因为在你大脑里面，脑垂体分泌的一种叫做5羟色鞍的东西急剧降低，这种东西过高，人会亢奋，过低，人会抑郁。……听着晓燕，这是一个特别简单的事情，有药物可以增加你脑垂体5羟色鞍的分泌，只不过这药是慢慢见效的，快也要半个月以后开始见效。你要熬过这段时间，熬过去你就柳暗花明了，你还是可以做一个成功的演员，好吗？

白晓燕一瞬间充满了希望：你说的是真的吗？

梁国辉说：看着我。……我说的是真的。

白晓燕说：好的。

梁国辉并不信任地说：一旦你发现自己熬不过去，想要自杀，千万记住那是病在作怪，你一定先给我打电话，听见了吗？

……好的。

梁国辉又说：听着，我没时间24小时盯着你。但你要记住你的承诺，别自杀！你要郑重地保证。

我保证。

梁国辉说。我手机二十四小时开着。我是永远都不会关机的，除非我死了。不痛快了就给我打电话……

我怕打搅你。

不会。

白晓燕心里升起了希望：……好的。

梁国辉也把白晓燕的病情告诉了李长江，让李长江多注意白晓燕的情绪，一定不要在任何事上惹她不高兴……李长江答应了。但是这并不是一件简单的事。白晓燕面对李长江的时候，是不开心的，而且话也很少。尽管李长江想尽办法哄她开心，但白晓燕就是快乐不起来……

梁国辉还没来得及给医院创收，医院就面临了新的危机……

房地产的开发风头猛健，有一个开发商看中了阳光医院所在周围的这片地，想要建一个高档社区，条件是阳光医院必须搬迁。搬迁的新址也划出来了，不仅偏远，而且那个地方是矿区，重金属含量高，对人的健康极为不利……

一时间医院里人心惶惶。

梁国辉不得不抽时间跑卫生局，跑建委，为了保住这个医院而奔波……

华硕看着梁国辉奔忙的身影，默默地照顾他，给他打好了饭，但是梁国辉来不及吃就又走了。华硕张了张口，把话又咽了回去。

这段时间，郑洁每天都会看见董老太太来看自己的老伴，她就如同一个慈母般对待着自己的丈夫。她连公交车都舍不得坐，却拿出自己一个月的伙食费给老伴儿买了一个高级半导体；给老伴梳头、洗脸、刮胡子、念报纸是每天一定会做的事情；董老头也怪，只要见到老伴儿的时候就一下听话得像个孩子……

郑洁看着这一对老人，一下想起了梁国辉快要手术前，那份生离死别的感情……

董老太太告诉郑洁，闺女，两口子年轻时候的较劲儿，那就是牙咬舌头，牙不疼舌头疼；就得熬到七老八十了，牙没了，那就唇齿相依了……

郑洁明白董老太太的意思，她哭了，她不知道自己还能不能在这段婚姻中坚持再坚持直到七老八十生离死别的时候……

梁国辉带着配好的药到医院来看董老头，嘱咐郑洁这些药怎么吃什么量……郑洁说你写在医嘱上吧，护士们会看的。

梁国辉问郑洁打算什么时候回家，郑洁反问说你希望我回家吗？其实真想听梁国辉说句情深意长的话。可梁国辉没心思，梁国辉说看你高兴吧。

郑洁脸上一下子阴了。

梁国辉告诉郑洁，白晓燕病了，是抑郁症，而且病得很重，她时刻有可能自杀。

郑洁不在意地听着，她真想不明白白晓燕有什么可抑郁的，李长江那么能干，生活过得那么好，天天把她捧在手心里，在剧院里也是众星捧月，还有什么不如意的，竟然还会得抑郁症。

梁国辉真有点烦郑洁对李长江的羡慕：我知道要是李长江是你丈夫你一定不会抑郁。我说郑洁同志你真觉得人生有了钱就万事大吉啊？

郑洁说：你别当我听不出来。梁国辉我告诉你，就以咱们家的情况说，你要是有了钱，我一定跟你说万事大吉。

梁国辉真不示弱：我也告诉你吧郑洁，咱们家绝不仅仅是钱的问题……咱俩之间，连价值观带人生观都有问题。

郑洁说：是啊，你也承认吧？那咱俩还一块儿耗着有什么劲啊？

离开梁国辉，郑洁还是约了白晓燕一起吃饭。郑洁还是那些话，不明白白晓燕什么都有，李长江那么宠她，她还抑郁什么呢？

白晓燕懒洋洋的，说你要是看着李长江好，把李长江给你吧。

郑洁试图开玩笑：可我不能把梁国辉给你。……不是我舍不得，是梁国辉另有新欢。

白晓燕愣住了：国辉？他不会吧？

郑洁说：是真的。

白晓燕一下子心情更灰暗了：我讨厌不忠诚的男人！想不到梁国辉也是这样！现在我算知道了什么叫道貌岸然。人都是这么丑恶吗？

白晓燕一下子就失掉了对梁国辉的信任，她做的第一件事，就是把梁国辉开的药给扔了。

这段时间，梁国华的日子是少有的顺风顺水，就在她小日子过得春风得意的时候，刘彪又出事了。

刘彪在坚持戒酒几个月后，受不了诱惑，又喝上了。

刘彪在医院的工作逐渐上了正轨，很快就成了医院司机班们的小头头，加上大家都知道他的小舅子媳妇是重症监护室主任，更有些人众星捧月地嘴里"大哥长大哥短"的，也就少不了的推杯换盏。

刘彪不该喝酒的那天喝了酒。最要命的是，喝完酒之后，他竟然私自开着救护车出了中心医院，并且在路上送了一个产妇去了另一家医院。刘彪帮了人永远是欢天喜地的……

就在这时，郑洁接到重大事故通知，必须要全部救护车前往救援……偏偏找不到刘彪了。

刘彪接到电话往救助地点赶的时候，自己倒出了车祸……当刘彪头上包着纱布出现在医院的时候，郑洁简直觉得愤怒和丢人到了极点！

郑洁给梁国辉打电话，让梁国辉来处理这件事。

梁国辉在医院里忙着，怎么脱得开身啊。在电话里梁国辉说你看着处理吧，别为难。

郑洁生气地把电话挂了。

所有人都认为郑洁会替刘彪求情的时候，郑洁反过来要求院方开除刘彪！

事情并没有因此而了结，刘彪撞车之后，因为要忙着赶回医院，就将钱包里所有的钱扔给被他撞伤的人开着破损的车走了。没想到，伤者收了钱还告刘彪肇事逃逸……梁国华这次是几乎倾家荡产才抹平受害者，但警方还是对刘彪做出了终身吊扣驾驶执照的处罚。

这件事触怒了梁国华，她恨上了郑洁，如果郑洁肯替刘彪说句话打个掩护，刘彪就不至于被开除，更不至于驾照被终身吊扣，这就等于断了刘彪的一条生路，而且现在正是家里要钱的时候……梁国华本来就觉得郑洁看不起她一家，现在更是觉得郑洁火上浇油，落井下石。加上郑洁平时在言语中对丈夫梁国辉也不尊重，更让大姑子梁国华觉得，这个弟媳妇眼眶子太高，目中无人，不管郑洁身上有多少好也变得一无是处了。

梁国辉已经顾不了家里的这把"火"，医院很多双眼睛盯着他呢，而且他已经在这些眼睛里看见了一丝幸灾乐祸……这让梁国辉很受不了。

梁国辉敦促着李长江赶紧给他量身定做一个"创收计划"。李长江拿着各种订单扔在梁国辉面前，他首先要梁国辉进口核磁共振仪器、伽玛刀等等昂贵的仪器，只要仪器从病人身上扫过去，那就是钱！……梁国辉是断然拒绝，他坚决不干那种让病人家属看着账单"发疯"的事儿！

梁院长，你可是立下军令状，年底发奖金的，你不让病人拿钱，您拿什么发？李长江无奈地劝说着梁国辉。梁国辉急了，说他就是不干这个院长也不能这么干！之前，他还鄙视郑洁靠机器挣钱，现在自己这么做了，不就等于在郑洁面前自己打自己的嘴巴嘛，他自己都会看不起自己！

李长江说可是现在医院的创收都是这么做的。梁国辉说可我这儿不行。说白了精神病人家属没几个有钱的，而且治起来都不是一天两天，好多家庭拖都拖垮了……再说了，精神病领域公认的，病人没有器质性病变，要是有就去医院神经内科了，不归我们……精神病这东西看不见摸不着！再好的机器也是看不见摸不着……

李长江叹气：国辉，就咱哥儿俩，你就没明白我想让你脱贫啊？

梁国辉愣了一下：……心领了。你想想别的法子让我脱贫成吗？

李长江拿梁国辉没有办法。他转而问梁国辉，白晓燕的病瞧出结果了吗？不然梁国辉就该给他瞧病了……梁国辉说，长江，你真的"认识"晓燕吗？……李长江不明白地看着梁国辉。

梁国辉告诉李长江，好好关心白晓燕，让她认真吃药，慢慢她会好起来的。

梁国辉忽然想起来，说他给白晓燕开的药应该吃完了，怎么白晓燕没来找他，白晓燕在忙什么？李长江说不知道。梁国辉让李长江陪着白晓燕一起来。

这个时候，白晓燕独自一个人正站在湖边，望着波光粼粼的湖水出神……旁边一个钓鱼的看白晓燕不对，就跟她搭话，让她离湖远点儿，因为不久前有一个人从这儿跳水自杀了，是个姑娘，钓鱼的感慨：都有什么想不开的啊，好死不如赖活着。

这时候白晓燕的手机响了，李长江正着急地找她……

这天白晓燕还是回家了，李长江看白晓燕情绪不对，问她药吃了没有。白晓燕说吃了。李长江说梁国辉让白晓燕再到医院去。白晓燕说我再也不会到医院去了。

李长江一愣。白晓燕讥嘲，说她不相信梁国辉是什么好大夫。李长江愣住了：……你为什么这么说国辉啊？别的我不敢说，可他是他们领域的专家，这我绝对敢说。晓燕，你要是连他都不相信，那就没有值得相信的大夫了。白晓燕冷冷一笑：他可信？那是在你眼里。我相信你作为他的铁杆朋友，也没少跟他合起来一起蒙郑洁。……我说得对吗？

李长江愣住了……

男人和男人联合起来骗女人！这就是你们之间的友谊？

晓燕，你听我说……

我懒得听了！现在，我既不相信他，也不相信你！

李长江无法把话复述给梁国辉听，只好替白晓燕买药。梁国辉一再追问，李长江只好说白晓燕不相信你是好大夫。梁国辉笑了，说奇怪啊，还没有人说我不是好大夫。

李长江说：为了华硕的事。

梁国辉愣住了：你告诉白晓燕了？

李长江说：我当然没有了。

梁国辉说：那就是郑洁。

接着梁国辉一下跳起来了，他本能地断定，他开的药白晓燕根本就没吃。

抑郁的白晓燕在人间找不到一点快乐的感觉，从湖边跳了下去……好在钓鱼人发现了，急忙呼救，有会游泳的把白晓燕救了……

白晓燕身上没有手机，没有钱包，没有身份证，没有人知道她是谁，被送进医院苏醒过来的白晓燕也坚决不说自己是谁。

白晓燕一天没回家，两天没回家，李长江找白晓燕找疯了……

梁国辉急了，给全市所有医院急诊室和急救中心打电话，希望侥幸有人救起了白晓燕……

白晓燕躺在急救中心的急诊室里，看见李长江和梁国辉出现，白晓燕闭上了眼睛，充满对人间的绝诀。

李长江抱住白晓燕哭了，不明白她为什么那么绝诀，难道夫妻一场，她对他就连一点儿依恋也没有吗？但凡有一点，她怎么能就那么连个招呼都不打去轻生呢？

无论李长江怎么哭诉，白晓燕就是闭口不言。

梁国辉想跟白晓燕说点什么，他想确认白晓燕是不是停药了。白晓燕神情冷漠，让他出去。

梁国辉转身走了出去。

李长江寻找白晓燕也惊动了郑洁……得知白晓燕自杀的消息，郑洁惊呆了。郑洁知道，白晓燕戒药，一定是因为她对梁国辉的不信任，而这不信任一定跟自己有关，郑洁不安了。

郑洁每天在重症监护室工作，看惯生死，但不等于她心硬如铁。郑洁来到急救中心看白晓燕，正好看见梁国辉一脸铁青从急救中心出来。

梁国辉看见郑洁就爆发：……请问郑大夫你是来看白晓燕的吗？

郑洁沉默了。

梁国辉说：郑大夫我再问你一个常识行吗？不管是你的重症监护室还是在我的精神病医院，最宝贵的是什么？

郑洁沉默。

梁国辉说：你要是忘了我替你回答——最宝贵的是病人对医院的信任！

……

梁国辉又说：白晓燕现在是一个重度抑郁症患者，不是一个奔3处理器。你把你感情上的那堆垃圾嘚啵嘚、嘚啵嘚倒给她听，她处理不了！她不信任我梁国辉一个人没关系，但是她不相信人生，抗拒吃药，结果是投湖自杀！……请问治病救人的郑大夫，这个结果你想到过吗？

郑洁始终没法回答……

梁国辉说：我要是你我就不进去。白晓燕跳湖，李长江快吓死了！

梁国辉转身往里走……郑洁僵在急救中心门口：梁国辉有那么严重吗？你这是借题发挥！

梁国辉回头，手点着郑洁：你啊，你这叫不可理喻！

梁国辉进去了。

郑洁说：感情出轨的不是我！怎么最后占理的倒是你了？

梁国辉没有回答。身影在走廊暗处消失了。

郑洁开着车在街上走，眼泪下来了……

第17章 青春期

    每当郑洁心里感到绝望的时候，她一定会到哥哥郑浩家来。在郑洁看来，郑浩的家永远那么温暖，各司其职、各尽其责。

    郑洁很佩服嫂子的"坚持"，能把自己的婚姻经营得十几二十年如一日。嫂子却告诉郑洁，婚姻不公平，男人是有一搭无一搭的坚持，就是八十岁和你离了，调头就能找个小的，你能吗？所以，女人是拿命在耗，要想赢，就得扒他一层皮……

    嫂子的话让郑洁有一种不寒而栗的感觉，她追问嫂子是不是和郑浩之间出了问题？……嫂子什么也没有告诉郑洁。

    嫂子说，婚姻就是那么回事，这世上除了自己的亲人没谁能靠得住，能陪自己终老的只有儿子！……这是嫂子灌输给郑洁的观点，她也是这么做的，所以，嫂子实际上所有的心思都在女儿身上，她和郑浩的女儿以优异的成绩直接考进了香港国立中学。

    嫂子说：梁国辉都有可能是别人的，孩子是你的。

    这句话点醒了郑洁。

    郑洁回家了，为了督促梁思宇中考……

    郑洁面对的家一片狼藉，梁老爷子跟一群参加越战的老兵正在家里聚会，一边吃吃喝喝一边唱着"雄赳赳气昂昂跨过鸭绿江"的歌曲，这些老兵都是老爷子的回忆录在网上发表后通过帖子联系上的……

    谁也想不到老爷子跟时代步伐跟得紧紧的……

    中间还有一个老太太，姓谭，曾经是抗美援朝医疗队的护士，现在老爷子正跟她过从甚密……

    郑洁突然回家，老爷子没想到，但老爷子要面子，也不能就哄人家走。相反的，郑洁回家了，老爷子高兴，留战友们在家里吃炸酱面，我们家郑洁是我见过的最贤惠的儿媳妇，做炸酱面可好吃了，是中心医院重症监护室主任，谁有事都包在我身上……

郑洁没办法，不得不买了十斤面给大家做炸酱面吃……

梁思宇回家一见郑洁在厨房里忙，忙上来帮忙，但是郑洁已经面沉似水了。梁思宇变着法儿地哄郑洁开心，替爷爷承认错误，表现得乖死了。郑洁终于说了：我啊，我要不是为了你，我才不回这个家。

梁思宇给郑洁立正：谢谢妈！

梁国辉来到白晓燕病床前，把李长江支了出去。白晓燕看见梁国辉就紧紧地闭上了眼睛。

梁国辉说：晓燕，你可能放弃做我的病人，甚至放弃人生，但是我不能放弃你。

这是一场梁国辉和白晓燕推心置腹的长谈。与其说长谈，不如说是梁国辉的人生长白，因为白晓燕始终没有插话……

梁国辉作为一个男人，作为一个精神科医生的成就感和困惑，都讲给白晓燕听了，包括半年前梁国辉得了"癌症"，华硕如何出现在他的身边，华硕在他濒死之际带给他的感动，梁国辉都讲给白晓燕听了……

梁国辉把李长江对他金钱上的帮助也讲给白晓燕听了，他告诉白晓燕长江是个多好的男人，多么值得托付终身。

梁国辉这次谈话是正面的，梁国辉讲的全是"感动。"人是为什么活着呢，人是为了感动。只有感动给人活下去的勇气和力量。梁国辉劝白晓燕多想一些高兴的事。千人千面看世界也会看出一千种表情，说都底都是自己的心决定的。既是这样，为什么不让自己的心多看这个世界的光明，非要钻死胡同看黑咕隆咚的那一面呢？

……

梁国辉的一番话苦口婆心。直到躺在床上的白晓燕潸然泪下。

晓燕，相信我，你接着吃药好不好？

白晓燕点头。

梁国辉松了一口气……

白晓燕的身体没有其他问题，不能再在急救中心住下去。梁国辉成功说服白晓燕转院进了阳光医院。他把白晓燕交给了经验丰富的唐护士长，唐护士长的和颜细语一下就让白晓燕安静了，同时也让李长江放下心。

梁国辉把白晓燕都安顿好了才回家。回了家一看郑洁回来了，梁国辉愣了一下，转头又开车走了。

梁思宇看看郑洁。郑洁没去追梁国辉，就说了一句：思宇，好好做你的功课。

华硕在医院里碰见了愁眉不展的李长江，才知道白晓燕住院了。梁国辉在亲自给白晓燕看病。

华硕愣了一下：梁副院长没告诉我。

李长江有些尴尬：他可能怕不方便吧？

华硕甜甜地笑：你觉得方便吗？说不定我能帮上点忙。

李长江更加尴尬：不麻烦你了。有国辉就行了。

华硕愣了一下：长江。

李长江不得不停下来。

华硕说：你对我有看法是吗？是不是在你眼里，我现在也变得像小三儿一样讨厌？

没有啊华硕……我只是夹在中间，不大好办。你看，国辉、郑洁我们都是同班同学，你，我也拿你当朋友……你说我怎么办？我不能有态度，可我也不能没态度。所以我只能是这么一个没态度的态度。李长江说道。

华硕笑：……你都会说绕口令了。我不难为你了，你忙吧。

房地产的开发如火如荼，把整个国家都烧热了。梁国辉跑建委，跑卫生局，想要留下阳光医院……但是看起来开发商不是一般的开发商，不是建委一级机构或者卫生局能够左右的。在巨大的开发热潮面前，好像谁也顾不上这么一个精神科医院，梁国辉简直怒了。

梁国辉开着那辆破桑塔纳去了开发商的办公室。面见房地产开发商肖天书。梁国辉跟肖天书舌战，肖天书为的是富人，梁国辉为的是病人。肖天书为赚富人的钱，梁国辉为保病人的命。

肖天书见到梁国辉非常客气，说他一定会考虑梁副院长的意见。

炎热的夏天，蝉鸣如雨。

郑洁又开始搜遍所有的关系，想方设法地要把梁思宇弄进重点高中。这件事她不和任何人商量，梁国辉不知道，梁思宇不知道，梁老爷子也不知道。

郑洁这段时间没跟梁国辉提离婚的事，她自己那点精力全投在儿子转学大业上了。郑洁终于把梁思宇转入重点中学的门路全部走通了，光钱和礼品就送出去了小两万，就这重点中学给的还是不确定的答复，校长还是说商量商量，商量商量。好在人有旦夕祸福，人有生老病死，校长的老丈母娘病了，急着住院，找到了郑洁……

郑洁也许只有在这时候才找到了社会地位，找到了认同，找到了价值感。她很快很周到地为校长的丈母娘安排了病房……当然同时，校长也很快很周到地安排了梁思宇进重点中学的名额。

郑洁跟校长是心有灵犀，就不说谢谢了啊，人都在社会上生活，本来就是你帮我我帮你是不是？

现在是万事俱备就差送梁思宇进校门了。

很快，梁国辉让白晓燕能够顺利地用语言表达内心了；在他的鼓励下，白晓燕也逐渐地重新开始唱了……白晓燕抑郁之后的第一次开唱，在医院的小礼堂里，听众都是病人，梁国辉坐在台下看着她顺利完成了演出。

李长江非常高兴，但很快，他就笑不出来了。他发现，白晓燕只能对梁国辉说话，也只有梁国辉坐在台下的时候，她才能唱……对此，梁国辉也哭笑不得，他真不知道自己的治疗是成功还是失败。

李长江说，他现在可以确定一点，自己是个失败的丈夫，他作为男人可以游刃有余地与全世界各色人等沟通，可自个的老婆跟他之间隔着一个海沟……国辉，世界上最深的海沟叫什么来着？

梁国辉说：马里亚纳海沟。11034米，如果把珠穆朗玛峰移到这里，还能被淹没在2000米的水下。

李长江说：我跟晓燕之间的沟，比这还深。我现在明白什么叫沟通了。我跟晓燕之间啊，现在，通不了，就剩下沟了。

房地产商肖天书约见梁国辉，希望跟梁国辉做朋友，并且拿了一张银行卡推给梁国辉。

梁国辉一笑：买我啊？什么价钱啊？

你不会失望的。

看来手里有权利真好啊，手里有权利就有人收买，这事真是名不虚传呢……可我不能拿着，我怕纪检查我。你想想啊？我们精神病院，清水衙门，凭什么我名下一下子多出这么多钱啊？你这不是往断头台送我吗？你啊，肖总，不够朋友。

肖天书看着梁国辉笑：明白！你啊，这险冒得不值。

梁国辉笑：这回你答对了。

又改天。肖天书拿着一张规划图给梁国辉，肖天书让梁国辉随便在图上动一下笔，一套精装修的复式280平的房子，就属于梁国辉了。

梁国辉看着那个图，说了实话：肖总，我动心了……但我还是不能要，这我上的还是断头台啊！我胆儿小，你别吓唬我。

肖天书看着梁国辉：这一套房子可值五百万。梁副院长，你在医院工作一辈子恐怕……

梁国辉说：两辈子我也挣不了这么多钱。可跟断头台比起来……

肖天书说：你还是觉得不值。

梁国辉说：你又答对了。

肖天书打量梁国辉：这个世界上我还没发现不肯冒风险的人……要是不值，只能说是开价开得不到位。两百万不动摇，五百万不动摇，一千万还不动摇吗？

梁国辉说：用不了一千万。两百万我也动摇……我是摇头的摇。

肖天书看着梁国辉……

梁国辉说了：我跟你说啊肖总，我是死过一回的人……低声地：我跟你说实话，我胆儿小，怕死！

这天，一个病人被送到郑洁的重症监护室。病人家属拿着红包试探郑洁。郑洁接过去了。

病人在重症监护室安顿好了。

这时肖天书出现在郑洁身边，笑眯眯的：郑大夫，我想请你吃饭。

郑洁对梁国辉说一个叫肖天书的房地产商找过她。

梁国辉看着郑洁……

我知道他想走夫人路线。

你答应了吗？

我有资格答应吗？

没有。

……没想到你现在手里的权利还挺值钱。……一套280平的复式，带精装……

挺诱人的。

动心了？他想让我们医院搬迁。可是这不可能。

郑洁沉默。

梁国辉说：我也动心了。我要是有这么一套房子，这辈子我算没白混。

郑洁沉默。

梁国辉问：你希望我接着吗？郑洁反问你敢接着吗？梁国辉肯定地说：……我不敢。

我也是这么跟他说的，我说你不敢。郑洁望着他的眼睛。

我不敢你失望吗？梁国辉顿了一下，说道。

谈不上失望。谈不上失望。因为我从来没指望过你能给我们买房子。郑洁不再看他。

郑洁转身出去了。梁国辉有几分生气，几分失落，说：你就从来没看得起我！郑洁没有回头。

这天，郑洁欢天喜地，拿着重点中学的录取通知回了家。作为一个母亲，梁思宇上了重点中学，至少在接下来的三年里，她就松了一口气。最次最次，也能保证梁思宇有个大学可上了。

可梁思宇不干，坚决不干，就不愿意上重点中学。他再也不想学理科了，他要学动漫设计。

郑洁苦口婆心都不管用，跟儿子急了：你上也得上，不上也得上。

可就在郑洁送梁思宇入学的那天，郑洁和梁国辉发现梁思宇居然用被单拧成绳子从窗户上"逃跑了"。

全家人顿然炸了锅，包括梁国华、刘彪在内也投入到寻找梁思宇的工作中，这让郑洁很感动，梁国华不冷不热地说：我不是冲你，我是冲着梁思宇是老梁家的香火……

此时，梁思宇正和刘海涛在一起，梁思宇决定好好地"教训"一下这帮自以为是的家长……刘海涛其实也在劝梁思宇：上重点中学也没什么不好，考大学就容易多了。

梁思宇不那么看，梁思宇只要学动漫的快乐，对重点中学的乖宝宝们根本不放在眼里。他还警告哥哥，不许告密，告密就翻脸。海涛说可大人多着急啊。

梁思宇说我妈从来就没尊重过我，她从小就拿我当玩具，我一定要让她知道我不是她的玩具。梁思宇是反叛的，他是九零后的那种孩子，价值观完全是新的。

他的眼光跟大人的眼光也完全不一样。真跟他的名字似的，他脑子里装的是国际、宇宙和外星人，根本跟郑洁是两码事。谁劝他也不会上重点中学的。在他眼里，谁都比我妈聪明，因为谁都不会像我妈那样自以为是。

梁思宇拿着母亲的信用卡先刷了四星级酒店的房间，刘海涛还是第一次进酒店，两个孩子都幸福异常，决定招来狐朋狗友玩乐，因为，今天是梁思宇的生日。

梁思宇想起了自己的一个网友 UFO……

华硕踏进酒店房间看见梁思宇的时候，自己都笑出了声。梁思宇没有见过华硕，但华硕却是非常了解梁思宇。华硕没有告诉思宇自己是谁，就以"UFO"的身份参加了他们的 party。

华硕的到来让梁思宇觉得非常有面子。但是华硕并不知道梁思宇是离家出走……

三天过去了，梁家乱成了一锅粥。老爷子病倒了，郑洁快崩溃了，梁国辉倒是发挥了自己的职业性，安抚完这个安抚那个……这是他第一次发挥了"一家之主"的作用，但却像个没头苍蝇一样疲惫不堪。

这三天里，郑洁饱尝了失去儿子的痛苦，同时失去理智的郑洁又免不了责备梁国辉不尽教养之责。梁国辉也急了，他不明白郑洁为什么一定要逼着儿子上重点高中，到底儿子正常地成长重要还是重点高中重要，这到底是栽培他还是毁他。

郑洁快崩溃了……

梁国辉看着突然沧桑了许多的郑洁，心里突然升起了一丝怜悯，一个女人，与天斗与地斗与人斗，天天斗志昂扬，却落了一个筋疲力尽谁也不买账的下场，也确实可悲……他温柔了，劝郑洁别争了，只要儿子好好地回来，让他做他喜欢的事有什么不好。

郑洁失望极了：他这是干什么？他这是拿离家出走威胁我！我要是同意了，他不就得逞了吗？一回答应了他，下回一有不如意，他还会这么做。……郑洁真是失望极了，我是为他好，为了他有一个远大的前途，我当妈的一片苦心他要是不领情，他爱去哪儿去哪儿，就算是他以死报答我，我也认！那是我的命！我还不找了。

郑洁失望变绝望，转身回家睡觉去了。梁国辉反倒着急了……

这三天里，梁思宇却喜欢上了华硕，他觉得华硕跟他像是一个时空里的人。华硕会梁思宇熟悉的所有网络语言。这让他觉得华硕是自己的知己，又恨不得让华硕跟自己一样是外星人，华硕说也许吧，可能是金星上吧。思宇说希望有一天还回到我们自己的那颗星球上去，地球人的智力都有问题。

华硕笑，那你觉得我有问题吗？

梁思宇说：我觉得你没问题。因为咱们一定有一个共同的基因密码，地球人身上根本没有。

华硕笑：我很荣幸啊，小朋友。

直到华硕在网上见到梁思宇，大白天的他不上学而泡在网上，华硕才知道梁思宇离家出走了……

梁国华和刘彪发现海涛行为诡异，在梁国华的逼问下，才知道了梁思宇的行踪。刘海涛被母亲和舅舅、舅妈逼着去了酒店。郑洁冲进去看见儿子的瞬间，她第一反应是抱着儿子，接着是愤怒，再接着看见华硕的时候，她懵了，梁国辉也懵了。

第18章 离 异

　　郑洁一句话都没有，跟华硕，跟梁国辉，她连话都懒得说了。她将梁思宇带回了家。

　　梁国辉也生气地质问华硕为什么不告诉他？！……华硕的解释很简单，第一在今天以前她不知道梁思宇是离家出走，梁副院长从来没告诉过她儿子出走了。第二在她知道了以后她认为如果不帮助梁思宇消除心里的叛逆和反抗，即便把他带回家，他仍然会跑！梁国辉是心理专家，怎么到自己儿子这里就忘了？！……

　　梁国辉语塞。

　　华硕转身要走：再见。

　　梁国辉叫住了华硕，这时候焦头烂额的梁国辉对华硕是无比的冷淡，他让华硕离梁思宇远点儿，他们家已经够乱套了。

　　梁国辉的表情让华硕心里也一寒：包括离你远点儿，是吗梁大叔？

　　梁国辉沉默。

　　是吗梁大叔？

　　是。

　　明白了大叔，再见。

　　华硕回到托蒂那里，满面笑容地答应了托蒂的求婚。她兴致勃勃地跟托蒂憧憬着在意大利小教堂的婚礼。

　　背着托蒂，华硕哭了。

　　梁思宇的行为让郑洁彻底对他失去了信任，她不知道该怎么对待这个儿子……梁国辉回家的时候，正好看见愤怒的郑洁抱着梁思宇所有的外衣外裤从儿子房间出来。

　　梁山劝阻着郑洁，梁思宇的房间里传出砸门声和吼叫声。

　　梁国辉问郑洁，这是干什么？

　　郑洁说，她已经不知道怎么对待这个儿子，她能做的只有这些，至少梁思宇不会穿着内衣裤跑！……梁国辉无语，意识到郑洁和梁思宇的关系已经到白热化的地步，郑洁是谁的话都听不进去了。

被关在房间里的梁思宇在网上寻找着UFO，华硕最后一次在网上跟梁思宇长谈……

然后，华硕发给梁思宇一张含着眼泪的表情，华硕说她要跟梁思宇告别了，她要回到她的星球上去。

梁思宇求UFO别这么做。UFO答复梁思宇：当他从重点中学毕业，拿到大学录取通知书的时候，她会再出现的。梁思宇说这是蒙小孩子的骗术，他早就不是一个小孩了。他是铁拳。

UFO没有回答梁思宇，下线了。

第二天，梁思宇穿戴整齐地站在母亲面前，他同意去重点中学上学了。他告诉母亲，他之所以同意去上学绝不是向母亲低头，而是因为华硕！……郑洁的笑容一下凝固在脸上，她的心里简直像吃了一个苍蝇一般。

梁国辉忙不迭地向郑洁解释，华硕和梁思宇只是朋友，而且华硕作为心理医生能给梁思宇正确的引导也不是一件坏事……

郑洁怎么可能听进去梁国辉的话。郑洁不想问华硕和梁思宇是什么关系，郑洁也不再强求梁思宇一定上重点中学。郑洁说梁思宇，我是你妈，你妈没害你。上不上重点中学，你看着办。

郑洁大撒把，梁思宇反倒紧张了。

梁思宇说我都答应了上重点中学。

郑洁说滚远点儿。你上重点中学，你还让我紧盯你三年吗？梁思宇我告诉你，我没劲儿再盯着你了。

梁思宇说：那您什么意思啊？我是上还是不上啊？

郑洁说：你问问你自己，你到底想上还是不想上。

梁思宇说：您要是问真话，我不想上。

郑洁说：那我还有什么可说的！你答应了上重点中学你不是应付我吗？就为了让我高兴……

梁思宇说：当然是让您高兴！我肯定不是从灵魂深处想上重点中学。

郑洁说：那你就是应付我！你上了重点中学也是应付我。

梁思宇说：妈我觉得你太可笑了。

郑洁气坏了：我可笑？我可笑？你觉得你妈可笑？

您想让一个人从里往外从灵魂深处到脸上的表情都无限忠于绝对服从您！您想想这可能吗？我是您儿子也不可能。世界上能做到的就一个人……您自己！梁思宇说。

郑洁看着梁思宇在他面前振振有词……脑子里一片嗡嗡的声音……作为母亲，她多么失败！作为女人，她多么失败！

郑洁就那么僵了好半晌……

最后反倒是梁思宇不安了：妈！

郑洁是从来都没有过的平静：你出去吧。

郑洁平静，梁国辉反倒不平静了。

梁国辉跟儿子有了一次深谈，想问儿子真话，到底心里是怎么想的。梁思宇说我还是想去学漫画。可我也不能看着我妈崩溃啊。

梁国辉说：是啊，你妈。……咱们都再想想，站在你妈的角度想想。她给你拿到了重点中学的名额，多不容易啊。

我也希望我妈站在我的角度想想。我在想我要是不上重点中学我妈会不会一辈子不快乐？可我要是上了重点中学我也会不快乐。爸您站哪头儿啊？梁思宇问道。

梁国辉给了梁思宇一巴掌：臭小子有那么严重吗？

梁思宇一脸严肃：有这么严重。

梁国辉说：你才十五岁，上重点中学有什么不好的？考大学你照样可以考动漫专业啊！

梁思宇说：我就是不想去重点中学，我不想我的青春期除了傻学什么都没有！

梁国辉也板起脸训儿子：学习是你的责任，你还想干吗！

梁思宇说：爸，这可不像你说的话。这么弱智的话也就我妈说。

梁思辉跟儿子套近乎：那你说说，除了学习你还想干吗？

成长！

梁国辉打量儿子好久，不知该怎么对答了：……那好好跟你妈说。

我妈？我妈简直就是弱智。我都不知道您当初看上我妈什么了？

不许这么说你妈，年轻时候你妈有你妈的魅力。

什么魅力？除了年轻我妈还有什么魅力？……您啊，也就是青春冲动，知道吗爸，这就是青春冲动的恶果。

梁国辉真急了：你说什么啊你？你哪儿听来这么些乱七八糟的？咱俩谁教育谁啊？

梁思宇说：别急啊，您要想公平地探讨问题，那我打开心扉跟您探讨！我要是您，我就找华硕那样的！

梁国辉一惊。

梁思宇说：她是我见过的最聪明的女人，真的！……您啊，我只能说，您的审美也就那么回事。

梁国辉瞪着梁思宇：你给我闭嘴！不许你再提华硕。

您要急，那我关门了。梁思宇打开电脑，不理人了。

梁国辉也真问自己了，当初他看上郑洁什么了，总不能真是青春冲动吧？

梁国辉没回答这个问题。或者说，梁国辉不愿意回答这个问题。此题无解。

与此同时梁思宇却成了学校里一呼百应的名人，他的连载小说《两个傻瓜的荒唐生活》在学生们中间脍炙人口。

很快，梁思宇也因此惹来了麻烦。一个地下出版社连威逼带利诱的想要几百块钱就买了梁思宇的小说，梁思宇拒绝，却招致威胁……愤怒的海涛为了保护弟弟，找来对方。紧接着，演变成一场混战。

郑洁和梁国华分别赶到派出所，她们看见自己儿子的时候，都快要崩溃了……两个母亲都指责对方的儿子带坏了自己的儿子，如果不是因为对方自己儿子一个人绝对来不了派出所，说着说着两个人翻脸了，都不许自己的儿子再跟对方来往。

亲戚变成了这样子。郑洁面对梁国辉的时候还余怒未消，说话不客气，梁国辉不高兴了。

梁国辉说：郑洁，我把话挑明了说，你可以瞧不起我，但是你别瞧不起我们家人。……我姐在我成长的过程中付出了很多，没有我姐我上不了大学。我从心里尊敬她。

郑洁说：我也没不尊敬她。但不等于我得为了表示尊敬就搭上我儿子。

你儿子你儿子！郑洁，我真讨厌你这样，除了你全世界的人都在害你儿子是吗？梁国辉摔门走了。

屋里剩下郑洁，她打开电脑看梁思宇写的《两个傻瓜的荒唐生活》。

这件事让郑洁和梁国辉都开始反省自己，开始认真看梁思宇写的《两个傻瓜的荒唐生活》……他们悲哀地意识到，自己在儿子的心里就是两个傻瓜。

郑洁企图以新的态度和方式接近儿子，但梁思宇和母亲的关系却越来越疏远，疏远得让郑洁心寒透顶。

梁国辉在医院里也忙，一个中年人工作岗位上的事是忙不完的，有两三天没回家，也没打电话给郑洁。郑洁更觉得心寒了。

家里只有梁山还跟郑洁说句话，问问郑洁想吃点儿什么。郑洁答非所问，她真的没食欲了。

医院里还有一堆事要忙，郑洁毕竟也不是铁人。郑洁病了……

郑洁病了的时候，只有梁山给郑洁拿药，给郑洁水喝。郑洁还是在自己的医院里打的点滴，照顾她的是手下的护士……

没人的时候，郑洁哭了。

郑洁去了精神病医院，去找梁国辉，不巧的是梁国辉不在，她碰见的还是华硕，

郑洁真是觉得，人生太狭窄了，见的都是你不想见的，说的都是你不想说的……

华硕问起梁思宇上重点高中的事。郑洁忍不住了，她诘问华硕，到底用什么方法跟儿子沟通的。

华硕笑笑：用他听得懂的语言。

郑洁生气：难道我说的是外星人的话吗？

华硕说：不是，是他说的是外星人的话。

郑洁不得不承认，华硕毕竟是八零后，离九零后更近一些。但是郑洁绝不希望眼前这个风华正茂的姑娘跟她的家庭走得太近，一个是她丈夫，一个是她儿子，她明确希望华硕离梁思宇远一点。作为母亲，她有办法教育自己的儿子……

郑洁作为一个走向中年的女人，绝对不想在一个年轻姑娘面前示弱，她想维持仪表，想维持不卑不亢的态度，但怎么努力也掩饰不了她内心的焦虑，华硕也对郑洁说我觉得特别奇怪，为什么你是你们家的家长而不是梁老师，你不觉得你像慈禧太后一样可悲吗？什么都想管，可最后招得谁都不待见……

郑洁说：你想说我是老古董。

华硕说：你照照镜子，你觉得你不像吗？你才四十岁，可你看看你眼睛边上的皱纹。还有你脸上的轮廓，你脸上的轮廓，你的鼻唇沟都是向下的……你脸上

写得清清楚楚你是一个怨妇。

郑洁急了：你没资格这么跟我说话。

华硕说：我坐在这儿跟你说话，怎么说我自己选择，你可以选择的是不跟我坐在一起，不听我说。

郑洁气坏了，起身就走。

华硕在郑洁身后说：你背影都写着气急败坏，你的人生就不能从容一点儿优雅一点儿吗？你不这么张罗地球会爆炸啊？

我张罗的是我自己家的事。

你们家一共三个男人，梁老爷子，梁院长，还有梁思宇，只有你一个女人，按说你应该是被三个男人宠爱的一个女人，可你恰好不是！你不觉得这很失败吗？华硕说。

郑洁在华硕面前是绝不示弱的：我不觉得！……希望你远离我儿子，我儿子我自己会教育。还有，离我老公也远点儿！华硕，你知道我什么意思。

离开华硕，郑洁一口气走到无人的地方，疲劳地坐下去，眼睛湿了……华硕的话回响在她耳边：你应该是被三个男人宠爱的一个女人，可你恰好不是！你不觉得这很失败吗？

郑洁觉得华硕的话确实像是敲了她一闷棍。情敌的话可能是人生中给人印象最深的话了。郑洁承认自己的人生太失败了，但是她不甘于这种失败。

郑洁何尝不想做一个被命运、被生命中的三个男人宠爱的女人。她去做了头发，买了新衣服，回到家里，希望在三个男人面前有全新的气象……但三个男人谁都不理她。梁老爷子忙着跟老人旅行团出去，正收拾东西，梁思宇接着跟郑洁冷战，梁国辉在医院里忙到很晚才回家，回到家倒头就睡，郑洁的头白烫了，妆白化了，衣服白买了……

郑洁觉得索然无味：梁国辉，我只是想确定一下，你心里是不是在乎我。像李长江在乎白晓燕那样。

梁国辉说：当然……在乎。

你在乎我什么？

……

你在什么地方最在乎我？郑洁又问。

你是我老婆，孩子的妈……

没别的了？

这还不够啊？

郑洁翻脸了：所以我就是你们俩的长工，扛长活你们俩还不领情。

郑洁试图改变自己，做儿子的朋友，请儿子出去玩九零后玩的疯狂游戏，学着用儿子所谓的"外星语言"说话……但结果是相反的，在梁思宇眼里，妈变得特别奇怪，不伦不类，并且把郑洁所有的努力都当成是为了说服自己上重点中学的苦肉计……

终于有一天梁思宇对郑洁说妈你真累！你干吗不好好地做你自己，你又不是九零后的小姑娘。郑洁真生气了，说，我不光不是九零后的小姑娘，我也不是八零后的小姑娘！

妈有时候我觉得您真幼稚。

你说我幼稚！你说你妈幼稚？！

在您眼里我们爷儿仨都幼稚，那您说您不是幼稚是什么？

郑洁在医院里那么忙，每天面对着生和死，哪有那么多的时间和耐心哄儿子……

而梁国辉既说服不了郑洁，也说服不了儿子，他明知哪边也说服不了，所以采取了和稀泥的态度，甚至不如说是不闻不问的态度。梁国辉说了，顺其自然，这就是我的态度。

郑洁下夜班回家的路上，看见华硕和梁思宇并肩走在一起，华硕请梁思宇吃冰激凌，梁思宇不小心把冰激凌弄到了脸上，华硕停了，笑眯眯地掏纸巾给梁思宇擦脸，而梁思宇冲着华硕那么兴奋地笑……这些完完全全被郑洁看在眼里……

郑洁不是有城府的人。她黑着脸冲到了华硕和梁思宇面前，一把把华硕推了个跟头！

梁思宇一下子就成护花使者了，跟郑洁急了。

梁思宇直言不讳地告诉郑洁，他喜欢华硕！他觉得华硕聪明绝顶……

梁国辉不知道到底发生了什么，也等不及他问明白，郑洁已经爆发了。

她是无论如何也不能容忍这样的生活了，她既然不能将华硕从自己的生活中赶走，那么她自己离开！……郑洁这次是非常坚决地向梁国辉提出了离婚。

梁国辉说：郑洁你不理智。

郑洁说我没法再理智下去，我觉得我的感情，我的人生都像一个笑话。郑洁同志就是一个笑话！太可笑了！我觉得梁思宇写的不是两个傻瓜的荒唐生活，是一个! 我就是那个傻瓜。梁国辉, 我离婚。

梁国辉说: 你太奇怪了, 千万别当那种动不动把离婚挂在嘴边儿上的女人。你说说你拿离婚吓唬谁啊? 你说我又没出轨。你闹闹赶个时髦就得了, 我不离。

我离。

梁国辉也是想哄一哄郑洁, 抱住了郑洁的肩膀: 我评价你一下啊……你吧哈, 郑洁同志, 你哪儿都好, 就是跟人生太较真儿了。除了这, 你是一个完美的女人。

别跟我来这套。郑洁说。她收拾了东西, 搬进了医院办公室。

梁国辉该去医院工作还是得去, 医院的工作还是堆积如山。有时候梁国辉觉得, 不要说一生, 就是再有个两生三生他的工作都做不完。梁国辉忙得, 真有时候连饭都吃不上。

晚上, 梁国辉回家了, 郑洁没回。梁山、梁国辉、梁思宇祖孙三代面面相觑。

梁国辉对儿子说: 你妈真要跟我离婚了,

梁思宇说: 那我只能按照从前说好的, 跟着我妈, 照顾她。

梁国辉说: 你不怕把你妈气死啊?

梁思宇说: 我会比现在小心的。

梁国辉又说: 你妈真太弱智了, 她怎么就意识不到咱俩是她生命中最重要的两个男人呢?

您错了, 在她眼里, 您和我, 是她生命中最重要的两个累赘, 所以我说我妈弱智。梁思宇说道。

晚上郑洁在医院里, 在重症监护室内外忙碌, 但是再忙也有停下来的时候, 停下来的时候坐在医生办公室, 郑洁有几分茫然。人生忙活了四十年, 不管手里抓着的是什么, 是说扔就有勇气扔的吗? 扔了以后怎么办? 可是不扔, 一看手里攥着的东西就愤怒, 这就是郑洁的现状。

郑洁这些话都是跟哥哥郑浩说的。

郑浩也真问郑洁: 说到底, 你就是对梁国辉失望, 别的都是借口, 我说亲妹妹你真想想, 梁国辉有那么叫你失望吗?

郑洁一口咬定了失望。

郑浩说妹妹你知足吧, 我是男人, 男人要是想坏是什么德性我能不知道吗? 我这么告诉你得了, 梁国辉, 你老公, 在这个欲望年代里真算是冰清玉洁, 稀有动物, 真的。

郑洁说：他倒是想坏，他有本钱吗？

郑浩打量着妹妹，打量半天：那我这么说吧妹妹，我赞成你跟梁国辉离婚，前提是找好下家。

郑洁急了：你不是先让我出轨吗？我本来没错，你非要把错全变成我的！你这当的什么哥哥啊？

郑浩说：我是为你着想我的亲妹妹。你想想，你四十了，眼睛底下有眼袋了，眼角有皱纹了，脸上的肉也往下耷拉了，脖子也出褶了，你要是再找一个，那你得找什么样儿的？啊？没出息的你不会喜欢，有出息的又单身的，转身就奔二十多岁的小姑娘去了，最惨也是三十多岁的少妇，能接受你的，最最保守啊妹妹，四十五岁以上六十岁以下，在这个区间！亲妹妹你何苦放弃四十出头年貌相当的梁国辉去换个糟老头子啊？啊？你当大夫没当够啊？

郑浩真把郑洁说急了，郑洁一下站起来了：大不了我不找了，我一个人过。

郑洁走了。

郑浩对着她身后说：你当初选择梁国辉是一个错误，我现在不能眼睁睁看着你再放弃梁国辉。妹妹，你的人生犯不起第二个错误！

可郑洁哪儿信啊，郑洁听都不听，走了。

梁国辉太累了，回家里睡觉。家里没有郑洁，只有梁思宇和梁老爷子在。老少两个人看见梁国辉回家，也高兴不起来。梁思宇说爸，看来我妈要来真的，真的要跟你离婚了。

我不离。

您心里还有我妈啊？

废话……

我以为您心里是华硕阿姨……

小心我打你啊。梁国辉说。

梁思宇又说：看来您不亲自去请我妈，我妈不会回来了。

梁国辉道：一块儿跟你妈过了十多年，我也够累的。你妈不回来，权当是你妈给我放假了。我得睡一觉，我不起别叫我。

父母真到了要离婚的份儿上，梁思宇毕竟未成年，不能不说是紧张的。梁思宇跟老爷子待在一起有点儿心不在焉。他到医院看郑洁去了，但是郑洁忙着，看见梁思宇，郑洁就沉脸：你来干什么？

梁思宇小心地问妈你什么时候回家啊？郑洁还生着气：你让我回家干什么？

气我啊？梁思宇说，妈，您真跟我爸离婚啊？郑洁说这不是你该管的事。梁思宇说您吓唬吓唬我们得了，可别来真格的妈，那您可太可怜了。郑洁说，你给我滚回去。

李长江到医院去找郑洁，一方面，想劝郑洁和梁国辉言归于好。另一方面，李长江还希望郑洁多和白晓燕聚聚，因为你真的想象不出来白晓燕现在变成什么样子了。

郑洁去看白晓燕，真的震惊了。

不再去京剧院上班的白晓燕，失去了生机和活力，也失去了魅力，不化妆，素颜的白晓燕身上光芒尽失，真的成了一个不修边幅的中年妇女。在她身上，就剩下了一个词：放弃。白晓燕放弃了对人生的所有挣扎，所有热情，放弃了自己。

郑洁跟白晓燕急了，不明白白晓燕你怎么变成这德性了。郑洁说话那么直，李长江都受不了……郑洁生气：你爱受得了受不了，你们就是对白晓燕太好了。她生把白晓燕拽起来的，你跟我走，走！

郑洁拉着白晓燕去做头发，去买新衣服，想勾起白晓燕的兴致。但是白晓燕怎么着都是不兴奋的。

结果是，头发没烫，衣服没买，郑洁不光劝不了白晓燕，反而被白晓燕弄郁闷了。

郑洁在医院里，不回家。梁国辉没找过她，没打过电话，没给过郑洁发火的机会。郑洁心里的火一拱再拱，就成火山喷发了。

郑洁回家了。郑洁说我挣来的房子，凭什么是我走啊，应该是你们走。

郑洁回到家，家里已被三个男人祸害得乱成粥锅了。郑洁一下就火了，厨房里一堆锅碗不刷，厕所不冲，垃圾桶不倒，都说不上来家里是什么味儿了。

郑洁说我就不明白，你们看不见啊？闻不着啊？伸手干点儿活怎么就那么难啊？

梁国辉没有哄郑洁的意思。梁国辉觉得郑洁就是闹够了，该回家得回家。一如既往。梁国辉看着郑洁的背影：郑洁……

郑洁没搭理。

梁国辉说：跟你说话真扫兴。

郑洁回头看着梁国辉：特别扫兴，什么意思？烦了是不是？又觉得我不温柔了是不是？……

是。

给你机会，你可以换一个。

梁国辉想开口的时候呼啦一下子，没电了。

黑暗中郑洁说：没电了。

梁国辉没回答。

郑洁摸索到窗前：别人家有电。……就是咱们家没电了。梁国辉，你注意过咱们家没电了吗？我要是不去买，你能想到去买电吗？你知道咱们家电卡放在哪儿吗？……梁国辉，我更扫兴。我天天都特别扫兴！

这时候房门开了，梁思宇出现在门口：妈，没电了。

郑洁说：你光叫我，你怎么不会叫爸没电了！这应该是我管的事儿啊？

梁国辉觉得理亏了：我去。……你告诉我去哪儿买啊？这么晚哪儿卖电啊？

郑洁摸，摸，拉抽屉，找出了手电，打开电筒，噔噔噔下楼了。

梁国辉没劲了：思宇，跟你妈去！

郑洁在路上走，掉眼泪了。

梁思宇跟着：妈。

你回去。

妈，这么晚了你上哪儿去买电啊？

你回去！我买不着电我不回家！

妈！

郑洁停了，真是恨恨地望着梁思宇：你回去！别跟着我！我看着你烦！我看着你们都烦！

梁思宇停了。郑洁转身，一个人走。

郑洁一个人走了好久，在黑夜的湖边，也坐了好久。

郑洁往回走的时候，看见了梁国辉，梁国辉在小区门口等着她……

梁国辉说：你去哪儿了？出门怎么不带手机啊？

郑洁说：黑灯瞎火的，我找得着手机吗？真关心我，我下楼的时候你为什么不跟着啊？

梁国辉说：我不是让思宇跟着你吗，你把他轰回来的……

郑洁说：我懒得跟你说了……梁国辉，我想跟你谈谈……

梁国辉说：想离婚……

郑洁说：我真觉得咱俩走不下去了。

梁国辉沉默。

郑洁说：我一天都懒得往下走了。我心里烦，很烦。

梁国辉说：烦我？

郑洁说：烦。

郑洁说，哪怕再跟梁国辉在一起过一天，她都会觉得厌烦。再想到华硕，她就要崩溃了。梁国辉说，我还要怎么跟你解释，郑洁，人生要是能处处有录像带我都想倒带子，让你看看回放我跟华硕没干什么……

郑洁打断：用不着提华硕！我不在乎华硕张硕李硕王硕，我是恨你们没良心。我把心都掏给你们了，你们梁家爷儿三个，这么多年我没忙别的，你们有良心吗？

梁国辉说，现在离婚你挺吃亏的，你是四十岁的女人了。你看得上的男人，知书达理，身心健康，有经济实力……郑洁，相信我，我保证，这样的男人……我是说中国男人啊，他们会往下找，找二十多岁的，三十多岁的，因为，他们也想从小姑娘身上找到青春和活力。我说的是真话。

郑洁说，你这话我听着真耳熟。……我哥哥跟我说过。梁国辉说，你看连你哥哥都这么说。郑洁说我不想以后，我就想眼前。梁国辉说，我可真佩服你郑洁同志，活到四十岁，男人不休你已经不错了，你还主动想退出……你说说你哪儿来的勇气？

郑洁说：你给我的勇气。我连看都懒得再看你一眼了，真的。

梁国辉说：这话应该我说。梁国辉叹气了：我就一句话跟你说了，到现在为止我没干对不起你的事。

郑洁说：我懒得听了。你干没干都跟我没关系了。你让我解脱吧。我快烦死了。再这么下去我就崩溃了。……你总不能眼睁睁看着我崩溃吧？

梁国辉当然不能眼睁睁看着郑洁崩溃。梁国辉同意离婚。

梁国辉说那离婚之前我也想把话说透。我说郑洁你傻不傻啊？我要是跟华硕真有点儿什么，就是为掩人耳目我也早让她调走了。哪怕是从三病区换到四病区，也算我一个态度吧？可问题是我就没跟华硕怎么着，这点儿事我还觉得自己做得挺壮烈！我为什么用壮烈这个词呢，你想想，这什么年头啊？华硕那么一个如花似玉……

郑洁一听"如花似玉"这词脸就一变。

梁国辉说，现在咱俩平心静气地说话呢，你别急啊！我说男人由衷的话啊，华硕确实算是真正的如花似玉。你想想，一个男人，我，又没毛病，我扛那么一个如花似玉的姑娘容易吗？不容易！就因为不容易，所以我才用"壮烈"这个词！我要是接着扛下去，到老我就是"烈士"！这年头，我由衷地告诉你，像我这样有潜质在婚姻上成为"烈士"的男人不多！十个有九个半，都将计就计了。……啊，剩下那半个是我，因为我精神上出轨了。

郑洁听着。

梁国辉说：可你呢，坦白从严，抗拒也从严，那什么情况你从宽啊？你这不是逼着男人打死也不说吗？……我话说成这样儿了，郑洁，你要是后悔，咱俩不离婚，还好好往下过。……我就一个条件，以后，在精神上别再折磨我。

郑洁说：离婚了，你跟我没关系了我就再也不会折磨你了。……

梁国辉说：那行郑洁……咱俩可得把丑话说在前头。既然说要离，想好了，咱就不来生离死别凄凄惨惨戚戚那套。

郑洁说：谁跟你凄凄惨惨戚戚。

梁国辉说：行吧，那就喜兴点儿，咱离婚得离得跟结婚一样！

两口子，打没事，打得天翻地覆也没事，一平静相对，完了。

梁国辉把房子留给了郑洁，因为房子主要是郑洁挣钱买的。梁国辉要住到医院去，等他租了房子，就把老爷子接出去。

郑洁说轮流吧。在梁思宇高中没毕业前，她和梁国辉轮流回家去住。顶多让梁山和梁思宇认为他们是分居，这样免得影响梁思宇的学业。

郑洁跟梁国辉商量所有的这些事，都是平平静静的。这么安排完了，郑洁眼圈红了：梁思宇，他还在乎我们影响不影响他的学业吗？

梁国辉说：哎，说好了的，不凄凄惨惨戚戚。

郑洁说：谁跟你凄凄惨惨戚戚。

盛夏的阳光炙热，绝对的热，不留余地。

背着梁山和梁思宇，梁国辉和郑洁办了离婚手续。

就好像期待了多久似的，去办离婚手续这天，郑洁选择了正式的套装，精心地修饰过，打扮过。真没那么悲悲切切，挺有几分焕然一新的感觉。

梁国辉也精心收拾过，也有几分焕然一新的感觉。

到了婚姻登记处，人家还以为他们是来办结婚手续的。

梁国辉笑笑：不不不，我们……离婚！

第 19 章 仿若重生

从婚姻登记处出来，郑洁长长地舒了一口气，如释重负：我总算解脱了。梁国辉，你自由了。这回你可以为所欲为了。

梁国辉本能地要辩解，我从来也没……紧接着猛醒，也如释重负，说：以后我再也不用跟你解释了。我也再用不着听你吵吵了！梁国辉深吸了一口气，说：嗯，我确实吸到了自由的空气。以后，再也没人管我了！

郑洁张嘴就要吵，我管过……也停了，脸上的愠怒改成了微微的笑意说：我以后再也不用搭理你了！你的脸我可以不看，你的话我可以不听，我还烦什么啊？

梁国辉脸上的表情更夸张，早知道挣脱枷锁的感觉这么好，我早来了！……你知道以前我觉得自己全身都是镣铐，现在……梁国辉做了一个挣脱的手势：镣铐消失在空中！

郑洁看着梁国辉，看着他比自己表现得快乐，脸上的笑容没了……

梁国辉说：我请你吃饭吧？听说有一家离婚餐厅……他一摸兜，又说：噢我身上没钱。以后我的钱就不用全交你了吧？我就有钱请朋友吃饭了。

郑洁说：……以前的钱，是你为家庭尽的一份微薄的义务。以后你交思宇的一半生活费就行了。饭不必吃了，你可以去追你的华硕去了。

梁国辉刚说，我！要辩解，接着又猛醒地说，那就是我自己的事了！追，不追？要，不要？我可以选择！选择，活到这份儿上还给我机会选择，太美好了！现在，现在我才真的有一种感觉！什么感觉呢，就是巨大的重生之感！现在我才觉得，我从肉体到灵魂，重生了！我到这岁数了，还一切可以重来！郑洁，这我得说谢谢你！

郑洁看着梁国辉的嘴脸，也不示弱：不如说，你还一切可以胡来！看哪个女人比我还倒霉吧要跟你过后半生！我啊，我也感谢我自己，我解脱了！再见！

梁国辉一笑：再见！前妻！

郑洁愣了一下，接着也笑了：我讨厌死你了，这副嘴脸。

梁国辉说：跟这副嘴脸说再见吧！再见！

阳光照耀，绿树浓荫。曾是夫妻的两个人，上了两辆车，拐向不同的方向，分道扬镳了。

真听到梁国辉跟郑洁离婚的消息，李长江惊呆了。

李长江说靠壮士断腕你们俩也真舍得啊？

有什么舍不得啊？你说说，郑洁，她哪点叫我舍不得？

老话儿说的，一日夫妻百日恩啊！

梁国辉跟李长江说：俗！真俗！我觉得自己跟打了一针兴奋剂似的！男人最大的幸福，无异于人到中年，结发夫妻她竟然主动放弃了婚姻关系！这非常像，非常非常像，放虎归山！我现在都觉得我对那只老虎穿过丛林走上山冈睥睨一切的感觉感同身受！……听听，大自然的声音！

李长江直摸梁国辉的额头，说如果你伤心，那咱俩喝酒去得了，我豁出去了陪你一醉方休。

梁国辉笑：我才不！我都幸福成这样儿了，我凭什么要醉啊？！你看看我，人到四十，官，当上了，不管大小吧；婚，离了，不算晚吧！恋爱，我还可以谈恋爱呐老李同志！

李长江快不认识梁国辉了：我说你是清醒着呢吗？

梁国辉说：未饮八分醉，呵呵！我有点儿晕！……我走了啊！

李长江问：找华硕去啊？你倒是争分夺秒！

梁国辉停了脚步：这我倒是得想想！既然，啊，既然我自由了，既然那老虎摆脱了一副枷锁，既然来到了大自然当中从容漫步，那，它为什么要选择那么快又被枷锁套住呢？难道华硕就不是另一道枷锁吗？温柔的枷锁也是枷锁啊！不，从此以后我不要枷锁！我要自由！

李长江吃惊了：自由？！你拉倒吧！瞧瞧你那身子骨！跟老虎能比吗？我说，人世间有百魅千红，你总得独爱一种吧？我说，一切可以重来可不等于一切可以胡来啊！

梁国辉笑了：我无法形容此时此刻我心里的感受！老李同志，再会！

梁国辉太高兴了，进了医院，明明是停车，结果还挂错挡，撞电线杆子上了……

华硕一动不动在旁边看着梁国辉……

梁国辉下了车，看了一眼被撞了的车头，没心疼车，反倒笑了：没想到，撞了个头彩！

华硕看梁国辉的车没事，没搭理他，转身要走。

梁国辉看着华硕的背影……夏天，穿得都少，华硕穿着一件合体的薄纱连衣裙，身体轮廓若隐若现！

梁国辉喊：华硕！

华硕回头，还在跟梁国辉制气：干吗？

梁国辉一脸笑意：这裙子真漂亮！

华硕扫了一眼梁国辉，要走。

梁国辉道：你身材真好！

华硕停了，回头道：梁副院长，你不觉得你这话说得有点儿轻浮吗？说完了华硕转身就走。

梁国辉问：我？我轻浮吗？

华硕不搭理。

梁国辉说：华硕，我有件事想告诉你……

华硕说：懒得听！

华硕是真没有跟梁国辉恋战的意思，转身进楼了。

梁国辉哑然失笑，在楼前停了，轻浮？他打量着自己，我轻浮吗？我是个轻浮的人吗？

郑洁也是忍了又忍，扛了又扛，扛不住了憋足了才离的。既然离了，就真没想悲悲惨惨戚戚。至少她也不愿意让梁国辉看见自己悲悲惨惨戚戚！

郑洁以前一直省吃俭用，因为舍不得。现在突然觉得以前贤惠得有点儿冤，所以去了服装店，豁出去买了两条漂亮裙子。又去理发店换了个发型。

当郑洁从理发店出来，她也是焕然一新了。

还有什么比一个女人自己觉得焕然一新更好的感觉吗？

一个勤俭持家惯了的女人，突然奢侈一下，走在街上，郑洁竟然也找着了一点炫一下的感觉。阳光烈日都挡不住郑洁想找个好心情的愿望。

但是阳光烈日太强烈了，芸芸众生中的某几个竟然中暑了。而且其中的一个男人，走着走着，在跟郑洁擦肩而过的时候，一下子就晕了。他手里的包掉在地上。

郑洁的第二春就这么来临了。

郑洁是一个医生，医生的本能是抢救。郑洁招呼路人把这个中年男人抬到旁边树荫下，又从路人的手里要了一瓶水，慢慢灌进了这个中年男人的嘴里。

这个中年男人醒来的时候，最先看到的是郑洁的脸。在一个晕倒的男人的角度来看，低头关切地照顾他的郑洁是相当漂亮。特别是有一双漂亮的温柔的眼睛。

郑洁要送那个男人去医院。那个男人拒绝了。郑洁问那个男人有没有糖尿病？那个男人说没有。郑洁从旁边买了一瓶含糖分的饮料，说那你喝这个吧，比矿泉水好一点。回家以后你要喝一点糖盐水。还有容易中暑是因为……

郑洁说的都是医嘱。但是躺在地上的男人觉得这女人温柔得一塌糊涂。郑洁说我是中心医院的医生，如果你还有什么不舒服的你可以来找我。那个男人感谢郑洁，并自报家门，名叫沈航。请问你……

郑洁说：姓名就不必问了。你要是没事了就起来吧，身上都是土。……你的公文包，检查一下丢东西没有。

看着那个男人没事，郑洁转身走了。

沈航恋恋不舍地看着。

郑洁逆着下午的阳光走。沈航觉得郑洁的身影美好得一塌糊涂。

丘比特的箭要是射偏了，就是梁国辉看郑洁；丘比特的箭要是射正了，就是沈航看郑洁。同样的一个人，角度怎么就那么大的差别呢？

梁国辉没回家住，郑洁回家了，梁思宇看见焕然一新的郑洁有点儿晕。他问爷爷晕吗？梁山说她是我儿媳妇，我晕就不正常了！

梁思宇真抱住郑洁的脖子说妈我好色！

郑洁举手就要打……

梁思宇说妈，我暴露我的弱点是为了夸你。妈真的，你太漂亮了。您说您要是老这样我爸得多爱你啊。

郑洁说：我和你爸……去去去，写你的作业去。

趁着郑洁心情好，梁思宇告诉郑洁，他到职业高中报到，学动漫去了。

郑洁愣住了，好半天看着梁思宇。

梁思宇说，妈，漂亮的妈，美好的妈，别骂人，别动手啊！您松驰一点儿！你就这么想，我是学动漫去了，你说我要是学当小偷去了，您得急成什么样啊？……妈，妈妈妈，您就信我一回行吗？我保证我能学好。

你保证？

保证。

你拿什么保证？……

梁思宇张嘴就要说……

千万别跟我说海誓山盟！我告诉你，没一句是可信的！

妈您……

我现在懒得理你了。一边儿去，让我想想。郑洁最后说。

谢谢妈。……我以为天得塌！谢天谢地，天还是天，地还是地！谢谢老妈！梁思宇高兴坏了。

郑浩听说郑洁离婚，简直跳起来了。

郑浩急，是真急了：我说你吃多了！你缺心眼儿啊？你以为你是二十多的小姑娘啊？你四十多了妹妹！……你站大街上问问天下的男人，同样四十多，但凡你看得上的，条件相当的男人，只要他单身，谁不奔着年轻貌美去，你问问谁会愿意再娶一个四十多岁的女人回家啊？

郑洁说：男人要是这副德性，那我就不找！

郑浩说：那你就更是吃多了！郑洁，没人不需要伴儿！梁国辉多好啊，你说梁国辉哪儿不好！原来你嫌他混他窝囊，可现在人家大小也是个医院的副院长了！顶多你觉得他不忠贞，可我问问你，你捉奸在床了吗？妹妹，男女的事儿，只要不是捉奸在床，别人告诉你你都不能信！说白了这就是两口子相处之道！你怎么连这点儿智力也没有啊？

郑洁生气：别跟我说这些烂男人的道理，我眼睛里不揉沙子。

郑浩说：你啊你啊，傻吧你啊，你算是成全了梁国辉了。从此以后，梁国辉就剩下幸福了！你呢，你啊，你就剩下不幸了。

郑洁冲哥哥喊起来了：我懒得听你说了。烂人烂事烂道理，我不听了！

国华不是不劝刘彪戒酒。刘彪也不止一次信誓旦旦地要戒酒，可一次又一次，刘彪又喝上了。

没多久，刘彪东翻西找地翻钱，想要打酒喝，可国华实在拿不出钱了，刘彪抓耳挠腮跟国华找碴儿打架，把国华打了……

刘彪第一次戒酒是儿子海涛把他送来的。孩子动了心计，做出最孝顺的样子，给父亲买酒喝，趁父亲酒醉，把他送到了精神病院。

梁国辉接诊，海涛背着醉得一塌糊涂的父亲来戒酒……

梁国辉一见就心疼了，说傻孩子你不会给舅舅打个电话啊？我派车接去。

海涛说：您一开车接我妈肯定不让。接着海涛眼圈就红了……他告诉梁国辉，我爸爸要是再喝下去，我们家就该家破人亡了……

晚上回家，国华见刘彪没回来，问孩子把你爸弄哪儿去了。

孩子说在医院，戒酒。

国华拿起电话就打给梁国辉，梁国辉在电话里想劝姐姐，国华把电话挂了。

国华泼着命地跟孩子急了，骂儿子太狠了把亲爹送那种地方。病弱的女人拖着墩布把满院子追打着懂事的孩子。孩子跑了几步，不跑了，任母亲打。

打不动了，母亲抱着儿子放声痛哭……

国华带着海涛来了，非要把刘彪接出院不可，不管梁国辉和唐慧娟怎么劝，都不能改变国华接走刘彪的决心。她的道理简单，我们家刘彪不就是好几口酒喝吗？跟精神病有什么关系！她愿意养着他，也不愿意他在这种地方受罪，不愿意让人把他当精神病。

再劝，国华就要跟梁国辉翻脸：别再说了，再拿你姐夫当精神病，别说我跟你翻脸。

梁国辉也急：我的亲姐姐，我姐夫不是精神病，他是酒精依赖，他必须在这种专业的地方专业地把酒戒掉！你这样不是护着他，你这是毁他！

梁国华说：我跟他过了这么多年，我知道怎么照顾他。

国华让海涛背着刘彪走。海涛背着爸爸来的，又背着爸爸走了……

梁国辉看见，海涛走的时候，眼睛里还是有泪光，甚至他看着梁国辉的瞬间，眼睛里带着祈求……

李长江的生活也不轻松。

白晓燕得了抑郁症，李长江在生活中变得更小心了，尽量哄着宠着白晓燕。白晓燕也偶尔在李长江面前表现得快乐，但是李长江知道白晓燕是装的。他觉得白晓燕在他面前在演戏，演快乐……这种感觉让李长江很崩溃。

白晓燕在梁国辉的"治疗"下，看似恢复了正常，甚至变得很快乐。但她在精神上无比依赖梁国辉。梁国辉除了不跟她住在一起之外，简直成了白晓燕精神上最为信任的男人。

白晓燕有事没事甚至都愿意给梁国辉打个电话，或者到医院去找梁国辉，把自己心里的想法说给梁国辉听。其实梁国辉不知道是多少病人的垃圾筒。

可回了家，白晓燕就是不搭理李长江，她把李长江变成了一个可有可无的摆设……李长江几经犹豫决定终止治疗，他跟梁国辉说了句真心话，"哥们，我只有晚上和晓燕睡一张床的时候，是她丈夫，剩下的时间，我是真分不清到底谁是她男人……"

梁国辉问：什么意思啊？别说你在吃一个精神科医生的醋？！治疗绝不能停，我也不能跟白晓燕玩儿消失。

李长江道：可是她总不能这样吧，跟你在一起就正常，跟我在一起就不正常……国辉，你能不能试试，就试试，给晓燕换个大夫。

白晓燕再约梁国辉的门诊，梁国辉不接诊了。得到的答复都是梁国辉在开会，或者梁国辉外出办事之类。

但梁国辉的"消失"让白晓燕感到内心顿然失去了支点，她接受不了，无论李长江怎么做，她都觉得比之前更加无助和孤单，甚至觉得恨李长江……所以，李长江越是鼓励，她就越是排斥。她在李长江面前，别说演快乐，她在李长江面前干脆失语了。

梁国辉在白晓燕心里占据如此重要的位置，李长江不舒服了。他不明白，为什么梁国辉说什么白晓燕都信，可自己说什么白晓燕都不信。人得了抑郁症就得这么偏执啊？

梁国辉送李长江出来碰见了华硕。华硕淡淡地跟李长江打了招呼，问了一下白晓燕的病情，就走了。

梁国辉和华硕一点儿亲热的表示也没有。

李长江奇怪，说你们俩还没开始第二春啊？

梁国辉说：没有。

李长江说：奇怪了，为什么啊？……噢，你跟郑洁是两口子的时候，你们俩纠结成那样儿，现在你自由了啊……

梁国辉说：……对啊，所以啊，我着什么急啊？

李长江说：你什么意思啊？

梁国辉说：我跟你说啊，长江，当我被郑洁捆着的时候，我眼里只有华硕，华硕头上戴着光环，华硕真是我在围城里能看见的太阳下唯一的花朵。

李长江说：现在她也还是花朵，啊！

梁国辉说：我也没说不是！但不是唯一的花朵。头上的光环也没了。

李长江说：噢，那时候华硕是太阳下唯一的花朵。现在你觉得太阳底下是花儿朵朵，朵朵还戴着光环，是吗？

梁国辉笑。

……我说句实话行吗？

说。

你这话说得有点儿道德败坏。

我这点儿道德败坏的话是替所有道德败坏的男人说的。……告诉你吧长江，我往自己的心灵深处使劲看了又看，这份儿德性，这份劣根性我真看得清清楚楚。有时候，特别是给全院开会的时候，我真觉得自己有点儿道貌岸然！……真挺讨厌的！……你觉得，我剖析自己的灵魂剖析得彻底吗？梁国辉问道。

李长江说：是批判地剖析吗？

梁国辉说：怎么讲？

李长江说：要是批判地剖析，你灵魂的黑暗面儿暴露完了，你一说我一听，说完了听完了，你还是跟华硕认真地谈谈情说说爱晃悠风花雪月几天结婚！……千万别去玩儿火！

梁国辉笑：怎么叫玩儿火啊？

李长江拍拍梁国辉的肩膀：兄弟，四十大几了！千万别把自己弄成爱情干柴，点儿火星都能把你烧成灰烬！那真不是爱情，是火灾！

梁国辉呵呵笑了：那还不兴让我过过嘴瘾吗？

白晓燕在单位找不到梁国辉，去家里找过。白晓燕不知道梁国辉和郑洁离婚了。郑洁现在的心情还算好，跟白晓燕聊天儿。白晓燕真跟郑洁说梁国辉怎么怎么好。

郑洁笑，梁国辉好，李长江不好啊？

白晓燕说，可我有好多话就是想跟国辉说。我也不知道为什么，就愿意跟他说，跟别人我都不愿意。

郑洁说，啊……我理解。白晓燕说，你真理解。你不生我气吧？郑洁说，不会不会不会，你不知道我们……白晓燕还问，你真不生气。郑洁说，真不生气。你找他，随便找。只要是对你有好处。国辉是大夫，你找他是应该的，找他，心理上千万别背包袱。

白晓燕有些不认识似地看着郑洁：郑洁，你真宽容啊！

郑洁拉着白晓燕的手，一脸的笑容：你是我好朋友，我不应该宽容啊？……我啊，我就是有一点不明白，晓燕，你多幸福啊，像你那样的日子过一天我都愿意，你怎么会抑郁啊？

白晓燕说：我也不明白，可我就是高兴不起来。白晓燕脸上的笑容没了。

郑洁忙哄白晓燕：晓燕，晓燕，高兴点儿啊，高兴点儿。

白晓燕说……不知道为什么，我现在找不着国辉了。我觉得，他好像有点儿躲着我。我以为，是你不高兴。

郑洁说，怎么可能啊？怎么可能是我不高兴！现在不高兴的肯定不是我！

那是……

是谁我就不知道了。晓燕，这是我的态度啊，我建议你一定要找梁国辉。他是专家，你不找他找谁啊！郑洁宽容得一塌糊涂，让白晓燕都不知道说什么了。

白晓燕说：郑洁，你真好！郑洁被夸出美好来了：人生本来挺美好的。晓燕，多想想美好的事。你要是愿意跟我聊天儿，就给我打电话。

白晓燕拥抱了郑洁。

梁国辉这时候在查房，在探看丁超，华硕作为丁超的主治医生，陪着。梁国辉跟丁超聊天儿，但是丁超脑子里的那个声音还是没有消失。

梁国辉一查完房，没有华硕的事了，华硕转身马上就要走。

梁国辉说：华硕。

华硕说：梁副院长。

梁国辉有几分失落：你没事儿老躲着我干吗呀？

华硕说：我？我没躲着你啊？我只是有点儿忙。华硕淡淡一笑，抛下梁国辉就走了。

连着好几天，梁国辉想找华硕都找不着。或者梁国辉想跟华硕说几句话，但是华硕不给机会。华硕就像是跟梁国辉玩猫捉老鼠。梁国辉被华硕逗着玩儿。

梁国辉追华硕到医生办公室。

梁国辉说：我有事要告诉你……

华硕停了：我也有事要告诉你。

梁国辉说：那你先说。

华硕说：你先说吧。

梁国辉说：我离婚了。

华硕愣了一下，好长时间看着梁国辉。梁国辉也看着华硕。华硕的脸上露出了笑容，接着哈哈大笑了。

梁国辉道：行啦，别幸灾乐祸，别人离婚你高兴成这样儿！

华硕还是笑，笑着笑着笑出眼泪了，接着笑就没了，就剩下眼泪了。

梁国辉一见华硕哭，温柔了，伸手给华硕擦眼泪：别哭。……我知道你受了好多委屈。

梁国辉还有好多柔情蜜意的话想说。

华硕道：该我说了。

梁国辉道：说吧。

华硕又笑了，又笑出了眼泪。

梁国辉道：说啊？别笑了！叫人听见。

华硕道：你还怕人听见啊？

梁国辉说：对了，现在不怕了。现在我离婚了，我跟谁在一块儿都是光明正大啊。我还怕人听吗？怕人说吗？我什么都不怕！……你说。

华硕忍着笑：我结婚了！

梁国辉一下就愣住了。

华硕看着梁国辉。梁国辉也看着华硕。华硕脸上的笑容就那么浮着……

这回轮到梁国辉笑了，伸手刮了一下华硕的鼻子：行啦臭丫头，别闹了。告诉我你开心吗？华硕笑：开心。

梁国辉上前拥抱华硕，脸上都是柔情了：我现在自由了。现在咱俩是一对一，你，跟我……

华硕往后一退，挣脱了梁国辉的怀抱。然后华硕又笑了。

梁国辉也笑。

华硕说：我很开心，但不是为你。……我真的结婚了。

梁国辉说：行啦别开玩笑了……

华硕说：我没开玩笑。

梁国辉看着华硕。华硕也看着梁国辉。

梁国辉又说：行啦……丫头片子还记仇……

华硕笑：记仇？我记什么仇啊？

梁国辉又说：上回……我说，让你……离我远点儿，我现在也觉得自己挺过分……

华硕说：……梁副院长，现在应该是你要离我远点儿！我结婚了，心情甜如蜜，没有五年之痒七年之痒！我不想看见背运的人，不想听见扫兴的事……万里晴空，现在我还不想看见云彩。

华硕走了。

梁国辉被晾在那儿了。

仿若重生，只是仿若而已！人生，有真正的重生那回事吗？想重生得先去死！死了重生在哪儿又谁都不知道了。

第20章　生活在继续

郑洁在医院上班，将近中午的时候，一个中年男人到医院来找郑洁……

郑洁抬头，奇怪地看着那个中年男人：要看病吗？那您应该去门诊。我这儿是……

中年男人笑了，露出洁白整齐的牙齿：你不认识我了？忘啦？

郑洁问：我见过你吗……

中年男人说：医生都是这么飞快地把病人忘掉吗？前几天我在大街上中暑……

郑洁愣了一下，接着恍然：哦，你呀！你没事了吧？

中年男人说：没事了。我是特意来道谢的。

郑洁说：道什么谢，应该的……

中年男人说：我可不这么认为。他把手中包装精美的礼品袋递给郑洁，说，一点儿谢意，别推辞。

郑洁忙说：不用不用不用……

中年男人说：我精心挑的，女人用的东西，你不用我可没处用啊。

郑洁愣了一下：送给您爱人，真的，我真的不用……

中年男人笑笑：我一个人。

郑洁说，哦。有几分意外，但又开心。

中年男人把东西放在郑洁的办公桌上：别让我把它退回商店，那可是件尴尬的事。

郑洁说：那我……谢谢啦。

中年男人跟郑洁握手：重新认识一下吧，我是您的病人，沈航。……我能请美丽的女大夫吃个便饭吗？

郑洁没拒绝沈航的邀请，为什么要拒绝呢？她现在是一个单身女人了。沈航开很高档、很好的车……

沈航在很高档很有情调的餐厅跟郑洁吃晚餐。这都是郑洁跟梁国辉在一起的时候没有过的。

沈航自我介绍在卫生局工作，爱人出了车祸，去世了。郑洁表现了同情。

沈航说，哦，好长时间了。不说她了。……

郑洁问，那么大热的天，你怎么会在街上走啊？走到中暑，为什么不开车啊？

沈航说：我不是在街上走中暑的，是家里空调坏了……在家里待着就不舒服，可能就已经中暑了，出来了也没觉得走多远就……亏得碰见你了。我一睁眼觉得看见了天使，没想到你还真是白衣天使。

郑洁笑：不敢当。

沈航说：冒昧地问一句……我五十一了，我得比你大几岁啊？

郑洁说：十岁。

接着郑洁告诉沈航他一点儿也不像五十岁的人，他看起来非常年轻。

沈航说可能因为我爱游泳。我是每天必游一个小时，雷打不动。郑洁说看来锻炼确实让人年轻。

沈航打量郑洁，笑了：你也很年轻。在我眼里你还是小姑娘。

郑洁的脸一下子就明亮了：不可能啊，我不年轻了……我状态多差啊，你看我眼角都是皱纹了，因为我刚离婚，我……

沈航笑了，他的脸也明亮了，说：是吗？那我就可以再接着请你吃饭了，也没人反对，是吗？

郑洁笑：应该是吧。

梁国辉和李长江也在高档的餐厅吃饭。

从心情上说梁国辉本来想飞扬一下的，但没飞扬起来，被华硕打压下去了。

李长江坚决不信华硕结婚了，再说就算是结婚了，为了真爱没准儿还豁出去离呢，肯定是华硕涮着梁国辉玩儿的。华硕啊，就是专门折磨梁国辉的一个妖精。

梁国辉说华硕骗他没道理，他和华硕盼星星盼月亮好不容易盼来了他的自由，华硕应该得多高兴啊。

李长江说拉倒吧。你盼星星盼月亮了吗？你没有，啊！你是为华硕离婚的吗？不是吧？你对华硕是想吃怕烫。离婚也不是你为了华硕斗争的结果，啊！严格地说，是郑洁把你给踹出来了，是不是啊？那你凭什么让华硕感恩戴德啊。

梁国辉说这说华硕呢，不说郑洁……前些天，我看华硕头上的光环没了。现在头上的光环又出来了。

李长江说：因为她是别人的老婆了。

……

李长江又说：再过些天，我估计你再看见郑洁的时候，郑洁头上的光环也出来了。因为，她早晚也是别人的老婆。

梁国辉说，我觉得咱俩像是哲学家。李长江说，不是你，啊，是我！我被你们逼着，变成了哲学家。梁国辉说，长江，我怎么办？我还是觉得我一脚踩空了。李长江说，不是郑洁，不是华硕，再找一个新的。就这么简单。

梁国辉说，这是那么简单的事吗？

郑洁回到家里打开了沈航送给她的礼物。里面是一套名贵的化妆品。

郑洁心花怒放，那样一套化妆品要八千多。以前，郑洁从来没有被人这样宠爱过。郑洁有点儿晕。

郑洁把化妆品涂在脸上，到了医院，真问年轻的小护士，觉得怎么样？我脸变嫩了吗？

整个医院的地盘要被开发商占掉的消息甚嚣尘上，医院里人心惶惶。好多医生开始想退路，甚至连跟梁国辉配合多年的护士长唐素珍也沉不住气了，跟梁国辉谈调动工作的事。

梁国辉一怒之下去卫生局了，去找卫生局局长。

卫生局局长正是沈航。沈航知道梁国辉是手下一家医院的副院长，并不知道他是郑洁的前夫。

沈航把医院搬迁的事推给了区建委。

梁国辉真生气了：我谁都不找，沈局长，你是现官，那你就得现管，我告诉你我这医院不搬，到时候你别说我带着全院的医生加上病人当钉子户，哎，我告诉你，我这可不是一般的钉子户，到时候我保证你乌纱不保，吃不了兜着走。

梁国辉真是带着一身的怒气回到医院。他去找朱院长通报了跟卫生局沈局长的谈话。朱院长让梁国辉对沈局长说话还是客气一点，毕竟他是上级，另外将来梁国辉升任院长，还需要沈局长点头。

梁国辉说：我还顾得上那么遥远的事啊？眼前咱们怎么办？拆迁？去遥远的郊区？还是跟别的医院合并？现在医院里都人心惶惶了。

朱院长说：……不行的话，我就去找一趟部里。

梁国辉说：找部里真得您亲自出马。

从朱院长那里出来，梁国辉碰见了华硕。梁国辉跟华硕讲了眼前医院的情况。

华硕说：梁院长辛苦。

梁国辉希望华硕支持工作，留下来好好工作。

华硕说放心吧梁副院长，我不会是第一个离开的。……但是我也未必是最后一个。

华硕转身要走。

梁国辉拉住了华硕。梁国辉问华硕，她真的结婚了？真爱那个意大利人啊？能有什么共同语言啊？他现在承受着医院拆迁的压力，离婚了，情感又失落，他真的需要华硕。

华硕说梁院长，千万别说你现在想跟我纠缠感情的事，这可不是你该干的。要走又停。

华硕说：你衣服都有味儿了，不会换啊？

梁国辉说：我没回家。我……不是离婚了吗？我也没家可回了。……衣服，我都没拿出来。

华硕说：……打个电话让你前妻帮你收拾一下不就行了吗？有那么复杂吗？

梁国辉说：我给她打电话你高兴啊？

华硕说：太可笑了！我有什么不高兴的，跟我有什么关系啊？

华硕扔下梁国辉走了。

梁国辉拿起电话，想给郑洁打电话，但是郑洁的电话占线……

郑洁这时候在跟沈航通电话，郑洁的脸上弥漫了笑容，像个小姑娘。电话里沈航约郑洁吃饭，郑洁答应了。

郑洁通完电话，看见梁国辉曾打过电话给她，把电话回给梁国辉。脸上的笑容没了，问梁国辉什么事，梁国辉说没什么事，就是帮着收拾几件衣服。

郑洁淡淡地说知道了，就把电话挂了。

可想而知梁国辉的失落。梁国辉觉得自己被人生搁浅了。

沈航再跟郑洁在一起吃饭，聊起了自己的情况，他有一个女儿，叫沈圆圆，现在在英国读大二。不怎么回国，圆圆很理解爸爸一个人在国内生活孤单，一直希望爸爸快点找一个阿姨，两个人互相照顾。

郑洁夸：这孩子真懂事。

沈航把手机上圆圆的照片给郑洁看。郑洁由衷地夸奖，真是个漂亮的姑娘。

沈航说：随她妈。

郑洁笑：……我很愿意听你讲讲圆圆的妈妈。只是希望你别伤心。

沈航说：……今天不讲，以后慢慢给你讲。他拉住郑洁的手说你愿意以后慢慢给你讲吗？

郑洁心里一甜，点了点头。沈航把郑洁的手抓在手心里把玩：你的手在发抖，为什么？

……我前夫是我初恋。

……是吗？那你前夫可是个幸福的人！他应该很在意你啊，你们怎么会……

……今天我也不讲，好吗？

不讲也好。以后也不要讲，讲多了我嫉妒。

郑洁笑。

沈航和郑洁从饭馆出来，碰见李长江和白晓燕了。

李长江惊讶地叫了一声：沈局长。

郑洁愣住了，望着沈航。

李长江赶上来跟沈航握手。李长江的态度那么亲热，恭敬，把郑洁闹懵了。

沈航说，你啊，小李，好长时间没见着你了。光忙着发财呢吧？

李长江说，不是不是，没有没有。天天都想着您呢。

李长江直看郑洁。郑洁有几分不安，但是很快又泰然了。

沈航说：介绍一下，这是郑洁，中心医院的……

李长江说：我们认识。我们是同班同学。

沈航笑：哟，那可是缘分。……你们忙啊，我和郑洁我们……

李长江说：您忙您忙。改天我请您坐坐，沈局长。

李长江和白晓燕走了。郑洁跟沈航生气了：你是什么局长啊？你怎么不告诉我啊？

沈航说：我……我头上的官重要吗？不重要吧？关键是我这个人，是不是啊？……我是为了你透过现象看本质，看我这人，不对吗？

郑洁其实心里是甜的：那你也不应该瞒着我。

沈航说：我承认错误，行吗？

回到家里的郑洁是幸福的郑洁，满面都是幸福的笑容。

梁思宇和梁老爷子看着郑洁都觉得奇怪。这世界上还有比满面笑容的郑洁更让人奇怪的事吗？他们都猜郑洁怎么了，但是当然谁都猜不出来。

白晓燕拒绝再去京剧院，但是不去京剧院，白晓燕在家里百无聊赖，就又处于抑郁中。李长江想带白晓燕旅游，白晓燕拒绝；想带白晓燕去公司上班，白晓燕也拒绝。不管李长江想带白晓燕干什么，白晓燕都拒绝。

白晓燕看人生成白开水了。

李长江再能忍，也有忍不下去的时候。李长江没处排解的郁闷，只能跟梁国辉说。

梁国辉告诉李长江，他能够教给他的还是只有一样东西：耐心。白晓燕现在也没跟他要别的，就要一样东西：耐心！

李长江说：我不是没耐心，我有。……可我还是怕，国辉，我怕她把我的耐心磨没了。

你爱她吗？

……

梁国辉说：我知道的啊，有卧床不起的，有失明的，有失语的，像我们医院那些病人，有能治好的，有永远治不好的……家里的人呢，有一开始就放弃的，有中间放弃的，有从头到尾不离不弃的……

李长江说：我没抛弃她的意思。可我怕有一天我烦。

梁国辉说：你也不是圣人。烦，我理解。可你要是不烦，哥们儿，我佩服你。……你不烦，晓燕才有救。因为除了你没别人可能有更大的耐心。他拍拍李长江肩膀：哥们儿，人生考验你呢。

李长江说：晓燕一抑郁，我跟你说啊，我的人生就剩下阴天了。

梁国辉说：你阴天，我也没晴天。哥们儿，扛着吧。

梁国辉回到医院，被门口保安叫住了。郑洁给梁国辉送来一包衣服。郑洁什么时候来的梁国辉不知道。他以为离了婚郑洁得多留恋他，没想到郑洁连个面儿都不见，梁国辉失落。

李长江除了做医疗器械生意之外，生活中就剩下一件事，跟白晓燕较劲。可白晓燕就是不理李长江。李长江终于怒了，他做了一个决定，他要清空白晓燕身边所有的"闲杂人等"，让白晓燕的世界里就只剩下他，看白晓燕还搭理不搭理他！

李长江真的这么做了，他先把白晓燕的手机号码更换了，新号码连梁国辉都没有告诉；接着，拿着白晓燕的病例去见了剧院领导，提出让白晓燕办理病退……顿时，剧院上下都知道白晓燕得了重度抑郁症，大家看待晓燕的态度全变了，就好像在看一个疯子。

这件事让白晓燕彻底绝望了。李长江则是做好了和白晓燕大吵一架的准备，至少吵架也是在说话啊，但左等右等，白晓燕始终都没有回来……李长江慌了。

白晓燕到单位去了，带着一种绝别的心情……

没想到的是，团长对她非常热情，让她手把手地教年轻的徒弟唱《贵妃醉酒》。白晓燕不知道，李长江提前去了剧团，跟团长打了招呼，让团长照顾一下白晓燕。并且答应，适当的时候再给团里一些赞助……

白晓燕重新扮上了，在镜子里，她又看到了一个美轮美奂的杨贵妃。一举手，一投足，都带着美，带着高贵……

她站在舞台的中央，给年轻的徒弟教唱，纠正唱腔，纠正眼神……年轻的徒弟跟她学着。

团长在台下看着。休息的时候，团长说，下次演出的时候，白晓燕还是演 A 角，徒弟演 B 角……

谁不想站在舞台的中央，谁不想是众星捧月的主角，年轻的徒弟出言不逊了，清晰地说了一句：神经病。

一下子排练场鸦雀无声。

紧接着团长暴跳如雷地跟徒弟急了……

白晓燕却不急不缓，不慌不忙，要团长别吵了。她说，您说的，世界上总要有人出生，有人死亡，总有新老交替，这是自然规律……应该的，给年轻人登台的机会……

李长江开着车漫无目的地寻找着白晓燕，最后，他只能把车开到医院去找梁国辉。当梁国辉知道李长江的一系列行为之后，他差点冲上去抽李长江，他深知这件事的严重性，这会诱发白晓燕的绝望，她很有可能因绝望而再次选择轻生！

李长江顿时腿软了，连滚带爬地冲出家门去找白晓燕。

李长江、梁国辉他们找到白晓燕的时候，白晓燕站在一个桥上，正准备跳下去，结束自己的生命。

李长江和梁国辉赶到场，这次就连梁国辉也无法劝阻住白晓燕了……在这种情况下，李长江站在了白晓燕的旁边，他告诉白晓燕，自己已经尽了最大的努力都不能找回她的心，那么剩下的就是和她一起死……只要她跳下去，他就会跟着跳下去。

白晓燕哭了。

梁国辉把白晓燕带到医院接受治疗……

李长江泪如雨下：晓燕，夫妻一场，夫妻一场啊……你要是念着我有一点点好，你能去死吗？这是一条不回头的路啊燕子……你怎么单挑这条绝路……在你心里，咱们夫妻之间的情分，难道真就一钱不值？

白晓燕沉默，不说话……

李长江说：晓燕，你能不能告诉我，到底是什么事压着你，叫你这么想不开，叫你心里漆黑一片，一丝光明都没有啊？……晓燕，学会倾诉，好不好？

白晓燕现在什么都听不进去，沉默得也像死亡一样了……

梁国辉决心以毒攻毒了，声音里一点温情都没有了：那好吧，白晓燕，如果你执意要死，那我就跟你谈谈死亡……很多人把死亡当成逃避现实痛苦的一个方式，当成解脱，但是你错了，自杀绝不是解脱的办法，因为你有灵魂，肉体虽然灭亡了，但你的灵魂在自杀后会体会千百倍的痛苦……现在有太多的精神科医生、心理医生发现，人死后有轮回……美国的一个医生对一个小姑娘催眠，那个小姑娘甚至能说出好几世的事情……晓燕，你现在自杀了，你以为就一了百了了吗？我告诉你绝对不是！你的灵魂不见得有比你活着时更好的下场！

白晓燕闭着眼睛，沉默，不说话……

梁国辉说：然后我再跟你谈谈你死了对活着的人意味着什么！……晓燕，你死了，意味着长江永远失去妻子，一个好好的家支离破碎！意味着你们京剧院失去了一个有经验的专家，你本来可以带出多少徒弟，意味着我梁国辉对你的治疗宣告失败，我梁国辉忙活了一辈子，最后连自己好朋友的老婆也救不了，那我算什么医生……

白晓燕沉默……

梁国辉说：我告诉你你绝对没有权利去死，一生一世，你活着，你有你活着的责任和义务，你没有死的资格！……我告诉你你必须活下去，我梁国辉就算是一辈子陪着，死拉硬拽，也得叫你活下去！人人在这个世界上有必须承受的苦和乐，你有什么资格逃跑？你没资格！你没有资格自我了结！

白晓燕就是不说话，眼泪滚滚……

梁国辉：我的话你听得进去，就听，听不进去，我翻来覆去再给你讲！我和长江从找到你到现在都没合过眼，我们谁也不是铁打的……再说我还有别的病人……我劝你死了自杀的念头，你自杀我再抢救，受罪的是你自己。……我会叫医生护士陪着你。长江，我们走。

夜晚的时候坐在灯下，白晓燕没有睡眠。她坦言不明白这样的人生有什么意义。人活着活着就老了，回头看一看其实什么也没有。

李长江说：你有过我。我爱过你，这中间有一个过程，我们相互陪伴，人生不就是这样的吗？

白晓燕说：我知道，那你告诉我这样有什么意义。

李长江说：我陪伴着你……

白晓燕说：我知道。……可这有什么意义？

李长江也黯然了：我知道你不但否定你自己，你还否定我。否定了咱们在一起的生活。你觉得没意义，那我还觉得有意义吗？

李长江见到梁国辉，真的心情沮丧。他没想到在白晓燕的心里，他什么都不是。如果在白晓燕的心里，他但凡占有一点位置，白晓燕能连点活着的盼头都没有吗？

梁国辉急了，你别往你身上扯，你也别把你往负面想，白晓燕是病人……她的抑郁，她对自己的贬低没有逻辑。你好好的瞎想什么啊？

李长江说，有一天他碰见郑洁了，和……

梁国辉说打住，长江，她现在有权利跟任何一个男人在一起。

你听都不想听啊？

不听。

李长江又问：那你跟华硕怎么样啊？

梁国辉说：她都结婚了，我还能怎么样？

那你有新的目标没有啊？

没有。

没有也挺好。没有一身轻松。

梁国辉警惕了：嫌白晓燕累人了？

李长江说：不是嫌，是本来就是！你觉得她不累人啊？兄弟，我现在羡慕你，没老婆真好。天底下最幸福的那个人就是你。

梁国辉说：知道什么叫饱汉不知饿汉饥吗？就是说你和我呢。

上了职高没有高考压力的梁思宇是一个飞扬的少年，什么都想试，脑子里的想法稀奇古怪，因为稀奇古怪所以就更快乐，当然偶尔免不了捅娄子……梁思宇在学校踢足球，不小心把同学的脚脖子铲骨裂了……

梁思宇没敢跟郑洁说，到医院去找梁国辉了。

梁国辉给梁思宇的同学联系了别的医院。给人治伤加上赔偿不是小数，梁国辉一个月的工资没了。

梁国辉处理完这些事嘱咐梁思宇小心，因为你不是一个孩子了，你得对你的行为负责任。

梁思宇说我知道。我不是成心的。

郑洁还是知道了这件事，郑洁去医院找梁国辉。商量关于孩子教育的事。

出现在梁国辉面前的郑洁确实是焕然一新的感觉。郑洁跟梁国辉说话也变客气了。说你帮着把梁思宇的事抹平，我理解。可是不能纵容，因为对梁思宇没好处。梁国辉说我教育他了，告诉他要对自己的行为负责任。……他也跟郑洁建议这事已经处理完了，让郑洁就别再回家唠叨梁思宇了，再唠叨梁思宇更会逆反。

郑洁说行吧，既然你都处理完了我就装不知道。……不过背着我你可千万别宠着他！他大了，已经不是需要宠爱的年龄了。他需要的是严加管教。

梁国辉说我知道。郑洁说你瞎答应，我知道你答应了也做不到，你对梁思宇什么时候严过。……做恶人的都是我。

一样的话，不过这回郑洁是笑着说的。

梁国辉也笑：行行行，以后我注意。我一定注意，行了吧？

这是关于孩子教育的问题上，两个人少有的这么有商有量。

谈完事郑洁就要走了。梁国辉送郑洁。梁国辉说你倒真是让我觉得有点儿意外，原来我还真怕，我怕你要是知道了得火暴成什么样啊？……现在一看还行。你好像变了。

郑洁说原来我的火气一半儿也是冲你的。现在冲你的火气没了，冲他的火气好像也没了。梁国辉说嗯，没想到，你恨我恨成那样儿。郑洁说现在不恨了。你跟我没关系了我就不恨你了。……你气色不好，别那么忙，吃点儿好吃的。梁国辉说嗯，行。郑洁说你的衣服太脏了，不知道洗啊？……我说你女朋友不管你啊？

梁国辉说我女朋友？……咳，她不是忙嘛？

郑洁说：她再忙比我还忙吗？慢慢儿你就知道八零后不靠谱儿了。

梁国辉说：……别说她坏话啊，又带醋味儿了。

郑洁说：……老天知道我带着醋味儿呐吗？我只不过是习惯性地说几句……以后这习惯我改，你跟我有什么关系啊？除了现在你还是我儿子他爸，别的什么都不是。……我走了。往后梁思宇有什么事儿咱俩通气儿。……可别再像这回似的瞒着我啊？

行。知道了。

梁国辉还要送郑洁……郑洁阻拦：别送了，让华硕看见不好。我可不愿意看见你们俩为了我吵架。

梁国辉笑：想让我说句实话吗？这一点华硕比你大气多了。

郑洁说：……大气？我不大气是因为我在乎。我不在乎了我比谁都大气。我现在见着她能平心静气跟她聊天儿，还能帮你们设计婚礼呢，你想试试吗？

梁国辉道：别，还是别试了，我就代她谢谢你了。

郑洁笑：你看，你不大气吧？

梁国辉笑：对，我不大气，你大气。……你呢，你怎么样？

郑洁道：我？挺好的。

梁国辉道：别留恋过去，往前看。你可不年轻了郑洁，早点儿找。

郑洁笑了：听得出来你挤对我！可我不生气！我还用找嘛？离开你就从天上掉下来了！在你眼里我不年轻了，可在别人眼里，我还是个小姑娘！我突然有了被命运宠爱的感觉！……这感觉，真棒！我走了，再见！

梁国辉看着郑洁走，一个袅袅婷婷清清纯纯的年轻女孩走向了梁国辉：请问，您是梁院长吗？

那女孩太亮眼，郑洁一下子就回头了。

梁国辉装着看不见郑洁，跟女孩热情地握手：我是梁国辉。你好你好！……又夸张地冲郑洁挥了挥手：郑洁你慢点儿开啊！

第21章 "婚"字有一半是发昏

那个女孩给梁国辉递上了名片：刘佳荫。梁院长多多指教。

梁国辉接过来一看：哟这名字好听。……房产公司的，肖天书派你来的？

刘佳荫笑：梁院长多指教。

梁国辉望着刘佳荫：美人计？

刘佳荫说：不是不是不是！梁院长您千万别那么想我！我脸都红了！您看我像使美人计的人吗？哪个公司都有做公关的，是不是啊？

梁国辉打量刘佳荫：身经百战还能这么一脸清纯，我以为是个传说，没想到是真的。……说吧美女，你打算怎么攻下我这关啊？

刘佳荫说：……我也不知道啊梁院长。肖总说，我的工作保得住保不住，就看梁院长给不给面子了。您不会砸我的饭碗吧？

梁国辉点头：美人计加上苦肉计。……我还想使个反间计。

刘佳荫说：梁院长……

梁国辉说：你呢，回去做肖天书的工作，让他放弃占我们医院这块儿地的计划。只要他放弃了，你工作要是没了，我这个副院长保你在我们医院有一份工作，只要你愿意来！……梁国辉灿烂地一笑，有几分揶揄地：美女，你看怎么样？

国华所在的副食店要跟大店合并，这个店撤销了。国华犹豫再三，决定自己把这店盘下来，因为离家近，可以照顾刘彪。

可国华怎么也拿不出这个本钱了。她几次徘徊在梁国辉家的楼下，想上去借钱，但又实在没有这个脸借钱……

梁山下楼买菜，看见了在楼下徘徊的国华。

梁国华见了父亲，还是什么都说不出口。梁山发现梁国华胳膊上有遗留的疤痕，他当时就急了，追问梁国华是不是刘彪打的？！……梁国华再三说不是。梁山本来就从来没看上过刘彪，现在一生气就说：这要是放在战争年代，我能拔枪就把刘彪毙了！

梁国华还是护着刘彪：毙了你闺女就守寡了。

梁山说：不听老人言，你一辈子都毁在这么一个人手里。

父女俩不欢而散。

梁国华回到家，迎接她的是兴奋的刘彪，刘彪把钱塞进了媳妇的怀里，自己怀里揣着的是一堆欠条。梁国华哭了，刘彪不喝酒真的是个好男人……

梁国华的副食品小店开张了，放了两挂鞭之后就迎来了上门客。梁国华的小店看上去挺红火，街坊四邻们就连买个酱油也到国华的店里去，那是因为大多都借给了他们钱，所以大多都采取赊账的态度……梁国华也说不出什么，这哪是"赊账"，这是逼他们"还账"呢。

刘彪倒是想的开，他安慰梁国华说，全当在街坊四邻那里做了"按揭"。

丁教授心里不管多么不乐意，他到底是爱孩子的父亲，他慢慢不得不承认，他儿子得了精神分裂症，而自己是一个不称职的父亲……他到了医院，去找梁国辉，了解孩子的病情，了解病理，想知道，为什么儿子脑子里会幻听，为什么会听到一种命令他自杀的声音……

梁国辉告诉丁教授，这是医学的一个未解之谜。人类爆发精神病的病理到底是什么，一直到目前为止，还是一个研究的课题……精神病科和神经病科是两回事，神经病科也许可以找到病灶，精神病科的病灶却不知道到哪里去找。人的精神活动也太高级了，它的起心动念都在无形之处，本身高深莫测，何况它错乱了……

丁教授最终点头了，说明白了，其实就像科学家想要知道宇宙的尽头一样，可宇宙无穷无尽那尽头到哪里去找……

丁教授和梁国辉终于对话了。

华硕还是丁超的主治医生，所以梁国辉接见丁教授，华硕也一直在场。

梁国辉的话让华硕感动，梁国辉说的话，华硕录了音。

丁教授也终于向梁国辉道歉，为他以前的无礼……他也向梁国辉表白，作为父亲的感受，儿子的降生给他的生命延续的感觉，以及爱之深责之切的心情和儿子对他深怀敌意时深深的失望……他也终于惭愧地求助于梁国辉，希望丁超认他这个父亲……

梁国辉安慰丁教授，人类本能之中的亲子之情是非常强大的，这一点丁超的心灵深处应该并没有忘记，他现在是病中，在黑暗中，总有那么一天，阳光会照彻心灵的，只是这需要时间……

丁教授说：你说得真好梁院长，像诗篇一样。

梁国辉笑：作诗我不会。作点儿小感动、小小不然的感动，呵呵，我会。

丁超躺在病床上，看着父母来看他……

他的脑子里仍然回荡着死亡的声音，同时，他也听见父亲向自己道歉。但是那个死亡的声音告诉他父亲是虚伪的。丁超告诉梁国辉，他不想见他，他想杀了我（指父亲）……丁教授听到这话伤心极了，默默地退出了病房……

梁国辉知道丁教授伤心，想安慰他。丁教授一改以前的焦躁，他说他有耐心，等着有一天儿子能重新认他这个父亲……就是希望那一天不要太远，希望是在他的有生之年……

丁师母听着，悄悄地掉泪了。

丁教授和丁师母变成了那种患难夫妻，全部的人生目标，就是能重新得到一个健康的儿子。

所谓的相濡以沫，可能前提是当灾难降临，亲人需要生死与共的时候……

送走了丁超父母，华硕问梁国辉关于丁超的治疗还有什么要指示的。梁国辉说暂时没有了。梁国辉问华硕录音干什么？

华硕说写丁超的治疗报告啊！她相信丁超有醒过来的一天。

梁国辉说：那我真得刮目相看。华大夫变得这么用心了。

华硕说：我本来就是用心的人。不然你会亲自带我吗？

梁国辉说：嗯，这话我爱听。

难得的谈话轻松。梁国辉想跟华硕谈谈情说说爱。但是华硕不谈，没什么好谈的。梁国辉拉住华硕，急了，难道以前华硕对他的感情都是假的吗？华硕说当然是真的。只不过没有持续性，做不到天长地久。

梁国辉说：怎么做不到啊，只要两个人愿意……

华硕说：你都离过婚了，还相信天长地久这么没边儿没沿儿的事儿啊？弱智吧？

梁国辉说：什么逻辑啊，人心里边坚信点儿什么东西，这叫弱智啊？这叫感动！怎么这也要我教你啊？

华硕说：人心都是肉长的，所以人心很善变。这也要我教你啊？

沈航和郑洁的相见是开心的。第三次见面，沈航又给郑洁带了礼物。沈航哄郑洁，真的就像哄小姑娘。郑洁都有点儿晕了：我有你说的那么好吗？

当然了。

郑洁怎么也不相信沈航谈吐文雅，年富力强，怎么会找她。

沈航说：我没找你啊，是夏天把你派来的。我一中暑，你就出现了。

郑洁说：可后来我转身走了啊，你要不是去医院找我……就是你找我。

沈航说：对对对，我找你！我找你你开心吗？

卫生局竟然同意了阳光医院搬迁到郊区的计划。梁国辉去了卫生局，真的不管是不是上下级，跟沈局长急了。

梁国辉跟沈航说的都是狠话。梁国辉说你以为你屁股底下就是简简单单地坐了一把椅子吗？沈局长，您不是！你这是一把官椅！什么叫官椅啊？就是您坐在这儿随随便便一句话，可能就让多少人因之受益，可也说不定因为您随随便便一句话，就让多少人倒霉遭殃流离失所！……咱们中国有句老话叫一世为官九世为牛您听说过吗？您要是没听说过我解释解释您加深印象！就是说一个当官的人，他拿国家俸禄，受万民拥戴，可他要是当官当得昧心，那他转世后得当九辈子牛来还天下苍生的债！

沈局长面沉似水：这不是我一个人的意见！这是组织研究开会讨论的结果，是集体决议。

梁国辉说：那来世就不是一头牛，是一群牛！……我真想现在就给这一群牛开个会，开个大会，趁着这身人皮还披着，干点儿人事儿！给自己留条后路！

沈局长说：你应该给自己留条后路。

梁国辉说：我就这么一个破副院长，当不当能怎么着！大不了我还回去当我的主治医！

梁国辉一筹莫展。他找到了肖天书，拿出了肖天书想向他行贿的谈话录音。

肖天书说：不会吧梁副院长，这么下三滥的方法你也使。

梁国辉说：是某下三滥的人逼着我干这么下三滥的事。

肖天书笑：这能证明什么呢？只能证明我行贿未遂。

梁国辉说：我相信你也是用这个办法对付了我的上级。也许还加上美人计。

肖天书说：空口无凭吧梁副院长？

梁国辉叹气：是啊，空口无凭。怎么办呢？现在我明白了，钉子户不完全是贬义词。我啊，我正式告诉你，我会带着我们医院全体病人员工当钉子户。这最牛的钉子户我当定了。

梁国辉在街上看见了意大利人托蒂，托蒂的身边换了另外的中国女孩，两个人在街上勾肩搭背，甜蜜亲吻，被梁国辉看见个正着……

梁国辉真的脑浆子要气炸了，上前抓住托蒂就打……托蒂告诉梁国辉，他根本就没跟华硕结婚，他跟华硕早就分手了……

梁国辉顿时愤怒变感激，拍着托蒂的肩膀说对不起对不起……

梁国辉返回医院找华硕。华硕正在照料丁超。

梁国辉说，当华硕和病人在一起的时候，她确实像一个天使。华硕说像什么啊？我不过是一个普通的大夫，做我该做的工作……而已。梁院长有什么指示吗？

梁国辉说：我把托蒂打了。

华硕一惊：你凭什么打他啊？

梁国辉说：……误会。他在街上泡女孩子，我以为他背叛你，就把他打了。

华硕哈哈大笑！

梁国辉道：你造成的！那个女孩子报警，警察差点儿把我抓走，差点儿造成不良的国际影响！幸亏托蒂求情。

华硕还笑……

梁国辉道：托蒂告诉我你们根本就没结婚。而是……你们俩分手了。

华硕沉默了。

梁国辉道：为什么骗我？

华硕不回避：为了拒绝。

梁国辉还问：为什么拒绝？

华硕道：以后告诉你。转身要走。

梁国辉拉住华硕：我不想再跟你猜哑谜了！我没有时间！一会儿我还一堆事儿呢！……他拉住华硕不撒手：为什么拒绝我？耍我呐？你觉得耍弄一个四十多岁的男人很好玩儿？你在这里面满足你的虚荣心，成就感？……报复的快感？是吗？

华硕不听指责，甩手就要走。

梁国辉拉住华硕……

华硕道：梁院长注意影响！

梁国辉反而抱住了华硕，说，什么影响！我喜欢你！我影响谁了？！接着温柔了，说，别闹了小姑娘，别闹了，只要我不是第三者我怎么着都行，别闹了……

华硕在梁国辉的怀抱里，终于渐渐安分了安静了，接着，回应了梁国辉的拥抱。

国华，并不会做生意。不知道上哪儿上货，所以上的货都贵，比别的小店贵。就是国华只赚一分两分的，邻居们还是觉得贵，说白了觉得黑，一来二去的，街坊们不来了……

国华不开张了，小店眼看着支撑不下去……

李大妈也不明白国华的东西怎么那么贵。问了才知道，国华是不懂。

于是李大妈生拉着别的开小杂货铺的老板生教国华做生意。上哪儿上什么货，什么货加多少钱，都是现学……

没有不开张的油盐店。国华的店，慢慢的，还是开张了，还是慢慢有了盈余……

但是国华的店里不卖酒。因为怕刘彪喝。刘彪在自家的店里找不着酒，就找钱。找着钱了就上别的店买酒喝。喝完了就挑衅闹事去了……

国华离不开店，海涛放学了来帮忙。国华支使孩子的永远一句话：去找找你爸。

终于，刘彪怒了。喝不着酒，刘彪把店里的货都搬出来扔大街上了，要钱，要酒……

海涛放学的时候，刘彪已经把自家的店亲手砸了……国华也受了轻伤……

国华坐在门边的地上绝望地哭……

海涛有一天终于绷不住了：妈，你就打算让我爸这么喝下去啊？万一有一天他喝死了呢？

一句话，把国华点醒了。

国华是在这种情况下再度出现在精神病院的。她问梁国辉，能不能把刘彪收了，住院的钱能不能也跟零存整取似的，她天天往医院送……

梁国辉说：交给我了，姐。

国华摇头：我不用你们的钱，我不能给你添乱子，要那样郑洁该怎么看你啊？你们那日子就更没法过了……

梁国辉说：姐，我自己的钱。

国华说：那我也不用。……要那样我就把你姐夫送到别的地方。

梁国辉说：……我都说了是我自己的钱。

国华笑了一下：当了官儿，学着攒私房钱了？攒点儿对。不是我说郑洁，郑洁捏你捏得太死了。

梁国辉笑了一下：以后不这么说郑洁了姐……我跟郑洁离婚了。

国华一愣：……真的啊？……离了？接着就着急，说，怎么说离就离了？为什么离了？你们俩打归打也不能拿离婚闹着玩儿啊？……为什么啊？……为了那谁……你的那个学生……华什么啊？

梁国辉说：不是啊姐！别瞎猜。

国华说：那为什么啊？哪儿有过着过着两口子无缘无故就离的啊？气头儿上吧？肯定是郑洁得理不饶人。就她那脾气！……等她气儿消了，找找她，再和好，啊！

梁国辉说：怎么可能啊姐？

国华说：怎么不可能啊？又没人抱着你腿！……是不是有人抱着你腿啊？那个华硕啊？

梁国辉皱眉头：姐！

国华说：姐为你好。我跟你说啊，郑洁一千个不好一万个不好，郑洁一点好，郑洁是居家过日子的，那个华硕可不是！……你能指望华硕照顾爸？照顾思宇吗？

梁国辉说：姐，他们可还都不知道呢。

国华说：你看，你都怕他们知道！国辉，看别的我看不出来，看过日子我眼准，还回去找郑洁去！啊？

梁国辉不言语。

国华又拉梁国辉：啊？

梁国辉说：行了姐，不说我了，还是说我姐夫吧。

国华神情黯淡了，紧接着就泪花闪闪：国辉，你姐夫靠你了。

国华含着眼泪看着刘彪喝酒。海涛也在一旁静静地等着。

一家三口难得在一起吃饭，又有酒喝，而且是国华小声劝着慢慢喝，一边给他倒酒。刘彪高兴，喝得心满意足。喝着喝着，刘彪倒桌上，睡了，这是唯——一次刘彪没闹酒……

海涛把刘彪背上了静静等在胡同口的救护车……

国华是含着泪嘱咐梁国辉的：对你姐夫耐心点儿，他不喝酒是个好人。

梁国辉说你放心。

刘彪再醒来的时候，已经在精神病院里了。觉得身子沉，不知道是酒喝多了，还是医生给打了什么针……他面对的是梁国辉和华硕。

郑洁的病房里转进了一个重症监护病人高星，他是一个外地的企业家，四十多岁，身家过亿，正是事业人生热火朝天的时候，却倒下了，癌症……

在他清醒的时候，他跟郑洁有一次谈话，当然，作为病人，他没有别的乞求，他希望的是不惜代价，让医生救他的命，他有的是钱……

他跟郑洁说：郑大夫，我想活下去。

郑洁说：我知道。我尽力帮助你。

他说：我不惜一切代价，不怕花钱……

郑洁说我知道。他说我还有好多事想做没做。郑洁又说我知道。

病人最后跟郑洁还是就说这一句话：我想活下去。

每一次郑洁见到他，都能从他的眼睛里看到对生命的乞求……

郑洁能感觉到他尽力想康复，他全部的意志是活下去，但是事实上他身体里的癌细胞每天都在扩散……

国华知道梁国辉离婚了，觉得自己应该照顾他，来医院给梁国辉送吃的。看到了跟华硕一起吃食堂的梁国辉。

国华跟华硕说怎么能天天吃这个啊？

华硕说怎么了？全院的医生护士都天天吃这个，怎么了？

国华觉得华硕不会照顾人。

梁国辉息事宁人：姐！姐！我自己照顾自己！

国华说：那要老婆干什么啊？

梁国辉说：……快乐啊，姐，你没发现我挺快乐的吗？

国华说：……新鲜！

梁国辉说：啊？

国华说：你也就新鲜几天吧，新鲜劲儿过去了……她照顾得了你吗？她会做饭吗？会收拾屋子吗？她能照顾老爷子吗？还有思宇……

梁国辉说：……姐，姐，你想得真多！你不管我的事，啊！

国华说：还不让我说！鬼迷心窍了你啊！

国华跟梁国辉说刘彪住院期间，不让华硕掺和。梁国辉问为什么。

国华说我不愿意她碰你姐夫。梁国辉说姐你太片面了吧？华硕又没得罪你。国华说没有她郑洁你们俩离不了……梁国辉说我跟郑洁我们俩不是为了她离的。国华说那为谁离的？梁国辉说谁也不为……是我们俩自己有问题。

国华问道：有问题就离婚啊？

梁国辉给问住了：……我们也不想离来着，可是……

国华道：离了。

梁国辉道：那跟华硕也没关系。

国华道：就算没百分之百的关系，百分之十有吧？……怎么叫没关系。

梁国辉没话说了。

国华又说：这些年轻的丫头！……就仗着她们年轻！除了年轻有什么？我就想问她们的妈怎么教育他们来着！

梁国辉说：……姐，姐，姐！你不了解华硕。时间长了你就知道了……

国华轴起来了：时间多长我也知道没她你跟郑洁离不了。

梁国辉皱眉头：姐！

国华不情愿地说：行，我不让你为难。……那我不招她，她也不招我。这行吧？

沈航再约郑洁，把郑洁约到家里去了，看他的房子。他的房子确实挺大的，也挺豪华。

沈航和郑洁在家里喝红酒，烛光，鲜花，这都是郑洁梦寐以求的。

沈航在郑洁的面前滔滔不绝，体贴入微。沈航抱住了郑洁，郑洁眩晕……沈航问郑洁两个人在一起感觉好不好。郑洁说好。沈航说要是感觉好，咱们结婚吧？

郑洁都惊着了，闪婚啊？……我，我不是一个前卫的人啊。

沈航说：我都五十岁的人了，还打持久战啊？……他抱住郑洁说，先结婚，然后，咱们用后半辈子谈恋爱。

郑洁说：……让我想想。

郑洁跟别人都不能商量，只能跟郑浩商量。郑浩一听说还有什么可商量的啊？我这么跟你说得了妹妹，这算是天上掉馅儿饼砸着你了。哎哟，肯定是因为你天天治病救人，老天给你这么一个好报。只要他不是贪官，将来没有监狱等着他……

郑洁说：哥你能不这么咒人家吗？

郑浩说：那还有什么可犹豫的啊？

郑洁说：可我们才认识没多长时间。就见了四次面。

郑浩说：恋爱结婚什么模式都有。过去相亲的，还有相一面第二面就洞房花烛的呢，倒比现在挑花了眼的天长地久。……我跟你说吧郑洁，这沈局长发什么昏呢我也不知道，可道理是这样，男女在一块，要不是有几分发昏的感觉，谁吃饱了撑的奔结婚去啊？……对了，除非他身体有病，急着找一个保姆。

郑浩说：他身体好着那，他每天游泳一个小时！

郑浩说：亲妹，那还有什么犹豫的啊？赶紧，过这村儿没这店儿。

郑洁犹豫：可我怎么突然觉得我有点儿对不起梁国辉。

郑浩说：哎哟我的亲妹子……你跟他离了没有？

郑洁说：离了。

郑浩说：还打算复婚吗？

郑洁摇头：那我干吗离啊。

郑浩说：那就完了嘛。你跟他没责任没义务！亲妹，千万别再频频回首，梁国辉过去了。好好憧憬未来……这沈局长，才是你未来的靠山！这还用我教你啊？

郑洁笑了，脸上是对未来向往的憧憬的笑容……

此时郑洁的脸非常迷人。

郑浩说：妹妹！我说句由衷的话吧，哥哥没想到你迎来这么美好的第二春！

梁国辉也正第二春着呢。梁国辉离婚了，这事医院里渐渐都知道了。梁国辉跟华硕相处，病人们开始起哄了：老大，什么时候跟华大夫洞房花烛啊？

朱院长也知道梁国辉和华硕的事。朱院长问梁国辉，他真想跟华硕共度余生吗？

梁国辉本能地回答：当然了。我不是随便的人，朱院长。

朱院长看着梁国辉，意味深长：慎重。

梁国辉还真给问住了。他想跟华硕共度余生吗？他也问华硕，她想跟他共度余生吗？还是玩玩儿而已。

华硕永远不正面回答：玩玩儿而已？……一个小老头儿，你有什么好玩儿的？

梁国辉说：在你眼里我都是小老头儿了？你在乎不在乎我比你大十七岁？

华硕说：真爱是跨越时间的。

话说得叫人感动。

梁国辉抱住华硕：你真舍得把你大好的青春交给我啊？

华硕说：舍得。

恋爱是叫人感动的。

梁国辉到商店去买染发剂，躲到医生办公室把鬓角边出来的白头发染黑。以缩小跟华硕年龄上的距离感。

华硕给梁国辉买回来的衣服，也是牛仔裤上带着磨破的边那种街头潮人穿的。

梁国辉看着真直皱眉头：你觉得这是我穿的衣服吗？

华硕说：试试。

梁国辉试了，真觉得自己很怪异。

李长江也觉得梁国辉怪异：找个小女朋友，至于的就让自己这么找不着北吗？

梁国辉在很多事上要纠正华硕。华硕说你怎么看我处处不顺眼啊？什么意思啊？梁国辉说我是为了长远的未来，咱们不得磨合啊？

不可避免的，梁国辉和华硕的爱情，从感官愉悦走向烟熏火燎的具体细节。这一点上，谁也不能免俗。

华硕从问梁国辉吃什么开始。中午，晚上，都要问。

梁国辉总是说你看着办。

华硕问：那你到底想吃什么啊？

梁国辉说：我不知道食堂都有什么啊，真的你看着办吧。

华硕说：梁副院长，你能屈尊到食堂去看看吗？

梁国辉说：你不高兴了？

华硕说：没不高兴。

梁国辉说：行，我跟你去食堂。

到了食堂，梁国辉和华硕坐在一起吃饭，医生护士们都免不了打招呼，打趣，问他们俩什么时候结婚。

梁国辉觉得，食堂不能再来了。华硕问为什么。梁国辉说因为好多问题我无法回答。

那你就一直不来食堂了？

嗯。

那你吃饭怎么办？

梁国辉给问住了。

梁国辉试试探探：咱们买回去吃，不行啊？……你不买，我买也行。

华硕说：那得逃避到什么时候啊？

梁国辉说：到咱们能结婚的时候。

华硕说：万一咱们不结呢？

梁国辉说：……不结？……咱们不是奔着结婚去的啊？

华硕说：咱们相处，结果是两个，可能结婚，可能不结婚。要是连选择都没有，只有结婚一种可能，那咱们明天就领证结婚不就完了吗？

梁国辉说：你有这个勇气吗？

华硕说：没有。

梁国辉说：我也没有。

在没有外部矛盾的情况下，内部矛盾就渐渐浮出水面。人生是不消停的。

第22章 前 夫

  梁国辉开着车在路上。路被人拿树杈堵了。梁国辉下车察看路况，结果，被人围住了，打了。

  梁国辉身上伤痕累累。

  梁国辉清醒过来，摸到了手机，在血肉模糊中打电话，他并不知道打通的电话是谁的……

  通了的电话是郑洁。

  梁国辉只说了一句，救救我。

  郑洁在家里，脸上是面膜。郑洁没当回事：你是谁啊？

  梁国辉说：是我。郑洁，救救我。

  郑洁愣住了：……你怎么了？你在哪儿？

  救护车呼啸着穿过了城市的街道，郑洁在急救车上一边察看梁国辉的伤一边给急诊室打电话。

  被送到中心医院急诊室的梁国辉身上都是伤。郑洁一下子就急了：谁这么害你啊？啊？

  梁国辉嘴伤了，没法回答郑洁。

  好在检察的结果，梁国辉都是外伤。外伤的伤口，梁国辉缝了一百二十多针。

  郑洁真的哭了：谁冲你下这黑手啊？

  郑洁给李长江打了电话。略一犹豫，郑洁也打电话给华硕。

  郑洁告诉华硕，梁国辉被人打了，伤很重，希望华硕照顾他。

  华硕一下子就傻了：……他在哪儿？

  郑洁说：在我这儿。

  华硕吃醋了：他为什么在你那儿啊？

  郑洁说：因为我这儿是医院。

  华硕说：全市那么多医院怎么偏偏在你那儿啊？……你怎么比我还先知道啊？

  郑洁生气：他受伤了！谁先知道谁后知道这重要吗？当初他得绝症还是你先

知道的呢!

郑洁不等华硕说话,把电话挂了。

华硕赶到梁国辉身边……华硕同时见到了李长江和郑洁,这场景似曾相识,带几分滑稽。

一见梁国辉身上的伤,华硕哭了。李长江警告华硕:千万别跟上次似的,一见他身受重伤,就说你爱他。他现在可受不了双重打击。

华硕说:在他身受重伤的时候,我觉得我是天使,所以我说我爱他。

李长江说:对,等他清醒以后就说你结婚了,那时候你就是妖怪。

郑洁过来了……

华硕拉拉李长江:别当她面儿训我。

李长江意犹未尽:八零后都你这样儿吗?

郑洁把梁国辉扔给华硕:他交给你了,你好好照顾他吧。

郑洁要走。

华硕说:哎……大姐……

郑洁说:你不叫我阿姨了?你还是接着叫我阿姨吧……

华硕:对不起啊,我不是成心刺激您……你要走了?不照顾他了?

郑洁说:我不愿意在这儿当第三者。

气氛一僵。

郑洁略缓和地说:咱俩不是已经交接班了吗?刚不是说了吗,交给你了?你在这儿听听医嘱,该怎么照顾怎么照顾。

华硕叫板:放心大姐!我也是医生。我懂!

郑洁说:……长江我上班去了。

郑洁走了。

剩下华硕和李长江。

李长江说:华硕,郑洁走了……国辉可就托付给你了。

华硕点头。

李长江又说:华硕,我是说把国辉托付给你了。"托付"两个字说得很重。

华硕心里一震,看着李长江。李长江说我说句实话啊华硕,我真有点儿不放心,你肩膀上挑得起"托付"这俩字儿吗?华硕说我长得像那么不负责任吗?

李长江说:不知道。……换个说法,短时间,一天两天十天八天的,可能行,往长远里说,我不知道。

华硕嘲笑道：长远？！梁老师和郑洁老师当初海誓山盟过吧？他们长远了吗？跟你们比，我不过是不发誓赌咒而已。说白了，情商得低成什么样儿才相信发誓赌咒啊？

李长江反倒给噎住了。

梁国辉醒来时叫的是郑洁，睁眼看见的是华硕。梁国辉太尴尬了，明明记得原来是郑洁救的他，可现在眼前是华硕。华硕拉着梁国辉的手，天使一样坐在床边。

华硕告诉梁国辉：郑洁姐姐走了，现在我照顾你。

梁国辉道：哦。

华硕问：失望吗？要是失望我再叫她回来。

梁国辉说：不用不用。她挺忙的，让她忙。……你怎么来了？

华硕一笑：我？我是你受难时的天使。

梁国辉想笑，但一笑嘴疼……

华硕说：你不许笑。

梁国辉说：你啊？半是天使……半是妖。

华硕说：现在我是天使。

华硕不笑了，看着梁国辉，好久，像看一个英雄，直看到泪光闪闪。

华硕说：是为了医院拆迁的事，是不是？是房地产商干的？

梁国辉摇头：没有证据。

华硕说：……肯定是他们干的。除了他们，你得罪谁了？

梁国辉摇头。

华硕摸着梁国辉头上的伤：疼吗？

梁国辉说：还行。能忍。

华硕珠泪滚滚：你都是为了这个医院。……你是咱们医院的英雄。

梁国辉说：别哭。

华硕反而扑在梁国辉身上，抱着梁国辉哭……

梁国辉叫：哎哟别碰我……

华硕赶快起身……

梁国辉说：我一身的伤。千万别碰我。疼！

华硕说：……他们也太狠了。你报案了吗？

梁国辉摇头。

华硕问：为什么不报案？

梁国辉说：报案有什么用？警察上哪儿找人去。

华硕说：那也得报案啊，要不然要警察干什么用？

华硕拿起手机就报110。

郑洁忙里偷闲，赶过去看梁国辉的时候，华硕还在，警察也在。

郑洁调头又回去了。

华硕去找郑洁，跟郑洁说谢谢，其实是叫板。华硕说谢谢郑洁的安排，那么快给梁国辉安排了病房和主治医生。郑洁说应该的，好在都是外伤，没伤着骨头，观察两天就可以出院了。华硕说我们听主治医的。

"我们"两个字说得很重。

然后两个人就没话了。

华硕说：天热了，梁老师躺在那儿一定很难受，我去给他擦一下身体。说完了特意看了一眼郑洁的反应。

郑洁心里不舒服，脸上什么都没有：我这就下班了，有什么要帮忙的就找周大夫，我都打过招呼了。郑洁淡淡地说完，转身进了医生办公室。

华硕护理梁国辉真的很周到，真拿梁国辉当重病号一样照顾，这时候的华硕，真是个天使。

主治医周大夫跟梁国辉认识。知道梁国辉是郑洁的前夫。看见华硕这样照顾梁国辉，赶快就回避。梁国辉不好意思，让华硕不用那么照顾自己，让人看见多不好。华硕才不管：怕他们复述给你前妻啊？

梁国辉说：说什么啊？

华硕对梁国辉的好绝对是要表演给人看的，哪怕郑洁没亲眼看见。

郑洁和沈航见面。郑洁答应了沈航的求婚。

郑洁来看梁国辉。梁国辉一见郑洁，说的全都是感激的话，给郑洁添麻烦了。

郑洁说：说的都是废话。嘴不疼了吧你？

梁国辉说：我说的是真心的话。你看咱们都离了，我还这么给你添麻烦，多不好。……我不是成心给你打电话，是血把眼睛糊住了，我也是蒙着按的，蒙谁是谁……没想到还是你。看起来……

郑洁打断：回头你把我的电话从你手机里删了，以后就不会拨错了。

梁国辉一凉：删了？

郑洁说：删了呗。省得以后华硕也误会。

梁国辉说：那不能删。咱俩也不能老死不相往来啊，咱俩还有儿子呢……儿子这些天还乖吧？

郑洁说：等你好了，你回去住几天。

梁国辉说：你呢？

郑洁说：我住医院。

梁国辉说：……也是啊，咱俩再在一块住生活作风就有问题了。

郑洁说：……别把话往回拐，别说你后悔了。

梁国辉说：……我怎么会后悔啊！新生活刚刚开始，我要不是受了伤……

郑洁说：你跟华硕什么时候结婚啊？

梁国辉说：……结婚？我这不是受伤了嘛……

郑洁说：你这点儿伤，半个月后你想结婚就能结。

梁国辉说：那太仓促了。……我不能那么草率地对待婚礼，咱们结婚的时候就太草率了，华硕说想要一个草地婚礼……

郑洁没回答，想到别的，笑了。那么甜蜜的笑容。

梁国辉愣了：你笑什么啊？

郑洁说：我想告诉你一声，我也要结婚了。

梁国辉又一呆：你？……跟谁啊？

郑洁说：……到时候你就知道了。你说得对，咱们结婚的时候真是太草率了，就两家人凑到一块儿吃了一顿饭，一个见证的外人都没有。这辈子我都没穿过婚纱，这回我一定要穿婚纱，要一个排场一点儿的草地婚礼。

梁国辉都听傻了：郑洁，你不会吧？

郑洁说：郑洁为什么就不会啊？……你好好休息吧。有事叫华硕，别打扰我。

郑洁起身往外走。

梁国辉急了：哎，那你……跟谁啊？

郑洁没回答。

梁国辉急得把针管拔了，跑到郑洁的医生办公室找郑洁算账。

梁国辉说郑洁你太不靠谱了，你这么快就结婚了。你要不是在离婚前就认识外面的人你能这么快就结婚吗？你那时候天天抓我的小辫子你自己倒是埋藏挺深，郑洁你也太不仗义了吧？

郑洁都懒得搭理梁国辉，说：别说我要结婚你着急了。

梁国辉说：你结婚我祝福，可那是第二步的事。第一步咱俩得掰清楚这账，别让我一天到晚背着背叛你的黑锅，首先我没背叛你，其次你是不是背叛我了我还得问你呢！你一付受害者的姿态投入了别人的怀抱，可实际上……

郑洁打断：实际上我也是受害者的姿态！我跟他原来不认识，是离婚后才认识的！这一点对天对地对良心！谁跟你似的吃着碗里的看着盆里的还惦记锅里的！吃一占二眼观三！心里还惦记着四五六！

梁国辉说：我没那么贪，啊！跟华硕也是咱们离了婚才开始亲密接触的！……你倒要结婚了……

郑洁说：我结婚不成吗？你别告诉我你现在还想占着我……

梁国辉说：没这想法！真没这想法！我只是想说，我不相信你们是离婚后才认识的，你冒犯了一个男人的尊严！我还想说，从现在起我对你的歉疚烟消云散了！

郑洁说：我能拿着你的歉疚陪我过后半辈子啊？拉倒吧，一钱不值！然后我也跟你再说一遍，我和沈航是咱们离婚后认识的，信不信是你的事儿！

梁国辉说：你不觉得你结婚结得太快了吗？

郑洁说：我们闪婚，不成吗？

郑洁不理梁国辉，收拾东西要走。

梁国辉再拦郑洁：等等！

郑洁说：我说你有完没完？

梁国辉说：你刚说你跟谁结婚？

郑洁说：……沈航。

梁国辉说：他在哪儿工作？

郑洁说：咱们一个系统的，卫生局。

梁国辉说：卫生局局长沈航？

郑洁不无骄傲，真觉得彻底把梁国辉灭了：我就认识那么一个沈航。

郑洁走了。

梁国辉急了，不在医院住下去了。消炎针还没打完，还有炎症呢，就一定要出院。

郑洁拦都拦不住。华硕也拦不住。

华硕感受到了梁国辉对郑洁的愤怒，可不知道是为什么。但梁国辉对郑洁有愤怒，华硕暗暗开心。华硕挑衅地问郑洁梁老师为什么这么生气？

郑洁说因为他生气，所以生气。华硕说我还是想知道为什么……郑洁说我有必要告诉你吗？华硕说，说实话，我没兴趣打听你们之间的小隐私！我想说你可以不顾他的心情，可你不能不顾忌他的伤情！你是一个大夫，因为什么你都不应该激怒一个病……

郑洁说：他吃醋了。

华硕说：为什么？

郑洁说：因为我要结婚了。郑洁转身就走。

华硕愣住了。

两个女人的较量，郑洁略胜一筹。

华硕果然就不高兴了，问梁国辉：因为郑大姐要结婚了，你连伤都不治了啊？这说明她还在你的心灵深处，还占据着很重要的位置，是不是啊？

梁国辉不让步：你想去一趟我的灵魂深处，把她挖出来吗？

华硕沉默。

梁国辉说：我不舒服，我想一个人待会儿。

华硕没离梁国辉左右，但是华硕委屈。一委屈眼圈就红了，掉眼泪了。

梁国辉不耐烦：你哭什么啊？

华硕说：……我算什么啊？

梁国辉不能不哄华硕了。

梁国辉顶着伤回医院，住院医生休息室。全院的医生惊讶。

朱院长都跟梁国辉急了：这么重的伤不住院怎么行啊？

梁国辉说：我行。我现在身上的伤有点儿苦肉计的作用，有利于保卫咱们医院。不是我想使苦肉计，是他们把我逼成苦肉计了。

梁国辉带着一身的伤，发动全院联合签字，然后把这签字递给国务院。梁国辉说我就不信，人做事天看着。现在这事儿都成这样了，老天还看得下去！

这件事梁国辉做得非常壮烈！梁国辉一身的伤，人心都是肉长的，当然是一呼百应！

华硕看着梁国辉做这件轰轰烈烈的事，看着看着眼睛就热烈了。二十多岁的女孩子，迷恋轰轰烈烈的梁国辉。

有一天医院里来了一对中年夫妻，南方人，梁国辉以为是病人，实际上是华硕的父母。

华硕的父母比梁国辉大不了几岁，梁国辉本来管人家叫的是大哥大姐，一听是华硕的父母，都不知道该怎么称呼了。还是华硕的爸，说就叫同志吧。华硕说干吗叫同志，起码也得叫叔叔阿姨吧？

　　梁国辉尴尬。

　　华硕说他们到北京来办事，顺便到医院看看。

　　梁国辉当然知道，他们是来相亲的。

　　背着梁国辉，华硕的妈嫌梁国辉大了一点。华硕的爸说没事，不大那么多哪儿有那么大的成功，怎么可能管一个医院啊？这是小事吗难道？

　　华硕的妈说：他都四十三了，比华硕大十七岁呐！……这……等华硕四十三他都六十了。华硕六十的时候他都七十七了，华硕学医没为国家做贡献，都为他做贡献了。华硕就剩下照顾他了。

　　华硕说：我不在乎。

　　华硕的妈说：你懂什么啊？两口子之间多少事呢……不和谐……

　　华硕说：妈！

　　华硕不让父母管自己的事了。

　　临别时华硕父母跟梁国辉说了一堆托付的话，女儿就托付给他了之类的。

　　华硕的父母走了，梁国辉这才来得及责备华硕，她的父母来这事不该不跟他商量。华硕生气了，问是他们不该来吗？梁国辉说我是觉得……见他们见得早了点儿。华硕说知道，还不是时候，你还根本不想娶我。

　　梁国辉耐着性子说：……你想想我的处境，我刚离婚，这马上就……又跟你好了，全院对我什么看法啊？

　　华硕问：什么看法？

　　梁国辉沉默。

　　华硕说：你现在是不是一个人？

　　梁国辉说：是啊。

　　华硕说：我也是！说完了就挑衅地看着梁国辉。

　　梁国辉说：是！没错，你也是一个人我也是一个人，咱俩在一块儿合理合法谁也管不着。可是……小姑娘，我毕竟现在在副院长的位置上，全院盯着，毕竟我刚离婚，毕竟我比你大那么多岁，毕竟………我怕他们说三道四。

　　华硕说：三是什么四是什么？你怕他们说什么？说你……品德不好？

　　梁国辉不知道怎么回答。

　　华硕说：得了吧梁大叔，又不是评三好生。他们说又怎么了？

梁国辉还是说：……影响不好。

华硕真生气了：梁大叔，我郑重地提醒你一句，现在你是一个人，我也是一个人，我不是小三儿，你跟我谈恋爱正大光明，不存在影响不好！……如果你一定要找，请找别的借口！

梁国辉没话了。

华硕说：你要是实在觉得影响不好，那你可以选择不跟我好。咱俩现在就可以分手。

华硕转身就走……

年轻的女孩子多优越，可以想使性子就使性子。梁国辉不能不哄。

梁国辉解释，只是见华硕父母的时间不对。因为他还无法给华硕承诺。没别的意思。他还是喜欢华硕同志的，华硕同志是个好同志。

华硕说：我不信承诺，不信海誓山盟。

梁国辉说那你信什么啊？我四十多岁一个男人，不能光陪小姑娘谈恋爱，谈着玩儿吧。

华硕说：就玩儿，不行吗？

梁国辉说：当然不行。那我玩儿不起。

华硕说：不行你想怎么样？

结婚的话差点儿就脱口而出了。梁国辉急刹车。

医院的事一大堆，梁国辉不能不处理。

这时候郑洁忙着要走向幸福，要结婚了。郑洁打电话给梁国辉，要谈谈。

两个人在餐馆见面。

郑洁跟梁国辉商量，她必须把两个人已经离婚的事告诉梁思宇和梁老爷子，不然的话，她怎么结婚，怎么离家，怎么跟沈航走啊。再说了，跟沈航结了婚，思宇得跟沈航相处，她不能搞突然袭击，得让思宇有个适应的过程吧。

梁国辉挤对郑洁：还真的热火朝天要去当官太太啊？

郑洁说：少挤对我。商量正事呢，你看咱们什么时候回家跟老爷子和儿子说啊。

梁国辉说：你慎重。

郑洁说：我当然慎重。我不是跟你商量吗，咱们俩得回趟家。

梁国辉说：我不是说咱们俩，我是说你们俩，得慎重。

郑洁说：……又来了。

梁国辉说：你们俩不合适。

郑洁说：别说你又要拆台吧？这可不是你该干的事……

梁国辉说：你们俩确实不合适。他配不上你。

郑洁惊着了：他配不上我？……得了吧梁国辉，什么心态啊你？他除了比我大点儿，别的，哪儿配不上我？我配不上他！

梁国辉说：他配不上你！他这乌纱帽能保多长时间还不知道呢！万一他一撸到底，那惨起来还不如你当初的前夫呢。

郑洁说：听着我前夫心理真阴暗。

梁国辉说：你前夫真不是心理阴暗。

郑洁说：你连咒人家这种事都做得出来，这还不是心理阴暗！人家好好的，你凭什么说人家乌纱保不长，人家招你惹你了？

梁国辉说：凭我对他的判断。

郑洁说：你拉倒吧。你凭什么判断他！他判断你还差不多，他是你的上级！差了还不是一级！你不会说我嫁得好你心里不舒服吧？

梁国辉说：你嫁谁都行，我心里真不会不舒服！但是我总不能看着你跳火坑不告诉你吧？我啊，作为你前夫给你一个忠告。

郑洁说：那就谢谢前夫了！我懒得听！郑洁起身走了……

梁国辉看着郑洁的背影……郑洁走几步又回来了，又坐下了……

梁国辉说：跟我还有话说啊？

郑洁恼怒：我是跟你商量什么时候回家跟老爷子和思宇说，怎么说！

梁国辉说：你是打算跟他们说咱们离婚了，还是连你要结婚了也一起说？要不然我看这样，长痛不如短痛，让他们俩痛一回得了。

郑洁说：损吧你就！你想给儿子造成一个印象，他妈刚离婚就结婚了……让他恨他妈。

梁国辉说：事实不是这样吗？他妈离婚都没三个月就要结婚了！……你啊不是我说你郑洁，你不够勇敢！你完全可以再勇敢点儿，用他们八零后的话说再飞一点儿！就结婚了，跟谁都不打招呼，怎么着啊？天能掉下来啊？梁思宇还至于哭死啊？不至于！人生难得有一回半回的恣意妄为，你就恣意妄为一下，世界会原谅你的。

郑洁气得不知说什么：世界会原谅我的？！我想结婚跟世界有什么关系啊？我懒得再听你说了！

郑洁起身走了。

第23章　真的不是嫉妒

郑洁自己去约梁老爷子和梁思宇出来吃饭。郑洁本来想得很委婉，很迂回曲折……

但是兜了半天圈子，郑洁说不出口。

中途梁国辉来了。梁国辉说我估计你就说不出口，我来给你救场。

梁国辉把郑洁拉到一边儿说你真想好了？咱俩离婚领证都没事，一告诉他们咱们可就真不是一家人了。

郑洁眼睛一下就湿了。

梁国辉说你要是后悔就再缓缓，找个时间再约。

可郑洁下决心了：长痛不如短痛吧。

最终还是梁国辉说出来的，说我跟郑洁离婚了，跟你们打声招呼，但是离婚了我们还是好朋友，我们还会互相帮助……

郑洁说是啊我们还会一样的孝顺老人，教育思宇长大成人。

说完了梁国辉和郑洁看着老人和梁思宇。

老人抹抹嘴说我吃饱了。

梁思宇说我也吃饱了。

两个人起身就要走。

梁国辉说：爸，思宇，你们表个态啊？

老爷子说：表什么态啊？通知我们一声儿不就是走个形式吗？

梁思宇说：你们不是等着我们鼓掌吧？

一老一小走了。

梁国辉说我来本来想让他们表个态你就可以轻装前进了。不过现在你仍然可以轻装前进，心里不用背包袱，家里有我呢。

郑洁心里是复杂的，眼睛湿了。郑洁说我心里不好受。

梁国辉说没必要没必要，你完全可以把他们置之度外。你走向了幸福，他们早晚会理解，问题是你是不是真的走向了幸福。

郑洁停了，看着梁国辉：你真成！你一下子就把我的难受变成了斗志！梁国辉，我发现我并不是一个战士，是你太有天赋了，你能把我培养成战士！我一定要让你看看，我是走向了幸福！

郑洁转身就走。

梁老爷子和梁思宇，一老一少，在路上走了好久。两个人都是沉默的。

梁国辉追上去想跟他们说什么。

一老一少谁都不搭理他。

梁国辉叫爸。梁老爷子说你甭管我叫爸，你说说你是什么东西！

梁国辉想拍拍梁思宇的肩膀，梁思宇把他的手掸下去了。

梁国辉说：以后咱们三个过，咱们三个也能过得挺好，是不是啊？

根本没人搭理他。

梁国辉劝老爷子和梁思宇别伤心，絮絮叨叨说的都是废话。最后把梁思宇说急了。

梁思宇说：爸您是希望我们安慰安慰您吗？

梁国辉说：我在安慰你们。

梁老爷子说：我不用你安慰。我是失去了一个儿媳妇，可我相信还会来一个儿媳妇，问题是谁来我不知道。

梁思宇说：我也不用您安慰。失去老婆的是您。我嘛……她在哪儿反正都是我妈。您呢，在哪儿反正都是我爸。

梁国辉失望：你们就没点儿难受吗？咱们是一家人啊，郑洁跟咱们好歹过了那么多年啊，梁思宇都十六了……

梁老爷子这回生气了：你们还知道啊？知道一块儿过了那么多年了你们还离婚？你们吃饱了撑的啊？

梁老爷子和梁思宇接着往前走。

梁国辉跟着。

梁思宇说：爸您干吗？

梁国辉说：跟你们回家啊。

梁思宇停了，等着他：爸，我突然觉得您有点儿像弃儿。

梁老爷子愤怒：弃儿！他整个就是一个丧家犬。

梁国辉急了：您说话好听点儿行吗？我怎么会像个丧家犬啊？我这是回来安

慰你们来了。

梁思宇说：我们不用您安慰，真的。我跟我爷爷能互相安慰。我觉得您需要安慰，可我们也不知道该怎么安慰您。爸，要不我请您吃冰激凌吧？

梁国辉气馁了：我不吃！怪不得你妈跟咱们离婚，咱们家的男人都是什么男人啊？

梁老爷子说：郑洁不是跟我们俩离婚，郑洁是跟你离婚，啊。你说说你，你是什么男人啊？

可是背着人，梁老爷子掉眼泪了。

背着人，梁思宇也掉眼泪了。

一老一小是一唱一和，跟说相声似的，说着说着，都掉眼泪了。

梁国辉没掉眼泪，梁国辉已经在想下一步的事了，因为郑洁马上就要嫁人了。

梁国辉回到医院，华硕告诉梁国辉，丁超在找他。

梁国辉问丁超那个声音还在不在。丁超说还在……

对于那个声音是不是真的能消失，丁超起了怀疑，开始又变得焦虑了……他越焦虑，那个声音就变得越大……

梁国辉穷尽着一个医生的耐心劝解着丁超，保护着丁超……

丁超还是喜欢看书。他告诉梁国辉，当他集中精力看书的时候，脑子里的那个声音会暂时消失。

于是梁国辉就不断地选择一些书给丁超看，励志的，积极向上的。梁国辉还特别给丁超看杰克·伦敦的那篇《热爱生命》。

梁国辉找沈航去了。他告诉沈航他和郑洁不合适，他会破坏郑洁后半辈子的幸福。

沈航说不对吧，我是想给她后半辈子的幸福。

梁国辉说：我不相信你会在这把椅子上坐下去。当官的人，除非你步步高升，不然的话，当有一天你离开这把官椅的时候，你什么都不是，这就是官和普通人的区别。

沈航说：我的升迁恐怕不是你说了算，梁副院长，但是你的升迁是我说了算。

梁国辉说：没错，我的升迁你说了算，你的升迁天说了算。官职越高我越告诉你，人算不如天算。信吗？

李长江知道梁国辉找过沈航，觉得梁国辉真是不对了，受刺激了。

李长江说我真想知道，你现在还是一个正常男人的思维吗？

梁国辉说我当然是。

李长江说你前妻——郑洁，人家谈恋爱，要结婚了，你去找人家的新男朋友叫板……国辉，这样的事儿千万别外传，你也别再干了，丢人！

梁国辉说：我为郑洁好！我看沈航就不顺眼，我骂过他。

李长江说：以前你不知道他和郑洁好的时候你骂他我理解，你一开始就看他不顺眼我也理解，天敌嘛！可你现在这么不理智我不理解，国辉，你知道吗，你在喝干醋。

梁国辉还是说：我为郑洁好。

李长江说梁院长你千万别说你现在还深深深深地爱着郑洁，这么大俗套子的事儿我劝你别干了。

梁国辉说：我这不是出于爱情，这多俗啊？我这是出于责任……

李长江说：也俗。你现在对郑洁没责任……

梁国辉说：我不能看着郑洁往火坑里跳。

李长江说：我相信全世界只有你一个人相信郑洁是在跳火坑。除你之外全世界的人都会认为郑洁走向了幸福。

梁国辉说：……知道什么叫众人皆醉我独醒吗？现在，就我是清醒的。

李长江说：现在就你是嫉妒的！

梁国辉说：我真的不是嫉妒！我好不容易跟郑洁离的，她要结婚我就彻底解脱了，你说我有什么好嫉妒的！我真的是出于责任！

李长江说：……你要是再说下去，国辉，全世界都会觉得你有问题了！

梁国辉说：我没问题。

李长江说：你有问题！

梁国辉说：我没有！……长江我问你，沈航沈局长你认识吗？

李长江说：认识。

梁国辉说：打过交道吗？

李长江说：打过。

梁国辉说：我就问你一个问题，长江……沈航沈局长他是两袖清风吗？

李长江给问住了。

你回答啊。答啊！

国辉，这话我不能回答你。

梁国辉看着李长江，看了好久，小声说：长江，他要是两袖清风，你就理直气壮地回答我了，对吗？你不回答，等于不是。沈航这官不算小，郑洁奔着官太太就去了，可这官不是两袖清风……那我问你，郑洁她还不是跳火坑吗？

李长江也小声说：……哎哟国辉……那也不至于说得那么严重吧？水至清则无鱼。

梁国辉说：你这都是侥幸的说法！郑洁是嫁人，嫁出去是一辈子，一点儿侥幸的心都不能有！得拦着得拦着，李长江，一定得拦着郑洁！这才是对郑洁负责任！

李长江说：哎哟！……国辉，就算是火坑那也人家郑洁愿意跳，跟你有关系吗？

郑洁也是这么跟梁国辉说的：我说过了就算火坑也是我自己愿意往里跳，跟你有什么关系啊？

梁国辉说郑洁你怎么那么俗气啊？你就那么喜欢有权有钱的人吗？他们真就能给你带来虚荣吗？

郑洁说是啊，我虚荣。我知道有那么一个老公，后半生我不操心了，我是被一个男人宠爱的女人，这感觉很好。

梁国辉说：……梦幻泡影！

郑洁说：还有，我跟你没关系了梁国辉，这事你别再说三道四，因为不该你说三道四。还有，你别再老找我了，要是让沈航知道了他怎么想啊？还有，你也别再去找沈航，你找过他我知道，要是以前我就跟你急了。是沈航要我一定别跟你急，我答应了。人家还劝我别放在心上。我觉得人家沈航特别大度，特别特别大度，跟你比人家大度极了。希望这事你就别再掺和了行吗，你再掺和让人家沈航怎么想我啊？人家也会想我找了一个什么前夫啊！

梁国辉：现在你觉得你前夫渺小的不行是不是啊？也觉得你现在的男朋友高大得不行是不是啊？郑洁，你走眼了！

梁国辉走了。

李长江对梁国辉一点儿同情都没有，说本来就是你多余。你还是关心关心华硕……关心关心你跟华硕的关系，你们什么时候结婚！你不是说离婚后你看华硕的头上就没光环了吗？现在这光环又该有了吧，你们呢，简短地浪漫一下，谈谈恋爱，结婚，弄不好要是想要孩子的话，你还得赶紧地调一下身体……这才是你该干的正事。

梁国辉失落了。

生命垂危的企业家在最尖端的医药照料下有了短暂的好转，这好转让他燃起了希望，有心情跟郑洁谈笑，并且赞美郑洁的轻盈柔美……郑洁说谢谢你说我柔美。

企业家想离开重症监护室转到普通病房。郑洁没同意，说，再稳定两天，别着急。

就在这时，旁边的护士传出呼唤，另一个床的重症病人心搏骤停。

白晓燕爱上了吃东西。吃甜食。把自己喂得上气不接下气。

李长江忍无可忍了，夺走了白晓燕手里的盘子，他不能容忍白晓燕再这么下去。

李长江不温柔了，强拉着白晓燕去京剧院，让白晓燕看京剧院的演员排练，让白晓燕面对她眼前的事实，也许她一辈子再也不能登台了，但她不能一辈子就这么毁了。

白晓燕哑然。

李长江拉着白晓燕找到院长，让院长根据情况给白晓燕安排工作。

李长江强调：不照顾！根据白晓燕的情况和院里的情况，不需要照顾，您该怎么安排就怎么安排。

白晓燕回到了单位，无论团长怎么想帮白晓燕，这样一个事实也改变不了了，就是白晓燕住院的这段时间，她的徒弟已经迅速成长为台柱子，成为舞台灯光中的杨贵妃……

而全团也都知道，白晓燕得了抑郁症，不能受刺激，不能给压力……

团长给白晓燕安排了新的工作，在后台管服装。舞台上锣鼓喧天，京胡起板，但那一切都跟白晓燕没有什么关系了……

白晓燕失落，不过她失落不失落的都没有用。剧院有剧院的主角，剧院的新主角粉墨登场，白晓燕的人生转折了，转向了她不愿意去的方向……

一个精神上对酒精已经深度依赖的人想把酒戒掉是艰辛的。梁国辉说不清楚，为了刘彪戒酒，跟刘彪摔了多少个跤，用了多少次"保护"措施……

海涛放学就到医院来看父亲，问梁国辉他爸爸恢复得怎么样。

对这个十六岁的过早懂得人事沧桑的少年，梁国辉真是心疼……他要海涛不用总往医院跑，有空了回家帮母亲照顾一下小卖部的生意，更要好好学习功课，不要因为父亲的原因影响到自己的学习，更不要影响到自己的一生，说到底，酒精成瘾的病人是非常难戒掉的，但他父亲总有出院的一天，也许是几个月，也许是几年……可不能因为这个原因就让自己的命运走下坡路，把自己的什么事都耽误了……

海涛含着泪说：舅舅，谢谢您。

他也学会了说他母亲常说的话：您多照顾我爸，他不喝酒是个好人。

梁国辉说小子我知道，他不喝酒是个好人。

梁国辉带着华硕回家，跟老爷子和梁思宇一起吃饭。

老爷子不喜欢华硕。这是明明白白写在脸上的。

华硕跟梁思宇原来是朋友，现在华硕想给梁思宇当后妈……

梁思宇一开始跟华硕装大洋蒜，嘴上特别热情欢迎华硕进门，又是拥抱又是握手……

华硕做饭梁思宇也脚前脚后一个劲儿地"献媚"，拉着华硕钻进他的房间就关门……

然后梁思宇跟华硕单独表态，说热烈欢迎华硕姐姐给他当后妈。

梁思宇一副天真的嘴脸说我喜欢你华硕姐姐。我觉得你又漂亮又聪明又新潮，我……我不知道该怎么赞美你。

梁思宇说华硕姐姐你很爱很爱我老爸是吗？哪怕是海枯石烂哪怕是变成累累白骨也愿意跟他在一起是吗？我老爸就是你梦中的白马王子是吗？……华硕姐姐你能描述一下你对我老爸的爱究竟有多深吗？

他把华硕给问沉默了。

梁思宇说：华硕姐姐你一定不要让我失望，因为咱们都是外星人。你来到这个世界上，一万次回头寻找的那个人他就是我老爸啊？就是现在系着围裙在厨房里做饭那个男人？一脸倒霉相……脸上还带着伤……华硕姐姐……

他抬头看着华硕的表情……

华硕的眼睛也看着梁国辉……

在厨房里系着围裙做饭的梁国辉头发有点儿乱，脸上带着伤，穿着一个大背心，真是有点儿倒霉相，灰头土脸的……

梁思宇还火上浇油：有时候我看着他，我非常非常失望，这么一个倒霉相的男人，他怎么会是我爸爸。我投胎的时候怎么就不睁着眼睛，一不留神就到他怀里了。

华硕沉默地看着厨房里的梁国辉。

梁思宇又说华硕姐姐，我真不忍心看着你从仙女变成这么一个凡夫俗子的老婆，哪怕他是我爸。华硕看着梁国辉，不表态。梁思宇继续说，华硕姐姐……你那个白马王子肯定得是一个帅了又帅的帅哥呀。

华硕突然眼泪汪汪的了……

梁思宇有几分自得：华硕姐姐……

华硕说：你我不幸流落人间，就不能不食人间烟火……

梁思宇没话了……

华硕说：我就需要你爸这样的人。她不上梁思宇的圈套。

华硕又胡噜胡噜梁思宇的头：小宇同志，我觉得你爸挺好的。

梁思宇的笑容都僵在脸上了。

梁思宇没别的招儿，跟老爷子都跷腿坐沙发上，等伺候了。

两个人跷着腿坐在沙发上看电视，而且是一个德行，一个姿势。手里各端着一杯茶。瓜子皮永远吐不进垃圾桶。看的永远是足球，吆三喝四，狂喊乱叫。大声咳嗽。老爷子被瓜子皮卡住了，"卡"就一口痰。

听动静都让人恶心。

上了厕所绝不冲马桶。

梁国辉变成了郑洁，腰上系着围裙，做饭，收拾房子。看着老爷子忘了冲马桶崩溃，唠叨道，人还要有多少毛病啊？吃完了饭不刷碗，上完了厕所不冲。这就是恶习！

梁思宇看着梁国辉说您这么说话真像我妈。我妈原来就这么唠唠叨叨。华硕姐姐你千万别跟他学。

梁国辉说：你好像应该叫华硕阿姨吧？

梁思宇说：华硕姐姐这么漂亮的美眉，我叫阿姨她多吃亏啊？

华硕笑眯眯的：没关系的，你叫阿姨也没关系，我不怕吃亏。我不光长得漂亮，心理素质超好。

梁思宇给闷回去了。

梁思宇还不罢休，还叫梁国辉：你来看球啊，我妈在的时候你从来不下厨房，我妈一走你怎么连习性都改了？梁老爷子也挤对。梁老爷子说我告诉你梁国辉，你以前对郑洁，但凡有现在的一半儿，郑洁跟你保证就离不了。

当着华硕面儿呢，梁老爷子一点儿后路都没留。

上了饭桌，梁老爷子和梁思宇一起挑三挑四，茄子没放香菜，红烧排骨没炒糖色，炒个鸡蛋把卖盐的打死了，炒个西红柿汤汤水水让人想起地沟油……

梁国辉真忍无可忍了：你们吃不吃？我们该你们的欠你们的？你们饿就吃，不饿我们还不伺候你们呢！

梁思宇说：爸您这么发脾气真像我妈。

梁老爷子难过得把筷子放下了：我想到以前郑洁伺候我们伺候得那么周到，我们还挑三拣四……我们可真不是东西。

梁思宇说：我真对不起我妈。

梁老爷子说：我也对不起我儿媳妇。

一老一少一唱一和。都赶上说书了。

两个人还一唱一和地红眼圈，抹眼泪。

华硕脸上的笑容没了。

梁国辉看着一老一少的嘴脸，说：华硕，走。

华硕坚持笑眯眯的：再见小宇，再见伯伯，有空我再来看你们。

梁国辉和华硕一出门。一老一少的眼泪就收了，两个人互相望望，都眨眼睛，想新的计谋。

到了街上，华硕脸上的笑容还挂着呢。梁国辉快气死了，让华硕别往心里去，他们爷俩是联合示威呢。华硕说我知道。他们不欢迎我。……世界上的小三儿，或者后妈，是不是都这待遇？

梁国辉拉华硕：……对不起啊，他们啊……我真得说真就这德性，原来对郑洁……真不是我说他们，原来对郑洁他们也这副嘴脸……今天我还帮你，以前我还从来不帮郑洁呢……

华硕说：就是说以前郑洁伺候你们仨……

梁国辉点头，感慨万千：这么些年可真难为郑洁了。原来我们一家三口是这么一个德性……以前我们怎么从来就没反思过呢？

华硕不说话，径直往前走，把梁国辉甩下了……

梁国辉叫道：哎，华硕！哎，华硕！

华硕没搭理，拦住一辆出租车……

梁国辉忙跑过去，拉华硕：咱们开着车呢！对不起啊师傅我们有车！……怎么了你生气了？你不是挺大度的吗？

华硕说：你知道我什么感觉吗？

梁国辉说：你说。

华硕说：我觉得你们老少三辈，一家三口，从心理学上说，根本就没断奶！

酒魔久久地抓着刘彪不放……

每当国华来看他，刘彪就缠着不放，让国华接他出院。发誓不再喝酒了。梁国辉冲国华摇头，让国华别相信刘彪的话。戒酒是需要一个过程的……

可有一次，国华架不住刘彪的哀求，悄悄给了刘彪小小的半瓶酒，刘彪一把抓住了，一饮而尽……

梁国辉知道，这对于刘彪的治疗等于前功尽弃……

梁国辉找到小卖部，跟国华又急了，直到把国华骂哭了……

海涛放学，到小卖部帮忙，没想到看见这个情景……他难过地对梁国辉说舅舅对不起，我妈就是心太软了，要不然我爸爸不至于成这样……

面对懂事的海涛，梁国辉能说什么呢？

梁国辉只能再向国华道歉，说别哭了姐，我不该发脾气。

梁国华说你发脾气我理解。国辉，你脸上胳膊上怎么那么多伤啊？……让人打了是不是啊？为什么啊？

梁国辉说：没事儿啊姐，就是有个病人，不小心……

国华说：是真的啊？我怎么听海涛说，说你当副院长得罪什么人了啊？

梁国辉说：海涛知道什么？我能得罪谁啊？

国华说：海涛听思宇说的呗。国辉，要是当副院长这么玩儿命，那咱就不干了，啊？

梁国辉说：没事啊，姐。……啊，你放心，我没事，啊！

国华问道：……你……又见着郑洁没有啊？

梁国辉说：……见了。

国华高兴地说：……你们俩又联系联系感情没有啊？啊？

梁国辉：……没有。……她说她要结婚了。

国华一下就站起来了：结婚，跟谁呀？

梁国辉说：……姐我可把话说前头，你别去找郑洁。郑洁不是咱们家的人了，她有她的自由，听见没有？

国华说：……自由那么好使，一自由她这么快就又要嫁人了？

国华坐不住，还是找郑洁去了。

郑洁一开始对国华是客气的，国华绕着圈子想再撮合郑洁跟梁国辉好。郑洁觉得太奇怪了，她当初在家里当贤妻良母的时候，好像一无是处，非常非常不招人待见，现在怎么突然就变了……

国华说：可能吧……失去了才知道宝贵……

郑洁说：可我跟梁国辉不可能了。

国华说：为什么啊？……毕竟那么多年夫妻……

郑洁说：就因为那么多年夫妻，我太了解他了。

国华说：……那，我听说……你又要结婚了？我都不信……

郑洁说：这是我的事，咱们俩不谈这个。……姐姐你有什么事要帮忙吗？比如说病人……

国华说：没有没有。

郑洁说：那我忙去了。

国华碰了一鼻子灰，觉得，不是一家人真就不是一家人了！

剧团的人都知道白晓燕有病，也就都不敢招惹她，见了她都彬彬有礼的；生怕话说轻了说重了惹她犯病，谁都当不起这责任……因为这当不起，大家就慢慢地疏远她了……

白晓燕的工资也已经不是过去她当台柱子时的工资，作为一个服装管理员，白晓燕的工作生涯等于被那些华美的衣服埋葬了……

白晓燕的失落李长江看在眼里，他也会想法安慰白晓燕。

李长江对白晓燕付出了绝对的耐心和宽容，按时提醒她吃药，照顾她……可两个人之间，就是说不出来地被某种东西隔着……

白晓燕知道李长江对她已经做到了一个男人的极致，也许李长江是再好不过的一个男人了……所以白晓燕用理智提醒自己，要对李长江好，也刻意地对李长江好，可是一刻意，就带着曲意逢迎的成分，就不自然了……

无论如何，李长江是一个成功的男人，他不可能天天看着白晓燕。他得做生意，他要出差，他要接触合作伙伴，他在人生中要接触其他的女人……

一个年轻的女人进入了李长江的生活……她是向李长江推介新的医疗设备的人，她叫姚佳。

她的年轻，阳光灿烂，身上的热气和夏天的热气一样，都扑到了李长江身上……

国华再到医院看望刘彪，刘彪还是跟国华要酒。这回任刘彪软硬兼施，国华狠了心，就是不答应给刘彪酒喝……

刘彪急了，抬手又把国华给打了……

华硕带着护工们冲过来制止了刘彪……

国华一把把华硕推开了：你别碰他！

梁国辉紧接着也跑过来了。

国华身上带着伤，还在跟梁国辉说没事。他就是让酒熬得。他不喝酒是个好人……

国华的隐忍，让梁国辉对姐姐刮目相看了……

梁国辉真是问姐姐了，就他这么一个人，有什么值得你对他这么好啊？

国华的回答平平淡淡的，他是我的人，他现在这样，以前他不这样儿……他给过我十年好日子，就值得我一辈子对他好。就这么简单的道理，还用我给你讲啊。

梁国辉看着姐姐，不能不说被触动了。

第24章 伴 侣

梁思宇去医院看他妈去了。他眼里的妈真是有变化：妈，您变漂亮了。

郑洁：那是因为以前你爸不疼我……我啊，我不是说你爸人不好，我是说我们俩啊在一块儿就不合适。

梁思宇沉默……

郑洁又说：你好好念你的书，我和你爸除了不是两口子了，没别的变化。

梁思宇问道：妈……您觉得您和我爸不是两口子了，这还不是惊天动地的变化啊？

郑洁被问住了。

梁思宇转身走了。

郑洁看着，不知道该怎么是好：思宇……

思宇回头说：妈，我是来给您道歉的。我写《两个傻瓜的荒唐生活》不对。

郑洁心里一烫：儿子……

思宇说：我觉得傻瓜是我。

郑洁心一下又沉重了：思宇……妈就怕这个，妈怕你变得不快乐了。其实我真想跟你说妈是妈，爸还是爸。

思宇提不起精神：当然了，妈是妈，爸还是爸，妈跟爸还能变成别人吗？

梁思宇走了，郑洁心乱了。

梁思宇跟海涛一起去医院看刘彪。梁思宇的目的当然是华硕。梁思宇见华硕的时候完全就换了另一副嘴脸，嬉皮笑脸的，拿华硕当知己、朋友，问她跟老爸进展得怎么样了。

他说在心理上，在精神上，有多么多么的欢迎华硕……

华硕说：真的啊？

梁思宇说：当然。

华硕问：……那，你说，我什么时候跟你老爸结婚好啊？

梁思宇说：……你随便。我啊只是有一点提醒你，小心点，我妈后悔了，正准备跟我爸言归于好呢。他们俩那么不靠谱，我怕你闪着。

华硕说：真的啊？可我怎么听说你妈是准备结婚了啊？不过不是跟你爸……

梁思宇脸一变，接着就笑了：不可能！

梁国辉出现了，对着华硕脸色也变了：思宇，你华硕阿姨上班呢，你没事往医院跑什么？

梁思宇转身就出去了。

梁国辉对华硕说：郑洁打算再婚的事，应该不是你来告诉梁思宇，对吗？你是学心理学的，你应该知道梁思宇这个年龄的孩子，心理没那么坚强。

华硕知道自己办了错事：……对不起。

梁思宇和海涛背着书包，沿着铁路往远方走，两个少年心里都有心事。

梁思宇说：我想知道的是，我爸我妈那么折腾，你说他们幸福吗？

海涛说：不知道。

沉默……

海涛说：我爸都成那样了我妈还坚持，你说我妈幸福吗？

结果，梁思宇说：不知道。是海涛说：我妈幸福不幸福我不知道，我知道我爸幸福。我爸一醉，就什么都不知道了。

梁思宇说：你爸老喝酒，我说，酒有那么好吗？

结果，梁思宇偷着喝酒，喝醉了。是海涛把梁思宇扛回家的，国华一见就急了。

海涛也跟梁思宇急了：你都十六了。你至于那么扛不住事儿吗？

国华说：他才十六，你打算让他扛什么啊？

海涛说：别这么娇气，这么脆弱！……真跟嫩豆腐掉灰堆里似的，拍拍不得，打打不得！至于嘛？

郑洁跟沈航见面。关于婚期的事，郑洁告诉沈航，还没跟儿子打招呼。

沈航略有几分不高兴。

郑洁哄沈航说：年轻的时候结婚，希望父母祝福。这个年龄结婚，就希望儿女祝福了。……要是儿子也喜欢你，不是更好吗？是不是？是不是？……不生气好不好？大气点儿，你应该是个很大气的人啊。

沈航说：我当然大气。

……

董老太太的老伴度过了在重症监护室的最后时光，心电图变成一条直线，走了。

郑洁问用不用再抢救。董老太太：别折腾他了，让他走吧。董老太太在老伴嘴上亲了一下，就用白布盖住了老人的脸。

郑洁问老太太还有没有别的亲属，董老太太说没有了。这辈子就是他们老两口相依为命。

郑洁替董老太太联系了殡仪馆。

殡仪馆的人来了，郑洁陪着老太太跟殡仪馆的人谈告别仪式的事，火化的事……

董老太太说告别仪式就不用了，安排好时间火化就行……

火化的时候，郑洁陪着董老太太。

董老太太很平和，看着火葬场的烟升起。

郑洁说：老人家，您……别伤心。

董老太太说：我没什么可伤心的。我离他没多远。他陪了我一辈子，比我提前走几天就是了。过不了多少天，我们又见着了。

郑洁看着豁达的老太太，无言以对了。

董老太太点点头说：两个人，陪一辈子，还能怎么样呢，尽量地对他好点儿！就够了。……还能怎么样啊，是不是？

董老太太最后抱在怀里的，是老头的骨灰盒。

董老太太说：两个人是年轻的时候抱在一起的，抱着抱着就成灰啦。早知道有这么一天，年轻的时候，我对他再好点儿。

郑洁好久好久看着董老太太飘在风里的白头发，很受触动。

郑洁跟梁国辉通过一个电话。郑洁告诉梁国辉董老爷子走了。梁国辉说谢谢你。郑洁愣了一下，说怎么这么客气啊？梁国辉说从我这边转到你那边的病人，不是给你添麻烦吗？郑洁说你也是大夫，我也是大夫，说得着吗？……

梁国辉不说话了。

郑洁说你怎么样？你跟华硕什么时候结婚啊？梁国辉说……别操我的心，你想结结你的，别有心理负担。

郑洁说我结婚还能有什么心理负担啊？梁国辉说别嘴硬了，你儿子，你前夫，你老公公，都是你的心理负担。不是吗？

郑洁沉默。

梁国辉说当然了，我们绝对不希望成为你的负担。特别是我，我希望你轻装前进。但这不等于我赞成你跟沈航结婚，你换一个，跟谁都行……

郑洁生气了：我凭什么再换一个？

梁国辉说：沈航不适合你。

郑洁说：你要是说这个我挂了。

梁国辉说：那挂吧，因为我真不认为你会幸福。

梁国辉上班，偶然地碰见了白晓燕。白晓燕站在公共汽车站等车，没有精心收拾，整个打扮整个人都带着对人生的放任自流。

梁国辉问白晓燕现在觉得怎么样，好一点儿没有。

白晓燕说我还好。

梁国辉直觉就知道白晓燕没好。梁国辉说你好好收拾一下你自己吧晓燕，你是一个漂亮的女人。

白晓燕是灰心的：我真的觉得这样已经很好了，我还有什么好收拾的。

白晓燕说着说着就哭了。她抑制不了自己的眼泪。

梁国辉问你的药还吃着呢吗？

白晓燕说吃着呢。

梁国辉说药没了你一定要来开。

白晓燕说我知道。

梁国辉说你心里要是有什么不舒服的地方就来医院找我。

白晓燕淡淡地说好。

梁国辉去找李长江去了，李长江是满面笑容意气风发的，梁国辉一看就明白了，那满面笑容意气风发绝对不是因为白晓燕。

梁国辉说：哥们儿，你没往下扛。

李长江说：我扛着呢，我没把晓燕放下。可我也得透透气。就像你原来也想透透气一样。

梁国辉说：我不评价什么，哥们儿，我当不了道德法庭，也许你心里现在正幸福着，我就一个忠告，你的幸福别造成晓燕的不幸就行。

企业家高星亲眼看着邻床的老人走了。那个董老太太也不再来了。他亲眼看见了死亡，人怕了。他坚决地要离开重症监护室，转到普通病房。

郑洁同意了，签了字。

郑洁和沈航一起跟梁思宇吃饭，郑洁小心地把沈航介绍给梁思宇。沈航告诉梁思宇自己也有女儿，在国外。

沈航还给梁思宇带了礼物。

梁思宇一副有教养的样子，沈伯伯叫得很亲。让郑洁很有面子。

饭吃得很愉快。

分手的时候，梁思宇说沈伯伯，能不能今天让我当我妈的护花使者？

沈航说当然可以。

梁思宇挎着郑洁的胳膊，沿着街边走了好远。

郑洁试探着跟梁思宇谈沈航。妈妈都是四十多岁的人，找到条件这么好的过后半辈子，不容易。梁思宇笑，说没事，沈伯伯不行，还有我爸爸托底呢。郑洁说那怎么行。你爸也有你爸的生活，他跟华硕不是也挺好的吗？

梁思宇说：妈您真觉得挺好的啊？

郑洁说：至少你爸觉得挺好的，这不就行了吗？

梁思宇说：……我也没觉得不好。就是……

郑洁说：就是什么？

梁思宇说：我小妈说……

郑洁说：她什么时候就成你小妈啦？

梁思宇说：妈您可真逗，你让贤了，她还不是我小妈啊？

郑洁说：……她说什么了？

梁思宇说：她想给我生个弟弟了。

郑洁一下就停住了。

梁思宇说：……走啊妈。

郑洁说：你爸怎么说的？

梁思宇说：……这我不能去问，妈，这是他们两口子的事。

郑洁生气：他们现在还不是两口子！

梁思宇说：反正早晚的事。

郑洁沉默。

梁思宇一副事不关己的嘴脸：我也理解。我爸是有我这么一个儿子，没错，可小妈没有啊。没有自己的儿子我小妈能踏实吗？那将来谁给她养老啊？反正我不。……那我小妈想要生个弟弟也名正言顺。

郑洁皱眉头：梁思宇！

梁思宇说：妈您怎么了？

郑洁说：她还没跟你爸结婚呢，叫阿姨！

梁思宇说：就这么一个称呼，有什么特别含义吗？前几天我还管她叫姐呢！

郑洁心情是复杂的，回家给梁思宇和梁老爷子做晚饭。

梁思宇和梁老爷子逮着机会了，一唱一和的，对郑洁别提多好了。郑洁做饭也不让，打扫卫生也拦着，爷儿俩把活儿抢着都干了，别提多乖了。

吃饭的时候，一老一少一唱一和，说的全是批评和自我批评的话，话里话外的意思，都是他们不是东西，他们希望郑洁回家。

老爷子说我们不能让你流落到外头去，郑洁，那我们也忒不是东西了。

郑洁说我不是流落到外头去，爸……我是想结婚。

老爷子和梁思宇都干住了。

梁思宇说：那……妈，你就那么舍得我们啊？

老爷子说：我们千不好万不好难道就一点儿好也没有吗？

说着说着就改成掉眼泪了。

郑洁心软了：你们要是这样以后我就不回来了。郑洁的眼圈也红了。

一看劝不行，梁思宇开始跟郑洁耍赖了：妈，我爸挺好的。我爸其实……他真就是世界上的好男人了您不觉得吗？他抱着郑洁的脖子，摇啊摇……

郑洁，为了自己的幸福，坚持着：思宇，思宇……可是妈妈跟爸爸已经分开了，分开了不就因为我们俩在一起不好吗？

梁思宇没招，就抱着郑洁的脖子摇啊摇，眼泪掉到郑洁脖子里了……

梁思宇说：世界上最辛酸的事是送自己的亲妈出嫁。

郑洁沉默。

梁思宇还说：天要下雨，娘要嫁人，个人顾个人。

郑洁的心乱了。

梁思宇跟梁老爷子一唱一和地跟梁国辉说，他们在竭尽全力，替他挽回郑洁。

梁国辉一下就急了：我让你们这么干了吗？

梁老爷子眨巴着眼睛：我绝对是为了你好。

梁思宇也说：我是你儿子我能害你吗？

梁老爷子说：我可告诉你，郑洁这要是往前走一步，你再想让她回头，她可永远不回头了。

梁国辉说：你就让她大胆地往前走，有你们这么拖人后腿的吗？这让郑洁怎么想我啊？她会认为我对她恋恋不舍。

梁老爷子说：我们都知道，你不可能恋恋不舍。

梁思宇说：我妈也没恋恋不舍。

梁老爷子说：我不知道你们两口子都吃了什么不消化的！心都变秤砣了！梁老爷子眼圈一红，哽咽了。

梁思宇说：他们俩都有新欢，咱们俩没有。

梁老爷子说：梁思宇，走，咱爷俩回家。

梁思宇跟着梁老爷子，跟梁国辉连个招呼都没有，走了。

梁国辉看着，怎么着心里也不是滋味儿。

梁国辉说：思宇，好好照顾你爷爷。

梁老爷子说：我死不了。

梁国辉后悔了，追回家，想让梁老爷子和梁思宇劝郑洁，至少别跟沈航好，因为沈航不好。梁老爷子鄙视地问：你凭什么说人家不好？梁国辉说他真的不好。梁老爷子说你有什么证据说人家不好，你不就是吃醋吗？梁国辉说我真不是吃醋，是……我觉得，那人真的不好，郑洁以后会吃苦的。梁老爷子说那也是郑洁乐意，跟你有什么关系啊？

梁国辉生气了：你们不是死乞白赖地劝郑洁别嫁人吗？

梁老爷子说：我们跟你是两个性质的问题。

梁思宇说：爷爷，咱们不跟他说了。

一老一少进了梁思宇的房间，关门了。

梁国辉的心也乱了。

梁国华到医院来看刘彪。碰上华硕了。

华硕毕竟现在是梁国辉正牌的女朋友，叫姐叫得挺亲。挽留梁国华留下来一起吃午饭。梁国华说不了，你们那么忙。华硕一定挽留，梁国辉从外面回来了，也挽留姐姐一起吃饭。

这天梁国辉有点感冒，就为了感冒，梁国华数落华硕不会照顾人。

梁国华是打心眼里不喜欢华硕，认为这么年轻一个姑娘将来不可能无微不至地照顾梁国辉。反过去梁国辉哄华硕得哄一辈子，多累啊。

梁国辉说：姐，我不过就是有点感冒。

梁国华说：感冒也不舒服啊。

华硕说：我成心地让他感冒一次，杀杀病毒，行吗姐姐？

午餐吃得很不愉快。

周日华硕拉梁国辉去参加大学同学的婚礼。

在婚礼上新娘抛花抛在了华硕怀里。

同学追问她和梁国辉什么时候结婚。

华硕看着梁国辉。梁国辉没正面回答，说我们现在在谈恋爱，不好吗？

同学说：你们总不能永远谈恋爱吧？

华硕把手里的花给了旁边的姑娘。扔下梁国辉走了。

梁国辉追华硕。他知道华硕是想要一个实质性的承诺，但是他现在确实不能马上跟华硕结婚。……至少，也要等到郑洁先结婚。

华硕说万一她不结婚，你还有余地跟她复婚是吗？梁国辉说你看你说什么啊？

华硕急了：梁大叔你正面回答一次问题行吗？你是不是想跟我结婚，你是不是想跟郑洁复婚，还是你觉得都不合适想再推一段时间，你正面回答是或不是，行吗？

梁国辉说：……好吧小姑娘，我正面回答，我没有马上就跟你结婚的勇气，不管是面对郑洁还是面对医院的同事或者面对我爸我儿子，我都不能马上跟你结婚！……我不正面回答是因为我认为这么直接的谈话伤和气伤感情！委婉地说话也算是人生的一个智慧，怎么到你这儿也成缺点了！你非让我直接回答那我直接回答了，你接受吗？

梁国辉一发火，华硕委屈了，眼圈红了。

梁国辉说：咱俩现在不能结婚，因为结婚根本就不是你和我两个人的事！我这话算跟你说明白了吗？

华硕哭了。

梁国辉说：我知道你参加别人的婚礼，羡慕今天人家洞房花烛，羡慕人家两小无猜。……两小无猜很单纯，比你跟我单纯得多……你要是愿意选择两小无猜，那我不拦着。

华硕说：你少来这套！你说的所有这些都是借口！你就是爱我爱得不够深，你要是爱得够深，功名利禄都能置之度外，生死都能置之度外，可以不顾一切，还怕跟我结婚吗？

梁国辉说：小姑奶奶，那是电影！现实生活中有不顾一切的事儿吗？那不是疯子就是傻子！……现实现实！咱俩不在天上，咱俩在尘土里！你不面对，我得面对！

借口！

再说你就胡搅蛮缠了。……我不希望你是一个胡搅蛮缠的人。

梁国辉走了。华硕停在原地，看着梁国辉往前走，没追。

梁国辉走着走着，回头……

华硕往相反的方向走了……

梁国辉不得不回头拉华硕：小姑娘，医院在那边儿！又叹气：华硕，你应该很成熟了，别闹了，你这样会让我觉得很累。我真觉得累极了，我就会放弃了。

华硕一下就把梁国辉的手挣脱了。

梁国辉说，华硕，我跟你说的是一句大实话。你好好琢磨琢磨吧。这回梁国辉真的走了，没回头。

华硕没追。

梁国辉和华硕的感情出缝隙了。

梁国辉没把李长江有可能感情生变的事告诉郑洁，但是郑洁亲眼看见了。

李长江到郑洁所在的医院来送新购的设备，郑洁看见了。

郑洁眼睛多尖啊，一眼看到了李长江脸上的意气风发，还看见李长江身边的年轻女销售，还有李长江和女销售对望时的眼神……

郑洁去看白晓燕了，也看到了白晓燕的灰蒙蒙……

郑洁忍，再忍，还是没忍住，找梁国辉去了。

梁国辉和华硕之间本来有点儿小隔膜，郑洁一来，华硕对梁国辉反而表现得很亲热：大姐，你来了？

郑洁冷淡地说：我能跟他说几句话吗？

郑洁问梁国辉李长江在外面有事梁国辉知道不知道，梁国辉还想为李长江遮掩，他在外面能有什么事。郑洁火了，她认为，是梁国辉和李长江联合起来在骗白晓燕。

郑洁说梁国辉你千万别说没有，别让我瞧不起你！梁国辉说你别那么愤怒行吗？长江也不容易……郑洁说白晓燕容易？梁国辉说我相信长江没想抛弃晓燕。郑洁说别偷换概念，我就没跟你探讨抛弃不抛弃白晓燕的问题，那是后话，我是说眼前，眼前你们都在骗白晓燕！……这就是男人，都这德性。

梁国辉真想替自己辩解一下：你别一棍子打一大片行吗？什么叫男人都这德性！这边男人德性不好，你去找沈局长，他的德性总比我们好吧？

郑洁说：梁院长，要是你们这么对待白晓燕。我真从心底里蔑视你们。

梁国辉说：你尽兴！你有蔑视的权利！可这儿不是道德审判庭。我很忙，不陪你了。

毕竟白晓燕是梁国辉的病人，梁国辉去单位看白晓燕了……

白晓燕在服装间熨衣服，过去穿在她身上的华美戏服行头，现在是她要精心熨好保管好，用在一天一天红起来的徒弟身上。

梁国辉又一次单独和白晓燕面对面了……

白晓燕在她的人生中从上往下滑落，而且白晓燕不挣扎了。所以梁国辉看见的白晓燕真的是个脸上写着放弃的女人……

白晓燕也知道自己的灰暗，但是你想让我明亮，我明亮不起来。因为我心里面不明亮。

梁国辉说走吧晓燕，我给你做参谋，去做做头发，买件新衣服。

白晓燕讥嘲地一笑，你跟郑洁都让我去做做头发，去买买衣服……我实在叫人看不下去了是吗？

梁国辉说是。梁国辉是沉着脸的，严肃的。梁国辉严肃起来的时候，自有一种威严。

但白晓燕执拗，我不去。

梁国辉说：白晓燕，我把话说得再明白一点，我不管你现在是不是抑郁症的问题，我觉得，你自己作践你自己。

梁国辉问白晓燕，难道你那么心高气傲的一个人，就认定你这辈子废掉了吗？你觉得自己已经一无是处，注定要当别人的累赘，包括工作，就注定任自己一路走下坡路滑向深渊谷底吗？梁国辉又一针见血，问白晓燕，如果你没有病，作为一个演员，你一定必然地永远站在舞台中央吗？你必然跟虞姬似的三千宠爱于一身吗？不一定！人生有各种各样的原因让你离开舞台退居幕后，那怎么样，那你就准备任自己的生命没有意义地耗下去吗？……梁国辉又说，白晓燕，剧团没有抛弃你，希望你正视这一点！管服装怎么了，服装里头学问深了，那么多大师天天为服装忙活，模特天天为服装走场，那么多学问你都懂啊……白晓燕，万事万物都有自己的价值，你也有你的价值，你凭什么就有资格自暴自弃啊？说白了吧，白晓燕，退居二线也是对人生的一个贡献，要不然大家都想做人尖子，都往前挤，世界得打成什么样啊？……再说地球，地球也需要以旧换新永葆年轻啊。但是在没被换掉之前，谁也没理由变成地球的一块抹布。白晓燕，你现在就像地球的一块抹布。

白晓燕被梁国辉说中心事，句句点到痛处，跟梁国辉急了，说你还是那样，说话不会拐弯抹角……

梁国辉说：我一堆病人等着，没时间拐弯抹角。

白晓燕被梁国辉逼着做了头发，买了新衣服，梁国辉逼着白晓燕买的，还有香水。

这让白晓燕意外，因为郑洁从来不用香水。

梁国辉说：她是大夫，我知道她不用香水，她需要的是清洁。但是我知道你用香水，而且你适合用香水，你需要的是香气宜人。晓燕，这是你应该的人生态度。

站在镜子前面，白晓燕除了苍白，其实还是美的……

梁国辉说晓燕别的我劝不了你，我告诉你你很美。该吃药的时候要吃药。有什么心里过不去的你找我。

白晓燕看见梁国辉离去的背影，眼睛里蒙上了泪花，她叫住了梁国辉……白晓燕说了实话，我很依赖你，依赖跟你说话，看见你我觉得特别安全。

我是你的大夫。

我知道。

所有的药都是为了治病，病好了，药要停。我也一样。你不是永远需要大夫。

我知道。白晓燕说

第25章　福兮祸所伏

　　国家建委责成市建委，市建委责成区建委，撤销了在阳光医院的土地上建高档住宅楼的规划。当然，阳光医院不需要拆迁了。

　　阳光医院一片欢腾。

　　梁国辉在医院中的地位一下子升高了，从一个普通的副院长变成医生和病人们都非常爱戴的副院长，他离院长的位置很近了。

　　朱院长也非常高兴，希望有一天梁国辉是医院的接班人。

　　华硕也高兴，不管有没有人看见，一把抱住了梁国辉……

　　阳光医院的拆迁取消了，开发商肖天书不干了，去卫生局找沈局长。

　　两个人关起门来谈了好久。最终不欢而散。

　　郑洁知道了阳光医院不拆迁的事，还是替梁国辉松了一口气，毕竟把一家医院挪到郊区去不是一件小事。

　　沈航和郑洁见面，沈航的心情不好。沈航也是为阳光医院的事。郑洁没想到这事跟卫生局有什么联系，卫生局是阳光医院的上级主管单位，仅此而已。难道卫生局还希望人家把自己的下属医院拆了啊？

　　沈航跟郑洁说不清，也不能说清。

　　沈航把对梁国辉的怒气转嫁到了郑洁身上。沈航问郑洁是不是梁国辉还爱着她。郑洁当然说没有。

　　沈航心情不好，说那他为什么来找我，跟我说咱们俩不合适？咱们俩不合适是什么意思？不就是说他合适吗？他合适你们为什么离婚啊？

　　郑洁有口难辩：不是我让他来找你的。

　　沈航说：我当然知道不是。他是自动来的。他来是不是表达他心里的意思啊？

　　郑洁说：可那只是他的意思，也不是我的意思啊？……我的意思你还不明白啊？

　　沈航的态度是抗拒的：我觉得你前夫很莫明其妙。

　　郑洁说：咱俩在一起，不提他好吗？

沈航烦着，跟郑洁的聚会也不欢而散。

沈航的心情不好，郑洁的心情当然也不好。郑洁的心里没有那么甜了。

白晓燕来找郑洁，她跟郑洁说的话是由衷的。她说郑洁你不了解梁国辉，我觉得他像阳光一样。郑洁看着白晓燕说，也许他对你来说像阳光一样。我可真没觉得。白晓燕说你换个角度看他……

郑洁忙着，郑洁说可能吧，他像阳光一样，只不过是把光芒都照到别处了。

换了形象的白晓燕是努力的，努力让自己的脸上和身上充满阳光，她又去了李长江的办公室。但是没想到，撞见了李长江和姚佳在一起。

李长江和姚佳并没有做什么，只是谈笑风生而已。并且白晓燕来了，李长江也向姚佳介绍这是我爱人白晓燕。姚佳礼貌地向白晓燕问好，就告辞了。一切看起来都正常。

但是白晓燕觉出了不正常，这就是本能。

白晓燕问得很直接：长江，喜欢她是吗？

一下就把李长江问住了。

白晓燕笑笑：这些天你年轻了，比以前精神了。

李长江没想过抛弃家庭，立刻就往回找补：别瞎想。你今天怎么这么漂亮？还有好闻的香水味儿……嗯，娇兰的瞬间，你可好长时间没使了？

白晓燕往后退了一步，没让李长江碰她。

从这儿开始，白晓燕打定主意不让李长江碰她。白晓燕说，长江，我的病得耗一辈子，我不想拖累你了。

李长江有什么心也没有抛弃白晓燕的心，一下子就急了：你什么大不了的病啊？不就是抑郁症吗？说白了不就是心情问题吗？这怎么就叫拖累了？

李长江又说我就当你没跟我说过，以后别提这事儿。

沈局长在办公室里，来了四个人，说我们是纪检的，沈局长，您的手机……

沈航的手机交给了纪检部门。

郑洁跟沈航联系不上了，不知道出了什么事。

沈局长被审查的消息是李长江告诉梁国辉的。

李长江心里带着几分明显的不安。

梁国辉说沈局长被审查我倒是不关心。他两袖清风自然没事。可他俩袖筒子里要不是风是别的，那可就种瓜得瓜种豆得豆了。……我关心的是郑洁，这事儿对郑洁打击挺大的。好不容易找了个沈局长，意气风发了没几天，沈局长传出来这个……长江，你想法子安慰安慰她。

李长江说：我怎么安慰她啊？

梁国辉说：……我也不知道，那就不安慰。装不知道。只要郑洁不再哭着喊着跟他结婚，我看就算是悬崖勒马，也比掉下去强。

李长江说：我怎么听着你或多或少还是带着几分醋意。

梁国辉说：醋意？我有吗？

李长江说：有点儿。

梁国辉说：我一点儿都没有，啊！

郑洁哭了。不因为沈局长被纪检审查，而是跟沈局长联系不上。

郑洁找李长江。李长江让郑洁等待。领导被纪检审查也是常事，用不着惊慌失措。

但是郑洁不懂官场，不可能不惊慌失措。她问李长江怎么办，能做什么。李长江说不怎么办，什么也做不了，只能等。

郑洁又问是为什么，跟前一段时间传阳光医院拆迁有关系吗？

李长江说不知道。

郑洁又找梁国辉去了，求证沈航为什么被审查。

梁国辉说：这我不知道，你只能问纪检，或者问沈局长本人。

郑洁说：这不都是废话吗？

梁国辉说：你看你急成这样子！这么说吧，如果沈局长什么事都没有，一身正气两袖清风，这次组织查完了，等于给你盖个合格章，你跟着他荣华富贵不是更放心吗？我也放心。可如果不是，那等于组织告诉你这个人是危险的，你正好可以悬崖勒马，免得走错路耽误你后半辈子，不是更好吗？……

郑洁说：我觉得你有点儿幸灾乐祸。别让我蔑视你。

梁国辉说：我至于的吗，我还幸灾乐祸！别把人心想得那么阴暗行吗？我跟你说的都是客观的话！你跟我分开了，不管怎么样我都希望你越过越好，这是基本的良心吧？你总不至于连这也不相信我吧？

郑洁眼睛里含泪了：……我想问问谁能帮帮他。

梁国辉说：你什么都别问了，峰口浪尖上，能帮他的人都躲在最远的地方，就怕引火烧身。有句古话叫世态炎凉，说的就是这个时候。

郑洁失望地走了。

梁国辉看着郑洁的背影，有几分难过：郑洁。

郑洁回头……

梁国辉说：……你是……真爱上他了？

郑洁点头：他让我觉得自己像换了一个人。

梁国辉说：……回家什么都别想，耐心地等。什么事都是时间给答案。……这是废话，可这也是真理。

一周之后，郑洁试着打沈航的电话，电话通了。

郑洁的眼泪一下就下来了。

郑洁并不知道沈局长怎么了。但是郑洁知道，她找沈局长，沈局长只剩下烦恼了。沈局长对她的宠爱，在瞬间消失了。

郑洁想跟沈局长说她不在意，她在任何时候都可以跟他相濡以沫的。

沈局长说什么啊，咱们有那么深的基础吗？

一句话把郑洁撂在那了。

郑洁想表达她不在意沈局长外在的条件，她在意的是沈局长这个人，生活的情调，对女人的态度，还有……

沈局长说：我知道好多事你都不在意，但是我在意。所有那些都是我奋斗了那么多年才得到的，我在意，好吗？咱们今天不谈了，好吗？

郑洁语塞：好的，不谈。那我陪你出去吃好吃的……

沈航说：我也没心情。我想一个人待着，好吗？

郑洁说：……我陪陪你，你别太钻牛角尖……

沈航说：这些话我都不想听。

郑洁无言了。

沈航又说：……让我一个人待着，谢谢。

郑洁无可奈何：那我改天再来看你。好不好？

沈航说：打电话吧。

郑洁不得不起身了。

李长江到医院去看郑洁，是梁国辉让去的。就是想知道沈局长到底怎么样了。其实还是担心郑洁。

但是郑洁心情不好。对李长江态度也不好。

郑洁就说了一句话：沈局长挺好，没被抓起来。就这么一句话，就关门了。

酒，控制了刘彪的命运……

有一天，刘彪在医院里捅了一个天大的娄子。这天华硕值班。刘彪盯上了护士手里的酒精，想夺过来当酒喝，护士惊叫起来，闻声而来的华硕跟刘彪开始了一场争夺。酒精瓶掉到地上，碎了。刘彪还想把一半拣起来，想喝掉里面的余液。华硕跟他争夺。争夺中，刘彪划伤了华硕的眼睛。

华硕捂住眼睛的时候，刘彪"成功"地舔掉了几滴酒精……

华硕被紧急送往中心医院眼科，医生们检查的结果，她的眼角膜受到损伤……

正与沈航的关系处于纠结阶段的郑洁，知道了华硕受伤的消息，震惊了。

梁国辉暴怒了，再度违背了一个精神科医生的原则。不管刘彪清醒不清醒了，跟刘彪打了起来……直到大夫们纷纷闻讯而来，分头用手段"保护"了梁国辉和刘彪。

梁国辉被"保护"到病床上，手和脚被上了给病人上的保护带。梁国辉哭了，替花样年华的华硕，替精神科医生的艰辛，也替姐夫闯下的这个大祸，这得给姐姐带来什么样的灾难……

朱院长对着梁国辉暴怒了。他指着梁国辉的鼻子骂，如果你觉得当精神科医生委屈，可以脱下你的白大褂，马上离开这儿，这世界上有的是地方让你飞黄腾达。

闻讯赶来的国华和海涛听说刘彪闯下的大祸傻了。

国华不知道该怎么才能补偿他们欠下医院的，不知道怎么才能补给华硕一只眼睛，怀着巨大的罪恶感，她推了儿子一把，给朱院长跪下了……

国华也不知道应该给梁国辉怎样一个交代。毕竟梁国辉是副院长，给他捅了这么大的娄子……国华就剩下哭了。

梁国辉没耐心了，跟姐姐真急了，说：哭，哭，你哭死了管什么用啊？……我也想说了，我的亲姐姐，你怎么找这么一个人啊？

这是梁国辉跟姐姐说的最狠的话了。

国华说：我知道你看不起我，看不起他……

梁国辉说：我不是这意思。我的亲姐姐，你这日子怎么过下去啊？

国华说：我哭的不是我，是……是华硕，这，怎么伤的偏偏是华硕啊？国辉，姐把你害了，往后怎么办啊？

梁国辉说：……不提这个了行吗？先给华硕治眼睛。

国华说：万一……万一治不好怎么办呐？你怎么办，我怎么办，华硕往后怎么办呐？

没有一个问题梁国辉能回答。

国华哀哭：我们彪子造的孽呀。

国华不想再让刘彪在医院住下去了。可离开医院，对刘彪的治疗就等于前功尽弃。国华含着眼泪想接走刘彪，是死是活，回家认命了。

海涛面对着这个巨大的灾难，也好像傻了，国华叫他干什么就干什么，叫他背着刘彪他就又把刘彪背了起来……

在中心眼科等待治疗的华硕，她不知道结果会是什么，是康复还是失明，她该怎么过以后的生涯，她焦虑，之后深深地沉默了……

梁国辉去看过她。不管梁国辉说什么，华硕都一言不发。

国华也去看她。不管国华说什么，华硕也是一言不发。

郑洁也抽空来看她……华硕更是一言不发。

这件事对梁国辉又何尝不是一个打击。毕竟伤人的是他的亲姐夫，被伤害的是他的恋人，而他又是主管业务的副院长……他被纠结到这个事件的中心。梁国辉无法面对全院的医生护士，在全院的大会上提出了辞职。

递交了辞职报告的梁国辉阴郁了，脸上没有了笑容。

这就是他作精神科医生付出的代价……

梁国辉是需要安慰的，郑洁知道。华硕更需要安慰。需要安慰的还有国华一家子。但是郑洁跟梁国辉离婚了，郑洁的到来有点儿师出无名。

郑洁来到梁国辉身边，一方面安慰他，一方面照顾华硕。

梁国辉也充满了焦虑：郑洁，什么都别说。

郑洁说：知道，说什么都是多余的。

梁国辉沉默。

郑洁说：你打算怎么办？

梁国辉说：把华硕的眼睛治好，我现在就剩下这一件事。

郑洁沉默。

眼科医生的预测并不乐观。

郑洁说：别人都可以急，你不能急；别人都可以焦虑，你不能焦虑。……好多事需要你办。

梁国辉焦虑，一焦虑对郑洁就不客气：这些都是没用的废话！躺在那儿的是华硕，伤她的是我姐夫，我怎么不焦虑。

梁国辉方寸乱了。

里里外外的好多事，其实都是郑洁默默安排的。包括她请出了眼科最有经验的治疗眼角膜损伤的专家图教授。

李长江拍着梁国辉的肩膀，说：……真不知道该说什么了，人生太吓人了，手一哆嗦就不知道抖落出什么。好坏还都得接着。

梁国辉说：当然得接着。

李长江说：……你什么时候跟华硕结婚，包我身上了……别的我不说什么了，说什么我都觉得是废话。我发现啊，人活一辈子，百分之九十九说的都是废话。

郑洁拿着钱去了国华家，把钱给国华。伤心欲绝的国华也拒绝了。国华知道郑洁跟梁国辉离婚了，怎么可能拿她的钱。郑洁一定要把钱给国华放下，郑洁说得明白，我不是为了你，姐姐，我为的是梁国辉，知道他在医院的日子有多难过吗？……他交了辞职报告，交了检查。

国华这才知道，她和刘彪给弟弟带来的麻烦有多严重。

国华当着郑洁的面，说了心里话：原来她不喜欢郑洁，觉得郑洁不好相处，不亲。可她跟国辉一离婚，一找华硕，其实她觉得郑洁比华硕不知道好多少倍。那么多年，郑洁照顾家，功劳苦劳都一大堆。

郑洁心里一暖。

国华说：……可是现在我们彪子把华硕眼睛伤了，这回国辉要是再提娶华硕的话，那我们真的是一句话也说不出来了。国华哭着说：一这么想，我就觉得我对不起国辉，对不起你。

郑洁说：姐你说什么啊？本来我跟国辉已经离了，我们从来也没说再往一块儿走啊。……如果现在国辉决定跟华硕结婚，姐，你也别拦着……

国华说：所以我说我把国辉害了啊。

国华一家，沉浸在深深的罪孽感中。包括刘彪自己也知道。在短暂的酒精清醒的瞬间，他才知道，对于年轻的女大夫华硕，他造成了多么要命的伤害。他也忏悔，他也难过……可是酒瘾上来，他还是控制不住自己……

国华那么温柔隐忍的一个女人，任劳任怨的一个女人，跟刘彪急了。

国华买了好几瓶酒，往刘彪面前一墩：你喝！你喝！你喝！我今天看着你喝死！

刘彪还是被酒控制着，抓住酒就喝……

海涛扑上去把酒都夺了，扔了，哭了，说，妈你干吗呀，你自己知道我爸爸不喝酒是一个好人，你这样不是让他去死吗？

国华也哭，怎么也不明白了，酒是个什么玩意儿，怎么一招上它人就不叫个人啊。

他们一家人，拿什么还人家华硕啊？

华硕眼睛好好的，没准国辉跟华硕还不一定结婚。现在华硕眼睛伤了，依国辉的脾气，肯定跟华硕结婚不可。国华是真的心疼弟弟，当姐姐姐夫的，这不是害他吗？

梁思宇也知道了华硕受伤的事，溜到医院去看华硕，梁思宇在华硕病床前，对他以前对华硕的不礼貌道歉了。

梁思宇在这时候挺小老爷们儿的，同情华硕巨大的灾难，跟华硕说了好多安慰的话。

华硕仍然一言不发。

梁思宇被郑洁碰上了。

郑洁一见梁思宇脸就沉了：你好好念你的书，这儿没你的事。

眼科诊断的结果出来了，华硕需要移植眼角膜，在这之后她可以重见光明。

这个诊断让所有的人都松了一口气。

梁国辉第一时间做出的决定，竟然是自己可以捐出一个眼角膜给华硕。

众人一下就炸了。

最坚决反对的是郑洁，她觉得梁国辉非常不理智：梁国辉是一个医生，一个专家，他治病救人，眼角膜对他一样重要。

梁国辉说只要华硕的眼睛能好，她能像以前那样活蹦乱跳的，能像以前那样快乐，我这个医生当不当，真不重要。郑洁说你是一个精神科的专家，不光可以治好多病人，还可以拯救好多家庭，对社会可以做好多贡献，你这个医生当不当怎么不重要！为了华硕你放弃对医院和社会的道义你应该吗？

梁国辉愣了一下，以前郑洁从来没肯定过他在事业上的贡献。

梁国辉说可是华硕一个女孩子家，刚刚 27 岁，我怎么忍心看着她失去一只眼睛。

郑洁沉默良久：大不了你跟华硕结婚不就行了吗？你用一辈子照顾她……

梁国辉摇头：她失明跟我失明是两回事。不是结婚不结婚的问题，我需要的是她重见光明。

郑洁说：看来你很爱她。连自己的眼睛都舍得。

梁国辉说：这时候谈爱情很浅薄。……我不能看着这么可爱一个姑娘失去一只可贵的眼睛，这跟爱不爱的没关系。

梁国辉走了，走得很悲情。

海涛，一个顽强的孩子，跟他的亲爸杠上了。

他不上学了，天天就看着他爸爸，跟他爸爸摔跤。刘彪酒瘾一上来，就什么都不顾了，为了一口酒，去死都行。

海涛不知道跟他爸爸摔了多少跤。

尽管他个子长得够高了，可毕竟在发育，没有那么大的力量，常常是，被刘彪按在身子底下了，要不着酒，就被暴打一顿。

这孩子身上，倒常常是伤痕累累了……

国华心疼孩子，日子不知道该怎么过下去……她想，总不能，为了刘彪，再搭上一个孩子……

她问孩子能不能忍。要是不能忍……

海涛把他妈的话打断了，什么能忍不能忍的，谁让他是我爸，不能忍也得忍。妈你别想别的……等我长大了，我爸欠你的，我还。

国华抱着孩子，哭了……

生活啊，不知道泡着多少眼泪，多少辛酸……

梁国辉来了，看见刘彪和海涛在小卖部前正打架。刘彪要钱，海涛护着母亲，说什么都不给……刘彪又跟海涛打起来了……梁国辉扑了上去，帮海涛的忙。

海涛一见梁国辉，叫了声舅舅，眼泪扑簌簌就下来了……

梁国辉作为一个精神科医生，怎么也不能放弃一个病人，在他献出眼角膜之前，还是要安排刘彪回医院……

可是国华坚决不让。她不能，绝不能再给弟弟添任何麻烦了。她说了，是死是活，就让他在家里闹吧，我看着他。要毁让他毁了我，看毁了我他还毁什么……

梁国辉轻轻说了一句：还有海涛。

国华哭了。国华说为了谁也不能再让刘彪去医院。我就你这么一个弟弟，这我都毁了你的前程。我不能再毁你了。你别管我了，你过你的，我过我的。

梁国辉说我能不管你吗你是我姐！可不管梁国辉怎么说，国华都不肯让刘彪回医院。梁国辉说那行吧姐，你要是不心疼我，那我就来回跑，我每天下班都来，我还是得让我姐夫戒酒。姐，我别的帮不了你，我总得帮你把他从酒鬼变成人吧。

梁国辉是说到做到的，下班就来，风雨无阻。下班晚了，就深夜来。

这天，梁国辉深夜到姐姐家去看刘彪，骑自行车不小心摔了一跤，把手挫破了，国华看见梁国辉手上滴滴答答地往下流血，心疼了……

梁国辉又说了一遍，你要是真心疼我，姐，让姐夫住院吧。

国华只得答应了。

安排好刘彪，梁国辉来到医院，想把自己的眼角膜捐给华硕。

梁国辉想捐眼角膜，但是无人配合，图教授，郑洁，还有华硕本人，都不同意。

梁国辉急了，想带着华硕一起转院。

这一下郑洁炸了。

郑洁说梁国辉说得很不客气：梁副院长，大事临头你既不理智也没章法！第一，没有一个人同意把你的眼角膜摘下来给华硕，无论你的本心是出于爱情还是道义！第二，你这个貌似无私的想法其实是自私的，你想通过这个办法让你的心灵安宁，可是你让所有的人心都不安宁，想想华硕，你真把眼睛给她她安宁吗？再想想你姐，你姐夫，海涛，你儿子梁思宇！第三，大事当前需要一个理智冷静的人，你现在做的事是自乱阵脚！你乱事就乱，这件事你镇不住你指望谁镇得住？指望你姐姐，指望海涛，指望梁思宇？……还是指望我？

郑洁数落梁国辉还是跟数落孩子一样：不是我说脏心烂肺的话，也不是闲吃淡醋的话，你现在要干的不是冲动地把眼角膜摘下来给华硕，也不是冲动地去跟她领结婚证，你要做的是把所有人的心稳住，像没事一样！你稳大家稳，你慌大家慌！……瞧你这出息！

说到底，还是郑洁的话把梁国辉敲醒了。

梁国辉冷静了，他来到华硕的病床前。冷静下来的梁国辉是担当的可靠的男人，他拉着华硕的手说小姑娘你别害怕，有我在你身旁。

梁国辉冷静，可是华硕是焦虑的，她害怕自己真的失去一双眼睛。

梁国辉说：不会，我保证你不会。

华硕说：你拿什么保证。

梁国辉说：我的眼睛。

华硕深深地沉默了。良久，她抱住了梁国辉。

争执的结果，是让华硕像许许多多的病人一样，等候一个眼角膜的出现。

海涛和梁思宇又出妖蛾子了，他们俩都想把自己的眼角膜给华硕。海涛是因为替父亲负罪，梁思宇是希望，他把眼角膜捐给华硕，但是华硕要答应他，眼睛复明之后离开自己的爸爸，让父母复婚。

他们俩抓阄的结果，是梁思宇把眼角膜捐出去。

海涛不干了，把这事告诉了郑洁。

郑洁急了，给了梁思宇一巴掌：你别再给大人添乱了行不行？

梁思宇愣了一下，冲郑洁还笑：妈您不对啊，有话说，您现在怎么变得这么暴力啊？……那谁还喜欢您啊。

海涛背着人找到郑洁，说舅妈您别打他了。您看梁思宇嘻嘻哈哈的，梁思宇都哭好多回了，他说他现在没有家，他是没家的孩子。

郑洁一下子鼻子就酸了。

郑洁回家去给梁思宇和老爷子做饭。郑洁歉意地说她不该打梁思宇。梁思宇说行了妈，您要不给我一巴掌您可能回家吃饭吗？

梁老爷子说梁思宇我还得批评你，你怎么又去招你妈生气了。梁老爷子不知道华硕眼睛受伤的事。

郑洁跟梁思宇聊天，想聊一聊梁思宇真实的想法。可梁思宇把真实的想法都藏起来了，梁思宇说妈只要您高兴，我无所谓。

郑洁知道，这不是真话。

可梁思宇一口咬定：妈，这就是你儿子现在的真话。

郑洁这天做梁思宇和老爷子的工作，因为华硕的眼睛受伤了，梁国辉很可能出于方方面面的原因，决定很快就跟华硕结婚，那他们都不应该阻拦。他们只有一个词可说：祝福。

梁思宇说：那就是说我爸爸献身了。

郑洁说：这叫负责任。

梁老爷子说：我没话说了。

郑洁回到医院，到眼科病房看望华硕。果然，梁国辉出来就跟郑洁谈，他想跟华硕结婚。等华硕眼睛一好，出院就结。

郑洁是淡淡的，结吧，我没有意见。家里老爷子和梁思宇的工作做好了，他们也没意见。

梁国辉愣住了：你想到了我会跟华硕结婚。

郑洁还是淡淡的：想到了。因为我想到了你还是不冷静。华硕现在眼睛伤着，灾难临头，又是你姐夫弄伤的，你怎么安慰你自己的心，只有跟华硕结婚，无论你们是不是走到了结婚那一步。……也许，等华硕眼睛好了以后，再过半年，你就不这么想了，但是我相信，你等不到半年。

梁国辉说：我确实不想等。华硕需要实质的安慰。

郑洁说：我知道。所以我没什么可说的了。祝你们幸福。

梁国辉看着郑洁：……那……我可真的跟华硕去说了，我得再往前走一步。

郑洁点头。

梁国辉突然的有几分留恋：我迈出一步可就不能再回头了……

郑洁说：知道。

梁国辉说：……那我想问，你跟沈局长，你们俩……

郑洁说：我们俩挺好的。这些天我光忙着跟你捣乱了，还没去看他。现在消停了，我马上就去。

梁国辉说：……他的事，过去了没有，现在应该好了吧？……我这么问只是关心，没别的意思……

郑洁装成一身的轻松：应该没大事吧。有大事不早把他抓起来了？……你放心，我们俩真的挺好的。

梁国辉沉默半晌：郑洁……

你说吧。

……以前，我们俩在一起的时候，我想想，我确实为家里做得不够，挺对不起你的。

郑洁眼睛一下子就湿了：你现在明白了，晚了啊？

还是想跟你说声对不起。我当老公确实不够好。

不说这个了。你好好的，往前走吧。

梁国辉没走，沉默……

郑洁也没走，也沉默……

郑洁……

你说吧……

我祝福你吧。

郑洁笑笑：行，我也祝福你。

那我……真的跟华硕说去了。

郑洁点头。

梁国辉转身往病房走，郑洁站着目送。

走着走着，梁国辉回头了。

郑洁挥了挥手……

梁国辉再走。走着走着，又回头了……

郑洁还站着目送……

郑洁再度跟梁国辉挥了挥手……

第26章　祸兮福所倚

回到病房，梁国辉跟华硕提到结婚。

华硕却一口拒绝了。

华硕说：我知道你是出于内疚想跟我结婚。

梁国辉说：不是，我是因为爱你。

华硕笑笑：我眼睛好好的时候，我说要跟你结婚，你都觉得咱们不到结婚的时候。现在我的一只眼睛瞎了……

梁国辉说：没瞎。

华硕说：对，暂时瞎了。你觉得一只眼睛的华硕比两只眼睛的华硕更有魅力更可爱吗？我不相信。

梁国辉说：你听我说……

华硕说：我不听。我不接受同情，我不愿意我的丈夫跟我结婚是因为同情而不是激情，那我宁可一辈子不结婚。

梁国辉的生活和工作已经乱成一团糟了……

郑洁也并不顺利。她打沈航的电话，沈航不接；给沈航发短信，沈航不回。去沈航家里找他，吃了闭门羹。

郑洁去卫生局找沈航，没想到沈航正在把办公室让给新任局长……

郑洁没想到一眼看见了一个官员的升迁沉降。这么尴尬的场景，一下子激怒了沈航。

沈航问郑洁谁给她的权利到工作单位找他。

郑洁说：我只是担心，因为我联系不上你。

沈航说：你是我什么人啊你担心，你担什么心？

一向温文尔雅的沈航一下变得不讲理了。

郑洁还想安慰沈航：我知道你心里很烦很烦，不管怎么样我还是想说，我不是一个势利眼的女人……我还是愿意把我们的关系继续下去……

沈航说：对不起郑洁，我现在不想谈这个。

郑洁说：……那我能不能问一声，是暂时不想谈还是……以后再也不想谈。

沈航说：你愿意怎么理解就怎么理解吧。

沈航走了。

郑洁被搁置在大街上。面对着车来车往的街道，郑洁尝到了搁浅的滋味……

梁国辉在医院碰到了郑洁，看郑洁脸色不好，问郑洁怎么了。郑洁什么也没说。

李长江来找梁国辉，说哥们儿不是我溜肩膀不扛着，是晓燕提出来的，她坚决不跟我过了，她要离婚。

梁国辉看李长江的眼神一下就变了：哥们儿你什么意思啊？

李长江说别那么看着我，不是我的意思，是晓燕的意思。

梁国辉说别来这套，我就问你，你是什么意思。

李长江说我没有抛弃她的意思。

梁国辉说可你也没有再爱她的意思。

李长江无语。

梁国辉说：长江，晓燕要是没有病，你跟她离婚，全当是割一刀，破了，疼痛，可毕竟还有机会把伤养好，可现在白晓燕真的受不起任何打击，你跟她离婚，好比送她去死！

李长江说：别把我想得那么狼心狗肺！我有什么心都没有抛弃她的心！是她，她真是要离婚，她从家里搬出去了。她说她什么都不要，就要自由。你说说……你说说她都成这样了，她要自由干什么？！……她都这样儿了，离了我，你说哪个男人会对她好？！

梁国辉还是得去找白晓燕，白晓燕毕竟是他的病人。

梁国辉对白晓燕说离婚对你有什么好处啊？你把好处说给我听听。白晓燕说李长江幸福了，我就解脱了。梁国辉说拉倒吧，你不是就想让他背上背信弃义的黑锅吗，你这叫让他幸福啊？白晓燕说背信弃义，哪儿的话，是我主动放弃的，又不是他抛弃我……梁国辉说那你说说对你有什么好处……白晓燕说我心里没负担了。我不想成李长江的累赘。梁国辉说然后呢，你自由以后，有什么打算？白晓燕说我没打算。梁国辉说一天一天往下混，混到死为止。当然了，你现在很注意形象了，你现在不是像一团抹布一样死去，而是像一朵玫瑰一样优雅地死去。白晓燕你是这么想的吧？

白晓燕无言。

梁国辉说：我告诉你吧，都是死在我眼里没区别。白晓燕，在精神上，你还是地球的一块抹布。

白晓燕还是无言。

梁国辉又说：我不可能让你变成一块抹布，死了这份心吧白晓燕。李长江也不可能跟你离婚，你也死了这份儿心吧。……我倒是有个建议白晓燕，你去服装学院去进修吧。我觉得，换一个环境，换一群新认识的人，你可能也会焕然一新的。说不定，那是你的春天。

可是白晓燕是固执的，梁国辉说服不了她。她说：你是个大夫，你能给我药吃，但是在生活中没有什么特效药你承认吧？你规划不了我的人生。梁国辉说对，我承认。人都得自己救自己，晓燕，别人都是外力。

但最后，白晓燕还是听从了梁国辉的建议，去服装学院进修。李长江为白晓燕付了学费。

对于丈夫承担的义务，白晓燕没有拒绝。

在送白晓燕去上学的路上，白晓燕跟李长江谈了，白晓燕说任何时候我都不是你的累赘，你是自由的，为了快乐你可以不考虑我。

李长江说你永远都不是我的累赘，媳妇。我是你老公，这是当初我选择的。

这样的对话不甜蜜吗？

但当事人心里未必觉得真甜。人生没到终点站，人人觉得危机四伏。

李长江还是觉得松了一口气。毕竟，他没想过抛弃白晓燕。或者说，他没勇气抛弃白晓燕。道义上背弃的罪名他背不起。

但是这不等于李长江不想从姚佳身上寻找新鲜感。

姚佳呢，和所有年轻姑娘一样，年龄就是一切优势的总和。在她眼里是没有白晓燕的，还用战斗吗？从年龄上白晓燕就不战而降了。

所以白晓燕是弱者。

男人的本能是保护弱者的。所以李长江本能地要保护白晓燕。

所以姚佳嘲笑李长江，伤害她的是你，保卫她的也是你。

李长江问那你呢？姚佳说我是一个过客，我们一起吃了几次便饭而已。……你那么紧张啊？不会说想休了她娶我吧？千万别！

当刘彪再度从沉睡中醒来，在药物作用下，不再那么狂躁的时候，梁国辉来到他的病床前，不客气地告诉他，刘彪你听着，为了一口酒你做了什么，你弄瞎了华硕一只宝贵的眼睛，是不是能复明还不知道……你知道眼睛对一个医生来说意味着什么，刘彪，你要是还有良心，你就给我记住了，你对不起华大夫，你要还是个人，就给我把酒戒了，后半辈子，你得还人家华硕大夫的，就算是这样，你也还不清……

梁国辉是豁出去了，对刘彪，以毒攻毒了……

刘彪也许是巨大的赎罪心理的作用，也许治疗慢慢在生效，刘彪从未那么主动顺从地服从治疗……只要大脑中一想到酒，一抓耳挠腮地难受，他就干脆去找梁国辉，让梁国辉"保护"他……

他不再是一个躁狂的病人，他慢慢变安静了……

海涛又回学校上学了，还是一个勤奋的孩子，但同学们都知道，他有一个神经病的父亲，慢慢的，孩子被孤立疏远了……

海涛自己也变得沉默寡言。上学的时候，去上学，放学就回家帮母亲经营着小卖部……

国华总是哭，她不知道该怎么还他们欠下的……

在小卖部，国华对海涛说，等你爸爸好了，咱们一家三口，什么都不干了，这辈子就还欠下的债……

国华到医院看望华硕，但是华硕避而不见……

国华碰到的是郑洁。

国华说我们彪子造的孽，我们造的孽，我们还。

郑洁安慰国华，华硕的眼睛还可以做手术，有一天她还会重见光明。

IT 病人吕建海经过治疗，病情慢慢稳定了，和刘彪住一个病房。

他常常向病人吹嘘，我是比尔·盖茨，我是开飞机来的。

下一天，他又变成了爱因斯坦，说能预言第三次世界大战是什么样的。然后又改口，说我不知道第三次世界大战是什么样的。我知道第四次世界大战是什么样的。第四次世界大战是石头和木棍的战争。

弄得梁国辉哭笑不得。梁国辉说我知道你说得没错，这是爱因斯坦的原话。可你是不是爱因斯坦我不知道。

企业家高星在普通病房里坚持了一段时间，病情恶化，再度转到了重症监护室。郑洁再度看到了那双企求生命的眼睛。

他在清醒的时候，明明白白再度告诉郑洁：我还不想死。我还没准备好。

郑洁能说什么呢，死亡，从来不给任何人准备的时间。真是阎王叫你三更死，谁能拖延到五更。郑洁只能跟企业家年轻的妻子说，叫她做好准备。

她问郑洁高星还有多少时间，郑洁说根据经验，不会超过十天。她哭了：我不怕花钱，我就要他活着。

最终郑洁说你还是问问他有没有什么未了的心愿吧……她说他没别的心愿，他就想活下去……郑洁真的无话可说，郑洁只能说我尽力……

郑洁走了……

郑洁犹豫再三，跟高星的妻子提起眼角膜捐献的事……一个年轻的女医生眼睛被病人划伤了，需要有人捐赠眼角膜。

高星的妻子一下就把郑洁的话打断了：不可能。高星会活下去的。

接着传来的消息，沈局被调离了所在的这个区卫生局，去了另外一个区的卫生局。降了半级，当副局长。

这消息也是李长江带给郑洁的。

李长江说纪检调查的结果是，沈局长并没有在阳光医院拆迁的事情上有什么贪污受贿的情况，沈局长当时可能跟开发商提到要留一栋楼优惠给医疗系统，为了系统的利益也不是他自己……说白了沈局长官还是一个好官。

郑洁千呼万唤，终于等到沈局长接听了她的电话。

沈局长提出来跟郑洁分手。郑洁想跟沈局长见面，沈局长都拒绝了。

沈局长一定要离开郑洁的真实理由，是因为梁国辉为阳光医院拆迁的事上下奔走，牵连了沈局长。而梁国辉是郑洁的前夫。

郑洁速战速决地谈恋爱，又速战速决地失恋了。

失恋的郑洁，满脸的幸福一下子消失了。

下班回家的路，郑洁一个人走了好长时间。一边走，郑洁眼泪就掉下来了……

梁思宇放学回家，骑着自行车在街上走，碰见了迷茫地走在街上的郑洁……

梁思宇惊讶地看见了郑洁的满面泪痕，作为战士的郑洁有这么悲伤的一面……

梁思宇说：妈你怎么了……

郑洁没有回答。

梁思宇说：那我最近可挺乖的，一个乱子都没给您惹过。

郑洁说：跟你没关系。

梁思宇说：那您干吗自己一个人哭啊？您有什么事啊妈，要不您跟我说说。

郑洁说：我没事。

白晓燕在服装学院里上课，那里毕竟是用服装美化人类的地方，慢慢地，白晓燕又讲究起来了……

在那个环境里，白晓燕慢慢变了，对于服装的热情转变了她的注意力……但是，李长江那边出事了。

中心医院的程副院长被抓，起因是六百三十万的回扣。他交代，这六百三十万有两百三十万是李长江给的，这意味着，李长江有可能要承担行贿的罪名……

如果罪名成立，等着李长江的，将是监狱的高墙……

这回轮到李长江找梁国辉了……

梁国辉听到李长江的话惊呆了。李长江跟梁国辉讲的都是医疗的黑幕，各大医院医疗设备的购买权基本在主管院长手里，而药房的权力在主管副院长手里……

李长江做进口医疗设备多年，和各大医院的院长关系那么好，以为是李长江劳动模范得来的吗？

梁国辉问李长江能怎么办……

李长江找了个律师为自己辩护，同时听天由命了……

李长江苦笑着告诉梁国辉，万一他进去了，得是他把白晓燕托付给梁国辉了……

梁国辉说这是当然的。他也为李长江这么惦记着白晓燕高兴，说明李长江没被姚佳的年轻迷住……

李长江说当然了，白晓燕是我老婆，老婆是亲人。

但是说完李长江就黯然了……他不知道怎么让白晓燕承受这个打击，早知道有这么一步，不如他答应跟白晓燕离婚，这样他进去了，白晓燕还能找到一个优秀的男人保护她。

梁国辉恰好不这么想，白晓燕应该承受一些打击，反倒有可能把她从自我的世界里拔出来，这反倒有可能变成救白晓燕的一个机会……

李长江不想把这事告诉白晓燕，梁国辉想法正相反……

白晓燕听说了李长江的事，惊呆了……

一段时间的惊慌失措之后，紧接着果然从白晓燕身上焕发了一种力量，就是要救李长江，保护李长江……或者……白晓燕紧紧拉住李长江的手，万一李长江真的被判刑了，她会等待李长江，直到他刑满释放……

李长江从这件事才知道，白晓燕其实不是一个脆弱的女人，她身上也有坚强的一面……

李长江的百般呵护，都没能让白晓燕从自我的忧郁状态中解脱，反倒是灾难，像是给白晓燕打了一针强心剂……

白晓燕这些天反过来加倍地呵护沮丧的李长江，并且为了给李长江洗刷罪名东奔西走……

白晓燕想到了卖房子，想到了拿出所有的钱，只要能让李长江平安无事……

李长江拦住了白晓燕，他不能因为自己而让白晓燕无家可归……

白晓燕说要是连你都保不住要家干什么……一句话震动了李长江，他拉住了白晓燕的手，继而紧紧抱住了白晓燕……

夫妻，在灾难面前，反而找到了几分情投意合……

梁国辉去找郑洁了，告诉她李长江出事了，让她有空去陪陪白晓燕。

梁国辉找郑洁，郑洁很意外。郑洁跟沈航的事，让郑洁觉得很没面子。所以她一直回避梁国辉。

梁国辉没有挤对郑洁的心了。说人生本来就是一场梦，有几件事是真的。大家忙活来忙活去，图个乐子。现在没乐子了，都是乱子。

郑洁去看白晓燕。白晓燕反倒是像换了一个人，镇定异常。

这件事对郑洁不能不说也是一个震动……医院自主盈利之后，郑洁所在的重症监护室也有创收的业务，但是对重症监护室来说，主是就是药品……

不排除，有的医生给病人用药超量……甚至，有的药开出来了但是并没有用在病人身上……

特别是对待生命垂危而又有巨大财富的那个企业家高星……

郑洁来到医院，让医生给高星减药……

药量减少，费用减少，不料高星的妻子却冲进来跟郑洁急了……

高星的妻子质问郑洁为什么减药，为什么用的钱少了……

郑洁向她解释，这已经是正常的药量，多用反而无济于事……

高星的妻子却坚持：给他用最好的药，我不需要省钱……

郑洁说：我真的不是为了给你省钱，我是为了让他活着。他已经虚弱到这个程度，你认为他受得了那么大剂量的药物吗？

高星的妻子眼圈一红：我真希望这世界上有灵丹妙药。

郑洁说：你知道这个世界上没有灵丹妙药。

高星的妻子哭了。

郑洁安慰她。这一天，郑洁跟她说话，说了好久。郑洁再次跟她提起眼角膜移植的事，高星的妻子再次拒绝了。

郑洁说，这也许是高星的眼睛能够重见人间的最好也最快的方式，而且他是在一个善良的女医生身上。

这句话，让高星的妻子停下了脚步。

郑洁又说：眼角膜移植是一件特别神奇的事情，因为，人身体的器官，大概只有眼角膜可以反复移植，就是说它可以从一个人的眼睛移到另一个人的眼睛，只要它没有意外的破损，它就可以不断地这么移植下去……从这个角度说，这是一个人长生的一种方式。

高星妻子的眼睛湿了。

郑洁说：也许用这个方式，他可以陪伴你好长好长的时间。

郑洁作为重症监护室主任，在整个重症监护室里开始实行药方和配药监督制度……说白了就是她一个人，要把所有的医生处方和病人的实际用药查一遍……科室里的医护人员看郑洁的眼光变了……郑洁变成了另类……何况郑洁根本也没那么大的精力……

姚佳毕竟也是做生意的，为了避嫌，从李长江的生活中消失了……在街上遇到李长江，匆匆地只跟李长江打了个招呼，就上了跑车跑了……

生活的悲喜剧常常是同时到来的……时间一天一天地过去……

梁国辉一天一天地问着丁超：孩子，那个声音还在吗？

终于有一天，丁超醒来，大叫着找梁国辉。梁国辉火急火燎地赶来的时候，丁超告诉他：叔叔，那个声音消失了……

梁国辉问消失了多久，丁超说，到现在三天了……

梁国辉一把抱住了丁超，热泪盈眶：丁超，咱们赢了。

那个声音从丁超的生命中消失了，丁教授和丁师母热泪盈眶。丁教授知道，儿子活了……

梁国辉跑到医院，把丁超幻听消失的消息告诉华硕。

华硕和梁国辉也抱在了一起。为了这个好不容易从魔鬼世界拉回来的孩子，他们毕竟走了太长太长的路。

梁国辉跟华硕说了同样的话：华硕，咱们赢了。

华硕说：是你赢了。

梁国辉说：不是，是咱们赢了。梁国辉冲华硕鞠了一躬，说谢谢你华大夫。

华硕也冲梁国辉鞠了一躬：谢谢你，梁大夫。

这时候的两个医生真是开心的，他们的开心很动人。

接着，两个人四目相对。想说什么，但是又不知道该说什么，两个人都笑了。

梁国辉说：华硕，你是一个好大夫。

华硕说：谢谢院长的夸奖。她等着，还想让梁国辉说点什么。

梁国辉笑，不知道说什么好了：丁超好了，这一瞬间我觉得很幸福。

华硕说：这一瞬间，我为跟你分享这个幸福而幸福。

梁国辉打量着华硕：……华硕。

华硕说：……嗯？

梁国辉说：在这么巨大的幸福面前，我冲动得想跟你求婚。

华硕愣了一下：那你可以说说看。

梁国辉说：……华硕，咱们结婚吧。

华硕说：不行。

梁国辉说：为什么？

华硕说：因为你还没有治好我的眼睛。

梁国辉说：好的……我要快点治好你的眼睛。只要你眼睛好了，华硕……

华硕捂住了梁国辉的嘴：我现在不想那么贪心，我现在只要治好我的眼睛。

可丁超并没有因此和父亲言归于好。不知道为什么，他还是不跟丁教授说话。丁师母来了，陪着丁超做任何事都行，丁教授来了，丁超就变得沉默……

丁师母不知道该怎么安慰丁教授才好。

丁教授叹气：估计是那一个耳光打的。他连脑子里都种杀人的声音都忘得了，可我打那一巴掌他忘不了。丁教授也是安慰自己也是安慰丁师母：来日方长。没准儿有一天他还能想起来，没有我这个爸爸，也没他这个儿子吧？

不知道灾难能给人带来多少韧性，多少宽容，总之丁教授和丁师母之间形成了一个默契，探视的时候，丁师母进来，跟丁超聊天，给丁超送书看……

丁教授在外面等着，等丁师母出来了，再一五一十地把丁超的情况讲给丁教授听，两口子，就这么点滴分享着丁超的每一分变化……

常常的，丁师母说着说着就哭了……

可丁教授总在笑：反而安慰丁师母，还哭！这不是一天天地好起来了吗？

丁教授感叹：真是从地狱到天堂！没下过地狱，你怎么能悟到，最平常的最健康的生活已经是人间天堂。

国华在攒钱，她四处打听，有什么办法能帮华硕换回一只眼睛……

国华比从前更加拼命地挣钱，不分昼夜地劳碌，病倒了……

该探视的时候，国华没来，海涛来了。海涛望着父亲，忍不住说了一句，爸，算我求您了，您能快点儿好了吗？再这么下去，我妈就累死了。

刘彪对儿子说，能。

李长江这些天始终在惶恐之中，度日如年，他不知道等待他的是什么。他一再地问律师，律师优势劣势两面儿的话都说了，就是说不出来保证能赢的话。

白晓燕一有空就陪在李长江身边……

等到了案子开庭审理那一天。白晓燕想到法庭里面去听庭审，被梁国辉拦住了。梁国辉陪着白晓燕等在法庭的外面，等着庭审结束，李长江和律师出来。但是一次庭审结束，并不意味着有什么结果，白晓燕静静地陪着李长江。

这天，是动人的一天，郑洁来到医院，企业家高星的妻子拦住了郑洁。

高星的妻子说她跟高星谈过了，高星同意在他去世后捐献眼角膜，一枚给华硕，另一枚眼角膜捐给红十字会眼库，问郑洁怎么办手续。

郑洁说不出心里的感动，一下子抱住了高星的妻子。

高星在自愿捐献遗体眼角膜申请登记表上签字。这一刻，高星是平静的。

他的愿望是，让他看一眼这个被病人划伤眼睛的女医生。

郑洁来到眼科，把高星的决定告诉了华硕和梁国辉。

郑洁静静地把话讲完，华硕和梁国辉好长时间都没说话。他们都知道，这是郑洁努力的结果。

而且郑洁是大度、无私的。

华硕冲郑洁伸出了手：郑姐姐，谢谢你。

郑洁和华硕的手没有隔阂地握在了一起。

华硕在郑洁和梁国辉的陪同下来到重症病房。

华硕的一只眼睛被纱布包着，另一只眼睛看到了会给她带来光明的高星，高星也见到了这个只有二十多岁的女医生。

高星的手跟华硕的手握在一起。

高星说：这就算我跟你交接了。我的一只眼睛给你，你替我做好人好事。

华硕说：谢谢你给我光明。我会永远感谢你。

高星摇头，说：我应该感谢你，我知道我的眼睛还可以在你身上活下去，我对死突然没有那么恐惧了。

梁国辉对郑洁也是难以言表的感激。因为郑洁这一个举动，救了华硕，解脱了他，拯救了国华一家。

面对梁国辉的感激，郑洁是淡然的……郑洁说我不过是眼前有这么一个人，他恰好合适，我不过说服他而已。……我说服他的理由，是能让他的死亡变得有意义。他走了，他的眼睛给一个医生带来光明，这个医生又可以让好多人康复，过得幸福，这不是一举多得的事吗？谈不上谢不谢的。

梁国辉说：那我也谢谢你。

郑洁说：你要是这么说，我得特别补充一句，这件事不是冲你。

梁国辉的嘴被堵住了。

郑洁说：那我忙去了。

风和日丽的一天。企业家高星病情突然恶化，意识丧失；紧接着出现呼吸困难、心跳减慢，最终，生命迹象全面消失。他走到了人生的终点，放下了他在这个世界上赚到的全部财富，还有美丽的女人，离开了这个世界。

他美丽的妻子久久拉着他的手不肯松开，是郑洁上前，生生地掰开了她的手，让她在外面等着，她亲自来做清理……

稍后，企业家高星的遗体被送到了眼科手术室。

医生在他的遗体边放了一束菊花。

图大夫亲自主刀，取下了高星的眼角膜，一枚成功移植给华硕，另一枚被第一时间送上飞机，去了重庆。

高星的妻子一直没有离开，在眼科手术室的外面等着手术结束。直到华硕和高星被从手术室推出来。

梁国辉把手里的鲜花放到了高星的身边。

高星妻子的手紧紧拉着华硕的手，一直送到眼科病房，仿佛华硕就是高星的再生……

人世间感动万千，这是其中的一种。

在众人高调的感动中，郑洁低调转身，走了……

第27章　朋　友

郑洁没再到眼科病房去看华硕。直到华硕拆线，眼睛重见光明，郑洁也没再去过。

梁国辉照顾华硕，陪伴华硕，慢慢地心里不安了。

华硕也不安了。

华硕眼睛重见光明那一刻，梁国辉给华硕一把玫瑰花。

华硕说这玫瑰真漂亮，真香。我想把它送给郑洁。

华硕又说其实这会儿我最想看见郑洁，你会不会觉得我假招子？

梁国辉想了想说：你觉得你有找她的必要吗？

华硕说：当然有。没有她，恐怕我现在还在黑暗里等待眼角膜。

但是华硕没有找到郑洁。郑洁的同事说郑洁休假了。

华硕把手里的那束玫瑰花放到了郑洁的办公桌上。

梁国辉说：拿走吧，等她回来的时候，说不定花都臭了。

华硕说：……我真想让她知道我感激她。

梁国辉说：你想说几车话表达你对她的感激？表达了又怎么样呢？

华硕沉默了。

梁国辉说：……把感激搁在心里不好吗？

华硕说：我觉得她躲着我。

梁国辉说：想多了。她前一段时间那么累，心情也不好……她休假一段时间不是应该的吗？

华硕摇摇头：我知道她不愿意见我。……因为你。

梁国辉沉默。

华硕又说：在她心里，怎么着我也是她的情敌。

梁国辉说：别把她说得那么小气……不是我替她说话，她的确无私地帮助了你，不是吗？

华硕说：是。所以我心情变得很矛盾。

梁国辉看着华硕。

华硕说：我一跟你在一起，就觉得对不起她。

梁国辉说：我跟她……

华硕说：离婚了。这是法律上。感情上你们真离了吗？

梁国辉说：老问刁钻古怪的问题，那么多年的夫妻，就是离了，从感情上也不可能一刀两断。

华硕笑笑：行，这个问题不说了。然后调皮地冲梁国辉敬了个礼：我出院了梁院长，请求回到工作岗位。

梁国辉笑，调侃地说：小鬼！

华硕回到了医院，回到医生病人中间。被围住，被欢迎。

没敢走上前的是刘彪和国华。华硕主动迎向了他们。国华拉住华硕，说了一车对不起的话。华硕说我原谅你们了姐姐。

在一旁，梁国辉拨打郑洁的手机。但是郑洁的手机关机了。

梁国辉回家了，名义是看看儿子，看看老爷子，其实还是想探听一下，郑洁去哪儿了。

梁思宇和梁老爷子一见梁国辉问起，就一唱一和的，都不知道郑洁去哪儿了。

梁国辉和郑洁离婚了，家里反倒到处都贴满了梁国辉和郑洁的，还有一家四口的合影。这都是梁老爷子和梁思宇干的。

在家里，梁国辉感觉到处都是郑洁，可是郑洁不在。

梁国辉说：贴这么多照片，干吗啊？

梁老爷子说：我最近常常觉得对不起郑洁，一这么想的时候我就面壁思过。郑洁又不在家，我就权当是面对郑洁了。

梁思宇说：我也是。

梁国辉问：……你妈呢？

梁思宇说：好长时间没回来了，不在医院啊？

梁老爷子和梁思宇都瞪大眼睛看着梁国辉。

梁国辉又问：也没打电话？

梁思宇说：没有。

梁国辉说：真没有？

梁思宇说：没有。

梁老爷子和梁思宇都从梁国辉脸上看见担心了。

梁思宇说：爸，我妈不会出什么事吧？

梁老爷子打断说：别跟你爸提你妈，你妈跟你爸有什么关系啊！你妈就是现在……

梁国辉说：您可别咒她啊！

梁老爷子说：我不咒她！又冲梁思宇说：你妈就是现在出天大的事跟你爸有什么关系啊！

梁国辉说：怎么没关系啊！

梁老爷子说：有什么关系啊？

梁国辉说：……郑洁她……她是梁思宇的妈，她怎么跟我没关系啊？

梁思宇说：那她是跟我有关系，跟您真没什么关系。……不聊了不聊了，爷爷您想遛弯去吗？

一老一少一唱一和下楼了。

扔下梁国辉在屋里。到处是郑洁和他的照片，从年轻时候一直到四十多岁。

历历在目。

昨是今非。

梁国辉让梁老爷子和梁思宇把照片都摘了，要不然郑洁回来了，看见心里头得是什么滋味儿啊。梁老爷子说那也是她心里的滋味儿，跟你有什么关系。梁思宇说就是。

华硕问候梁老爷子和梁思宇，梁国辉答非所问。华硕说什么时候她去看望老爷子，梁国辉阻拦了。

梁国辉说那房子是属于郑洁的，以后不带华硕去了。华硕问，那老爷子和梁思宇永远在那房子住下去吗？梁国辉说那看郑洁的情分吧。华硕没有再问。

梁国辉说：我去查下房。

梁国辉走了。

郑洁在远方，面对大海，确实一个人在度假。度得无所谓愉快，无所谓不愉快，就是一个人呆呆地坐着而已。

手机一直没开。

梁国辉又给郑洁打过电话，但是也没联系上郑洁。

成功的眼科手术让国华一家子松了一口气。梁国辉更是松了一口气。

国华当着梁国辉的面，是由衷地夸郑洁。因为没有郑洁帮忙，华硕现在还在黑暗里，他们欠着华硕，怎么办啊？国华现在最想做的就是报答郑洁，可是怎么报答啊，她一想到跟郑洁接触就还是发憷，不知道哪句话说得不对就又让郑洁撅回来了。

梁国辉的话是由衷的：……郑洁不是小肚鸡肠那种女人，她心挺大的。要搁一般女人身上，按说她跟咱们都没关系了，她可以什么都不管，她可以根本就不出现，是不是？

国华承认梁国辉说得是对的：她要是不上前，不管咱们，咱们一句话也说不出来。

梁国辉说：从前到后，忙忙活活的都是郑洁。……郑洁这样的女人，也不多见。

国华不失时机地说了一句：……国辉，华硕眼睛好了，你不一定非跟她结婚了吧？

梁国辉回头看着国华。

国华说：我还是觉得郑洁好。

梁国辉说：你刚才还说见郑洁发憷。

国华说：我是怵郑洁那张嘴。可我也说句良心话，郑洁是刀子嘴，豆腐心。……郑洁和那个什么……局长，吹了吧？

梁国辉说：大概是吧？

国华说：那郑洁不是还得找啊。

梁国辉说：得找吧。

国华说：那你就看着她去找啊？

梁国辉说：我不看着她找，我还能拦着她啊？

国华拉梁国辉：……要是心里还觉得郑洁好，怎么不能拦着她。

梁国辉说：姐，别说这样的话了。拦着郑洁，华硕怎么办？

梁国辉走了。

李长江认真地跟白晓燕谈起离婚了，把财产尽可能多地留给白晓燕。李长江不知道等待自己的是什么，万一他受到处罚，除了刑事责任之外还有罚款，那最起码他可以让白晓燕尽可能地还过好日子……

白晓燕拒绝了。

李长江去找梁国辉，想让梁国辉劝白晓燕。梁国辉也拒绝了。

梁国辉说如果你不是想转移财产，就没必要跟白晓燕假离婚。

李长江说：不是假离婚，是……

梁国辉说：是真离婚就更不行了。白晓燕不可能在这种时候跟你离婚。

白晓燕这段时间变成了另外一个女人。从服装学院下了课就去菜市场买菜，做饭，想办法为李长江煲汤保养身体……她努力地让自己变成一个贤淑的家庭主妇。

李长江是感动的，李长江把全部家底交给了白晓燕。以前，李长江从来没跟白晓燕讲过这些，他认为白晓燕是个艺术家，没有经营的脑子。

白晓燕知道李长江很能赚钱，但不知道李长江赚了那么多钱——几千万。

白晓燕开玩笑地跟李长江谈生意的事，说万一他要是进去了，她可以替他撑着公司的生意，一直到他出来。李长江也笑了，不过是苦笑。李长江告诉白晓燕，那生意她根本就做不了，有一个关系网在李长江的脑子里，那就是各市各大医院的人事结构图，那就是他们的生意渠道。

李长江说，在这个网络上的每一个人，都决定着他们的一笔两笔甚至许多笔生意的成败。你没脑子跟他们玩儿晓燕，有一些人的嘴脸是不能看的晓燕，要是你看了，就不是你得抑郁症的事，说不定你早就自杀了。

白晓燕这才意识到，男人，确实是扛了很多事在肩上，埋了很多事在心里。李长江说不是很多事，是很多烂事。

白晓燕和李长江紧紧依偎。白晓燕说我想救你，李长江说你救不了我。白晓燕说你再想想，就真的没有什么人能救你吗？李长江说我能想得起来的，这时候躲都来不及。

白晓燕这时候想起了郑洁。想起郑洁以前曾经救治过的一个病人是高检的陈检察长，这毕竟是一层用得着的关系，白晓燕想也许郑洁可以帮助她。

郑洁正因为医生护士用药超量而发火，白晓燕来了。

郑洁说陈检察长出院后她就再也没有联系过。再说托关系托到那儿去了不反而透着做贼心虚吗？要是什么事也没有托关系干什么。

郑洁说的话在理，但就是让白晓燕听了不舒服。白晓燕说郑洁我真的需要你帮助一下长江……不管有多小的一点儿希望，我都想试试。求你帮帮忙好不好？平时那么高高在上的白晓燕，为了李长江，低头了。

郑洁说：问题是晓燕，陈检察长真的就是我一个普通的病人。

白晓燕说服不了郑洁，找梁国辉去了。

梁国辉知道郑洁回来，是高兴的，至少知道郑洁平安无事。

梁国辉打电话给郑洁，她要是有空想跟她吃顿饭。

郑洁说：闲着没事咱俩吃哪门子饭，有话就说。

梁国辉说：咱俩就不能坐下吃顿饭啊？聊聊家里的事，还有……

郑洁说：我没空。她咣当就把电话给挂了。

梁国辉没办法就到医院去找郑洁。直接告诉郑洁是为李长江的事来说情的，李长江大难临头，要是真能跟陈检察长打个招呼，让陈检察长过问一下，有什么不行的啊。

郑洁正为度假这些天医院积累下来的事忙，懒得绕弯子：我就问你一句，如果李长江什么事都没有，有什么必要打这个招呼，不怕越抹越黑吗？

梁国辉也急了：郑洁，你不是生活在真空里吧？朋友之间本来就是互相帮助，陈检察长过问一下可能就让李长江有事变没事了，你就打一个电话，为什么不行呢？让你打这个电话，不等于说李长江就一定有事，不一定就说明他心虚违法，谁大难临头不找救星啊？郑洁，别这么不近人情行不行啊？

郑洁说：我不近人情？你近人情？

梁国辉一下子知道自己说错了：……郑洁，别生我气，我不是这意思……你已经帮过我好多忙了，我不该这么说，我就是替长江着急。

郑洁说：那我问问你，我一个普通的重症监护室的大夫，陈检察长凭什么记得我啊？啊？

梁国辉说：逢年过节他不是还派人给你送一篮水果什么的吗？不记得你他会送吗？

郑洁说：一篮水果的交情，你觉得能救李长江啊？

梁国辉让郑洁给问住了。

梁国辉还是低声下气：李长江要是进去了，你想想白晓燕怎么办，咱们当好朋友能不管吗？可你想想，咱们再为白晓燕操心，都不如李长江在，李长江照顾她，我说得不对吗？

郑洁说：说到底，你们还是怜香惜玉，你们还是在照顾白晓燕。

梁国辉：……谁让她是弱者呢。

郑洁说：她是弱者，我是强者？

梁国辉说：你表现得像个强者。

郑洁气得说：我帮不了这忙。

有护士来找郑洁签字。郑洁签了字，护士出去了。

剩下郑洁和梁国辉，一时的冷场。

梁国辉没话找话：……你出去度假了？玩儿得高兴吗？

郑洁说：还行。

然后就没话了。

梁国辉说：你……一个人去的？

郑洁说：嗯。

然后又没话了。

梁国辉看着郑洁，不知道该说什么了。郑洁不耐烦了：还有什么话想说快点儿……

……怎么也没约个伴儿啊。

郑洁拿着文件夹就要走。

梁国辉说：郑洁，我是真的关心你，想问你几句。

郑洁头都不回：我轮得着你关心吗？

郑洁打开门要走。

梁国辉说：我前几天一直打你电话，你关机了，也没人知道你去哪儿，真挺着急的。

郑洁心里一动，停了。

梁国辉说：以后你再出去，能不能告诉一下梁思宇，或者老爷子，总得有人知道你的去向吧。

郑洁说：我的去向重要吗？

梁国辉说：重要。

郑洁较劲儿：那我真想让华硕听听这话，她得怎么想啊。

梁国辉说：……郑洁，我一直想跟你说一句，华硕的眼睛，真谢谢你。

郑洁说：我记得你以前说过了。

梁国辉说：我说过了吗？

郑洁说：再说一次也没什么。我接受了。她眼睛彻底好了吗？

梁国辉说：好了。

郑洁说：那就好。她又要走。

梁国辉又叫：郑洁。

郑洁不耐烦了：你还有什么要说的。

梁国辉说：你……跟沈航结束了，别灰心，再找一个……好的，配得上你的。

郑洁说：……我不傻，该找的时候我知道。

把梁国辉堵得真没话说了。

梁国辉无可奈何地转身往外走……

郑洁跟着，一低头：你袜子破了。

梁国辉低头，回身，也才看见自己脚后跟袜子破了。

郑洁说：你女朋友干什么吃的，她不管你啊？

梁国辉说：……哦。回头我换一双。

郑洁说：……行。大方。破了就扔，换双新的。有钱。

梁国辉被噎得无话。

郑洁咣当关上了办公室的门，要走了。

梁国辉叫住了郑洁，递给郑洁一个信封，里面是他的工资。

郑洁说：干吗。

梁国辉说：算给思宇和老爷子的生活费吧。总不能他们都让你养着。

郑洁说：行，我收了。

然后郑洁就走。对梁国辉，她真是表现得一点留恋也没有。

郑洁冤死了，郑洁心里也希望男人照顾她，疼她……可关键时刻，一有事，郑洁立刻就想操心了。

郑洁，就是操心的命。

郑洁背着人其实还是给陈检察长打电话了。陈检察长的电话压根就没开过。

郑洁去了一趟检察院，找陈检察长。陈检察长没见。但是当郑洁已经回到医院的时候，接到了陈检察长的电话，问郑洁有没有什么事。郑洁说提醒检察长定期到医院做个体检，好根据身体情况做一做调养。陈检察长亲切地说谢谢。然后郑洁赔着笑脸问起李长江的事，电话中陈检察长的声音立刻不亲切了，问郑洁跟这事有关系吗？郑洁说没关系。陈检察长说他没有过问这事，是副检察长一手操办的。

郑洁把陈检察长的回话告诉了梁国辉。

然后扔下了一句：我白打了一回电话，白白浪费了一个人情，什么用还都没管。

梁国辉还想跟郑洁说点什么。

郑洁咣当又把电话挂了。

丁超从防御自杀的特殊病房转到普通病房，跟许多病人住到一起，其中包括刘彪和吕建海。丁师母想让丁超还住单间，她表示不怕花钱，只要对丁超的治疗有好处……

梁国辉说这样就是对丁超有好处。总不能幻听消失了，丁超再患上自闭症，孤独症……

事实上，丁超也确实对同病房的男病人们怀着防范心理，总觉得还是有人可能会害他。特别是刘彪。他从别的男病人那里知道，华硕大夫的眼睛是被他弄瞎的……

他时时刻刻躲着防御着刘彪，刘彪不睡，他就不睡……

吃饭的时候，他也和刘彪隔着远远的距离……

有一天，刘彪好心想给丁超帮忙拿东西，这动作却引起了丁超强烈的防卫，丁超把刘彪伤了……

谁也没想到，刘彪没还手，任丁超打他……

刘彪说：我不跟他一般见识，他还是孩子。比我儿子大不了多少。

这回病人们都知道了。

最厉害的不是刘彪，是丁超。

丁超被病人们孤立起来了。

梁国辉想尽办法，想让丁超从自闭的阴影中走出来……

刘彪在医院里，努力地配合着医生的治疗，甚至他又变成了那个好人刘彪……

当他清醒的时候，他愿意帮病人的忙，帮医生的忙……

但他唯一不敢面对的，是华硕大夫……

梁国辉为了刘彪的康复，把华硕调到了另一个病区……

他们度过了华硕眼睛失明的危机，生活回到了正轨。所谓的正轨，就是日复一日，基本重复。

梁国辉一如既往地忙，忙得华硕有时候看不见梁国辉的身影。

这天，华硕等在梁国辉的办公室，等来了梁国辉。

梁国辉很惊讶：你怎么在这儿。

华硕委屈地说：你知道吗，我都一个星期没见到你了。

梁国辉这才意识到对华硕的忽略。

华硕突然问了梁国辉一个很实质的问题：梁大叔，你还想跟我结婚吗？

梁国辉给问住了。

华硕指着自己那只做过手术的眼睛：这是另一个世界的人的眼睛，面对它，你要说老实话。

梁国辉说：说老实话，我没想好。

华硕说：你是不是不知道该拿我如何是好？

梁国辉老老实实地回答：老实话，是。

华硕面对着梁国辉，没话说了。

梁国辉面对华硕，也不知道该说什么了。

华硕说：我突然觉得，咱俩之间好像没什么话可说了。

梁国辉说：……我是忙得……

华硕说：这是借口。真的。我发现咱俩之间得找话说。

梁国辉说：……要不，华硕，要不咱俩结婚吧。结婚了也许会不一样……在医院的时候，我答应你眼睛一好就结婚。

华硕说：……那我现在正式拒绝你的求婚。可以吗？

丁教授在系里带研究生，看研究生的开题报告，关于建筑在人类文化中的意义。

丁教授问了研究生一个问题，什么叫人，什么叫家。

研究生竟然答不上来。

丁教授说，如果这个问题想不出来，就会像家那个字一样。房顶下面遮蔽着的不是一个人，而是一头猪……

研究生被丁教授说懵了……

日子一天一天过去，在惶惶不可终日中，李长江等来了法庭的再次开庭……

法庭调查的结果是，李长江的公司并没有从程副院长那边有回扣，李长江公司的利润是合理合法的。至于程副院长是利用职权之便，一定要抬高医院器械的价格，无论谁和医院做这笔医疗器械的生意，都是同样的结果……

程副院长是索贿罪，而李长江没有行贿罪……

最终，李长江被免予起诉……

梁国辉松了口气，当然真松了口气的还是李长江和白晓燕……

两个人紧紧地拥抱在一起，发自内心的亲热地拥抱……

梁国辉和郑洁也陪着他们等判决，看见李长江和白晓燕拥抱，抱着抱着抱出了热泪汹涌，那真是夫妻患难与共，遇难呈祥之后百感交集的欢腾……

梁国辉和郑洁看着别人的欢欣，他们俩没有交流，两个人已是陌路。

四个人在一起吃饭，李长江和白晓燕心情好得甜甜蜜蜜，白晓燕拥抱着李长江，真觉得有几分失而复得……

李长江更有同感，他觉得，失而复得的是白晓燕对他的关心。多年以来，他一直以强者的姿态照顾白晓燕，遇到了灾难，他发现花一样脆弱的白晓燕竟然也可以做"贤内助"……

李长江冲着梁国辉和郑洁突然冒了一句：老婆还是原装的好。我说，要不你们两口子还凑合着一块儿过得了。

郑洁一下子就站起来了：怎么可能啊？

梁国辉赶快就接下茬：对对对，不可能！绝对不可能，在这一点上我跟郑洁志同道合。

华硕到中心医院眼科复查眼睛，独自去找过郑洁。两个人谈了好久。

郑洁一见到华硕就说你别说是来道谢的，梁国辉已经道过谢了。没什么好谢的。

华硕说我想跟你谈谈心。

郑洁说：你跟我？

华硕点头，一双明亮的眼睛认真地看着郑洁：只要你不烦我。

郑洁说：那你说吧。

华硕说：我想跟你聊聊梁国辉。

郑洁说：他是个好男人。这点上我不能说他坏话。

华硕说：我觉得他不爱我。

郑洁说：……这感觉？……这我可帮不了你。

华硕说：我觉得他爱的还是你。

郑洁说：……这不可能。我可告诉你啊华硕，当初是你跟我争他，现在我可不跟你争他。你看我像是拖泥带水的人吗？

华硕说：你别误会，我不是说你怎么着，我知道你没有……但是我还是想跟你说，你是个不在场的第三者。

郑洁要急：什么？

华硕说：我是说他的感情……他单方面的感情……我觉得他感情还在你身上。这才是最可怕的，你是隐形的，在我和他之间。

郑洁站起来了：怎么可能啊！你照镜子看看你多年轻啊，你再看看我……

华硕说：这跟年龄没关系。我年轻，所以我可能幼稚。你年长，可能你更成熟。

郑洁说：我成熟，拉倒吧。我摔跟头少啊？我都快成一个笑话了。

华硕拉住郑洁：你别走行吗？

郑洁停了。

华硕拉着她的手，瞬间，她觉得有几分别扭。华硕意识到了，松开郑洁的手。

华硕说：我要跟你说句对不起。

郑洁说：又从哪儿说起啊。

华硕说：以前，我不该跟你夺梁老师。

郑洁说：别说你找我忏悔来了。

华硕说：我是找你忏悔来了。……我……对不起。

郑洁说：晚了。要是聊这个我不聊了。再说我也不觉得我跟他离婚是多大的错事。离婚是我要离的，我烦他了，跟你有点儿关系也不大……这么说你就释然了吧。差不多就回去吧。

郑洁下逐客令了。

华硕不走：郑姐姐……

郑洁看着华硕：你叫得真亲。别说你又有事求我。

华硕说：我想把梁老师再还给你。

郑洁说：还给我？

华硕点头。

郑洁一下就站起来了：你觉得梁国辉是什么，一块儿糖，一个积木，一个自行车？还给我！怎么还啊？

华硕说：……你们……你们还在一起，不是挺好的吗？

郑洁说：你跟梁国辉之间出什么事了我不知道，我给你的答复是……对不起你妹妹，我不想接着。

梁老爷子闹妖蛾子。说自己病了，让梁思宇通知梁国辉和郑洁回家。

他们回家了，发现虚惊一场。梁国辉跟老爷子急了，说爸没您这样儿的，您知道我们多忙啊？

老爷子说忙怎么了，忙你不要爹呀？都回来吃个饭不行啊？

老爷子又浑身乱指，这，这，这儿疼。

郑洁说要不您哪天去医院，我给您全面做个体检。

老爷子说那不去，我怕查出个好歹的。

郑洁跟随梁国辉进屋，说我想跟你商量个事……

梁国辉说：你说……

郑洁说：我想辞职。

梁国辉惊着了……

梁国辉问郑洁为什么。

郑洁向梁国辉讲起了医院的盈利模式，他们重症监护室昂贵的进口药物，还有用在病人身上可有可无的那些昂贵的营养针……

郑洁说：你记得刚进学校的时候，老师教给的医学生誓言吗？

梁国辉说：当然。健康所系，性命相托，当我步入神圣医学学府的时刻，谨庄严宣誓：我志愿献身医学，热爱祖国，忠于人民，恪守医德，尊师守纪，刻苦钻研，孜孜不倦，精益求精，全面发展。我决心竭尽全力除人类之病痛，助健康之完美，维护医术的圣洁和荣誉。救死扶伤，不辞艰辛，执著追求，为祖国医药卫生事业的发展和人类身心健康奋斗终生。

郑洁说：可是现在我觉得当医生一点儿也不圣洁。至少我这医生当得不圣洁。

郑洁不是一个恶人，梁国辉能看到郑洁脸上的内疚……

梁国辉说：别多想了，咱们谁也不是圣人。

郑洁说：我们医院的副院长要是不给抓起来，我不知道医院是这样的，要不是李长江差点儿给判了刑，我不知道他们是这么赚钱的……要不是……我不知道那些医药公司是这么卖药的……

梁国辉反对郑洁辞职。这弯子转得也太大了，简直就不是郑洁。原来他觉得郑洁是多俗气一个人啊。现在郑洁突然来了一个大转弯。

再怎么说，市中心医院也是全市甚至全国最好的医院之一，说到做医生，也不会有比那个医院更好的地方了……

梁国辉说郑洁，我知道你为什么要辞职。这样说吧，如果你待在一个黑暗的地方，你离开了，那个地方就不再黑暗了吗？你为什么不在那儿充当那份儿光明呢？

郑洁说我没有那么高尚，我是一个普通的医生，我当不了精神领袖，我照耀不了别人……

梁国辉说把自己分内的事做好已经很不错了。

郑洁说以前我从来没想过这么工作有什么不对，因为别人也这么工作，但是现在再这么工作下去让我崩溃……你总不能看着我崩溃吧？

梁国辉还想劝……

郑洁瞪着红红的眼睛看着梁国辉：别再劝我！

梁国辉说那你总得骑着马找马吧？离开医院你去干什么啊？……要不你跟李长江一起……

话说了一半梁国辉就停了。

郑洁讥嘲地问：一起去卖医疗设备？

李长江受了一回刺激，自己还惊魂未定，下一步怎么走还不知道呢。

白晓燕劝李长江金盆洗手，不要再做医疗设备的生意了。李长江说不做生意我怎么养活你啊。

白晓燕说我养活你。

李长江真觉得感动了，对白晓燕刮目相看了。白晓燕真的不再是个小鸟依人的鸟，而是一只能冒雨飞行的雨燕……

李长江说媳妇儿，必须是我养活你，因为我是你丈夫，知道吗？

因祸得福，夫妻间，竟然找到了前所未有的甜蜜之感。

郑洁固执地向医院递交了辞职报告。郑洁说我左右不了什么，至少可以洁身自好。

梁国辉说：有这份儿心，老天已经原谅你了。

就在这时候，程副院长的判决书下来了。程副院长因为索贿受贿判刑十五年。

这件事轰动了整个中心医院，也轰动了医疗系统……

医院开始全面整顿医德医风，至少在形式上是这样……

梁国辉趁机劝郑洁再等等……毕竟，毕竟，梁国辉说，郑洁，你毕竟还是一个有良知的医生。不是我夸你，你离开医院不就成了医院的损失了吗？

说这话的时候，梁国辉看郑洁的眼神中，多了几分赞赏。

梁国辉说郑洁，别把自己看得太差劲，这年头，每个人都面对诱惑，有顶得住的，有顶不住的。有一开始顶不住后来明白了又顶得住的，你就属于这一类……有从始至终都顶不住，甚至从始至终压根儿就不想顶的……说实话吧郑洁，我觉得你还行。

郑洁觉得意外，在梁国辉的眼里自己还有好的地方，她本来觉得在梁国辉心里，她大概一无是处。

梁国辉说当然不是。要是往头里刨根儿，是在你眼里我一无是处。

第28章 生 离

梁国辉跑回医院找华硕。华硕在丁超的病房……

丁超仍然在自闭的阴影当中。整天抱着杰克·伦敦的《热爱生命》在看。终于看到了人狼搏斗的情节，看到人终于死死咬住了狼的喉管……

华硕让丁超往下看，看到人终于爬到海边，看到船帆，看到人，向人呼救……

华硕告诉丁超，人不是孤独的，孤独是自己造成的，人最亲近最需要的还是自己的同类……同病房的病人不是丁超的敌人，他们都和丁超一样，是病人，他们其实和丁超一样，需要帮助，如果他们不小心伤害了你，是因为他们病着。

华硕温言细语地跟丁超说话，丁超静静地听着……在丁超的眼里，华硕的脸上笼罩一层神圣的光晕。

梁国辉在旁边看着，他也觉得华硕的脸上笼罩一层神圣的光晕……

梁国辉真心地称赞华硕：讲得真好，跟诗篇一样。

华硕说谢谢梁老师，记得当初我崇拜你的时候也是这么说的。

梁国辉笑。

华硕说我可以跟你谈谈恋爱吗？

梁国辉说现在啊？

华硕点头。

梁国辉说：那……谈吧。

华硕说：我想跟你分手了。

梁国辉愣住了：你不是说谈恋爱吗？

华硕说：对啊。谈恋爱的结果有可能成功，有可能分手。分手也是谈恋爱的过程之一啊。

梁国辉不说话了。

华硕说：……我不能等你说出来，你说出来我自尊心受不了，我得先说才行。

梁国辉说：你决定了？

华硕点头。

梁国辉说：给个理由。

华硕指着自己的眼睛：我这只眼睛，老看见郑洁在帮助我。我一跟你在一起，我就觉得这只眼睛在旁观，我总是觉得我欠郑洁的。

吕建海见丁超喜欢看书，就把他归成了自己的同类，常跟他探讨宇宙天体的宏观问题，讲太阳系的寿命有多长，当世界末日是什么样子，讲得病人一阵一阵地恐慌……

为了那些高深莫测的科学问题，吕建海没少和梁国辉纠缠，也没少和病人冲突。他甚至利用二进制原理给医院设计了一套管理程序……在他眼里，他本身和周围的人就不是一个世界的人，他想飞，可又不知道该往哪儿飞……

他天天计算着飞行速度。他在他的数字化世界中，与真实的世界隔绝了……

有时候刘彪都不明白，您那么深的学问，那么高的智商，国家应该请您去研究航天飞机啊？您怎么跟我们一样跑病房来了……

吕建海说了，怀才不遇。

慢慢地，丁超对同病房的病人没有那么深的敌意了……

刘彪还是愿意跟这个孩子说话，觉得他跟自己的儿子很像，老想照顾他，丁超接受了……

刘彪是那种粗粗拉拉的人，就是照顾丁超也是那种大大咧咧的亲热，什么事都不过心，丁超的生活中从来没有接近过这种人，也渐渐地喜欢上了刘彪……

在病房里，刘彪和丁超倒是形同父子了……

又到了探视时间，丁超见到了母亲，刘彪也见到了国华和海涛……

刘彪让丁超和海涛认识，让海涛管丁超叫哥，呵呵笑着说丁超是自己在病房认识的干儿子……

也许到底都是孩子，丁超和海涛倒是一见如故，海涛让丁超替自己盯着父亲，千万听医生的话，别再犯酒瘾……

刘彪听见了，亲热地骂海涛在自己身边布置特务……

梁国辉指导丁教授夫妻跟丁超相处。理想的父子关系、理想的家庭状态应该是什么样子的，"其乐融融"……就这么四个字，说起来容易，做起来难。但是做好了，生活应该是什么样，社会应该是什么样，人生应该是什么样，具有普世的意义……

梁国辉是个有普世情怀的医生……

梁国辉说：你们在一起待一天，就一天，能不能不给他压力。你的眼神，你的语气……丁教授，你都要注意。

国华和海涛看见了刘彪的好转，好像拨云见日，在生活中又看到了盼头……

而丁超由于刘彪和海涛，开始愿意跟人接触了。他一直黯淡的眼睛，终于有了光芒。

丁超和刘彪都在好转当中，作为主治医生的梁国辉感到了难以形容的快乐……

梁国辉在病区里见到了华硕，华硕从梁国辉脸上看到的，也全是高兴……

华硕也替梁国辉高兴，她一直都理解，梁国辉把病人置于一切之上的付出……不过，她递给梁国辉一份请调报告，她真的决定离开这家医院了……

梁国辉震惊了，但他也明白华硕为什么要做这样的选择……他知道在他和华硕之间，有着说不清道不明的隔阂，但是当时间一天天过去，每个人的生活重新走上正轨，他依然希望华硕留在他的身边，做一个热爱事业的大夫……梁国辉说你有什么要求，医院可以尽量满足你。

华硕笑笑，说：梁副院长，你可真会打官腔。

梁国辉说我不是官腔。我真的是为医院留住一个好大夫。华硕说还是官腔。梁国辉说我本人也挽留你。华硕说你本人，为什么？梁国辉说年轻人让医院有活力。华硕说还是官腔。

梁国辉说：……别的我说不出来了华硕。

华硕说：看见我会觉得眼前一亮，养眼，工作起来会很愉快，我说得对吗？

梁国辉说：……对。你让我本人也有活力。

华硕说：心里真这么想的？

梁国辉点头：真的。

华硕说：你心里这么想的为什么不能亲口说出来？

梁国辉说：我不能面对自己的贪心。我的贪心希望你永远在我身边，我的理智知道这不可能。

华硕说：你的理智很虚伪。华硕转身走了。

梁国辉冲着华硕的背影说：人不可能一辈子为所欲为，有的话不能说，有的事不能做，这不是虚伪，这是成熟。

华硕还是说：虚伪！华硕走了。

梁国辉回头看见的是个病人，梁国辉问我虚伪吗？

病人说虚伪。我答对了吗？

梁国辉说：答对了。

华硕走了，梁国辉去送行。梁国辉说我总得跟你说一些一路保重的话。

华硕说：折柳送别啊，太伤感。

梁国辉说：我知道。就是为了伤感来的。

华硕说：保重吧，梁老师。

梁国辉说：你也是，小姑娘。

华硕眼圈一下就红了。

梁国辉说：送走你，我可能就把生命里最亮的颜色送走了。

华硕说：你生命里最亮的颜色不是我，不然你就舍不得送我走了。

梁国辉不是圣人，他不能不承认，年轻的姑娘就像上天垂悯，格外投射在医院里的一缕阳光……现在这缕阳光消失了，以后不再有了。梁国辉确实觉得，生命一下子黯淡了。

华硕抱住了梁国辉。梁国辉也回抱了华硕。

华硕说：再见了梁老师。

梁国辉没有回答。梁国辉没有掩饰，他掉眼泪了。

梁国辉和郑洁见面，商量梁思宇的事。

梁国辉告诉郑洁华硕调走了。而且，梁国辉在郑洁面前没有掩盖自己的怅然若失。

梁国辉是带着几分成心的，也带着几分恶意，想刺激一下郑洁。就像一个学生往一个老师的包里放一个癞蛤蟆那样的恶意。

郑洁感到了这种恶意。

郑洁说你要是觉得依依难舍，或者痛不欲生，你可以跟着她一起调走，跟着她，走到天涯海角，只要她愿意，你愿意。

梁国辉一下子觉得无聊了。

郑洁也带着恶意，把话说透了：你倒是想跟着她走，我现在想问的，是人家华硕，八零后的女孩子，风华正茂，前途无限可能，凭什么带着你走四方，你有什么啊？

梁国辉说：是啊，我有什么啊？你还是觉得我一无是处，是不是啊？

郑洁说：别把责任推给我，今天是你自己自讨没趣。

郑洁走了。

白晓燕在服装学院的进修结束了，再来剧团，白晓燕不再觉得那些服装如此的枯燥无聊了，她开始认真地研究起每一出戏，每一件戏装的来头……慢慢地，白晓燕沉浸其中了，找到了一种前所未有的乐趣……

夫妻之间的隔阂，似乎也在消解当中。当有一天，白晓燕对李长江表示歉意的时候，已经是真心的深深的歉意了。白晓燕说梁国辉说得对，其实我是自私的，内疚也好，负罪也好，其实都是我的感受，我没考虑过你的感受……

李长江大大咧咧地笑，说媳妇儿，媳妇儿，你把话题扯远了……

李长江和白晓燕之间，竟然迎来了结婚十年来前所未有的甜蜜，前所未有的心心相映……

李长江从未感觉到如此的幸福，他也没忘了去医院找梁国辉，跟梁国辉分享这感受。

梁国辉也终于可以放松得像所有同学那样，笑着说让人嫉妒……

李长江也不在乎了，说你活该嫉妒。

李长江还跟梁国辉开玩笑，我们家的事不用你插足了，你还是赶紧的去忙你自己的吧，我觉得你的生活还乱着套呢……

梁国辉说我啊，我只好把我自己往高尚里说了。我，先人后己，啊。

当然李长江也问梁国辉，你跟郑洁怎么样了，华硕都走了，你跟郑洁和好吧？两口子……

梁国辉笑道：知道，我们两口子跟你们两口子不一样。

李长江道：什么不一样啊？怎么不一样啊？

梁国辉无言以对：反正是不一样。

刘彪出院了。刘彪拍着梁国辉的肩膀发誓，这辈子，酒是我刘彪不共戴天的仇人。

刘彪还嘱咐丁超，好好的，出院以后上家去，让海涛跟你一块儿，小哥俩有伴儿……

出了院的刘彪又是一个好人，热心人，只是比从前要沉默寡言。他兢兢业业地干活，经营着小店，帮着街坊四邻，过去他砸过人家的，欠过人家的，想方设法地，他都还……

刘彪就像变成了一个还债的人……街坊四邻们慢慢又都开始喜欢他了。

刘彪疼老婆，疼孩子，知道他们为了他喝酒受够了罪，现在是任劳任怨的，差不多给他们当牛做马都乐意了……

国华心满意足了。无论如何她都没有看错，她的彪子是个好人。

郑洁在医院里忙碌，哥哥郑浩来了。

郑浩一改以前意气风发的样子，而是非常憔悴，胡子拉碴的。

郑洁吓了一跳：哥，你怎么了？

兄妹俩可以说是惨淡相对，郑洁吃惊地知道哥哥离婚了，而且是净身出户。离婚的原因很简单，就是郑浩自己"种的因，今日尝了果"。

嫂子秀杰是非常普通的小学老师。当初郑浩有一个热恋的爱人，出于方方面面的考虑选中了这个他并不爱但很需要的媳妇。

郑浩一直和以前的恋人有暧昧的联系，一直自信地认为隐瞒得天衣无缝。其实，秀杰早已明晰一切，她就等着孩子长大、等着郑浩最得意最充满幸福感的时候，将他摔碎！……这就是一个女人的报复。

郑浩不得不承认，他用尽心机经营着自己的一辈子，谨小慎微地不犯任何一个错误，到头来发现，自己的一生是个错误，但已经没有了改的机会。他是繁华到头一场空。

郑浩此时也向妹妹承认了错误，他当初反对郑洁嫁给一穷二白的梁国辉，到郑洁和梁国辉离婚的时候他没有阻拦，现在回头看看，梁国辉人多实在啊。

郑洁一下就跟郑浩急了：现在还说这个，有意思吗？

郑浩还是问郑洁和梁国辉现在怎么样，有没有从头再来的意思……

郑洁急了：怎么从头再来啊？怎么从头再来啊？

郑浩说：郑洁，你得经营啊，爱情婚姻你都得经营啊？你得保鲜啊。

郑洁说：你保鲜了吗？你是把嫂子放在家里，都快放烂了。她自己救自己，才没彻底烂了。别跟我说这个了。

但郑浩的离婚对郑洁不能不说是一个打击。

郑洁说哥你可真行。你真让我觉得男人确实不是东西！你是我亲哥，你怎么能那么对我嫂子啊？

郑浩说：我……我也是情不自禁啊。

郑浩没地方去，想暂时住在郑洁家里。

郑洁拒绝了。郑洁绝对不愿意让梁老爷子和梁思宇知道郑浩也离婚了。

郑浩不高兴了，怎么着离婚有罪啊？离婚了连亲妹妹也瞧不起啊？

郑洁说：起码不是一件往脸上贴金的事。

郑洁在外面很远的地方给郑浩租了房子。又问郑浩他是打算跟初恋结婚吗？

郑浩反而一下给问住了。

郑浩说：我从来没想跟她结婚，真的。因为我从来没想过离婚。

郑洁说：你这叫什么人啊？！你压根就想两头占着是不是啊？……哥，你真让我失望，你让我对男人失望！

郑浩说：别一打击一大片。……梁国辉现在没两头占着啊，华硕不是走了吗？

郑洁没回答，走了。

第29章 死 别

　　梁国辉在医院里，还是一个字，忙……

　　梁国辉用极大的耐心，把吕建海从数字世界又拉回到人间。让他意识到，他需要跟人在一起。

　　梁国辉终于把他重新送回了 IT 行业。

　　但有一天，建海又回来了，他告诉梁国辉，他不愿意离开精神病医院。在这里，大家都拿他当一个高智商的人。可回到公司，公司分给他的是低智商的工作。梁国辉知道这是全社会都存有的偏见。梁国辉陪着建海回了公司，面见了建海的老板。梁国辉告诉老板，精神病人和所有的病人一样，当他们痊愈，和正常人并没有什么两样。以前是白领，现在仍然可以是白领，希望老板给建海一个机会，让吕建海作为一个正常人而不是一个残疾人回归社会。梁国辉说，从某种意义上说，这才是真正意义上的平等和尊重。老板是个高傲的外国人，但被梁国辉的话彻底打动，他看了梁国辉好半天，说了声 OK。

　　时间，一天一天地过去……

　　经过一段时间的稳定和康复，丁超出院了。这时候，离丁超住进医院已经三年过去……

　　丁超又长了三岁，经过了生死挣扎，尽管不像完全正常的青年那样矫健阳光，但到底重新站到了阳光下。跟梁国辉告别时，还带着几分矜持……

　　梁国辉抱住了他：小伙子，好好的。

　　丁家三口回了大学区的家……迎来了丁师母和丁教授期待了很久的团圆。但仍然有一团阴影笼罩着，丁超和父亲之间还是存在着一种隔阂，不管丁教授怎么样，丁超都不肯跟他说话……

　　丁教授耐心地等待着，等待事情发生转机的一天……

　　丁超出院，梁国辉是高兴的，这是他忙了这几年，最有成就感的一件事，所以梁国辉回家了，真是满面笑容的。买了好多好吃的。想着跟父亲好好坐一坐，小酌一下，下一盘棋。

恰好这天郑洁回来，一看梁国辉回来了，转身就要走。

梁国辉喊：郑洁。

郑洁说：你回来怎么不打招呼啊？你回来我就不回来了。

梁国辉还是忍不住告诉郑洁，想跟她分享一下，那个孩子出院了，好了。

郑洁问：哪个孩子。

梁国辉说：想跳楼那个。幻听的孩子……

郑洁说：哦，精神分裂那个……

梁国辉说：他好了。今天出院了，我特别特别高兴。……特别特别有成就感。

郑洁试图体会着梁国辉的欢欣：祝贺你。

梁国辉还说：你不知道，把这么一个孩子治好，让他出院有多艰难。

郑洁说：大概，像让一个病人从重症监护室回到普通病房，再从普通病房到出院那么难。

梁国辉笑：嗯，像。

郑洁说：那可不容易。彻底治好了吗？他能像从前一样，回学校念书了？像他父母期待的那样，参加高考？

梁国辉说：不能。

郑洁说：那怎么叫好了？

梁国辉看着郑洁，真不知道该说什么了……

梁国辉说：我相信孩子的父母现在看重的不是孩子是不是参加高考，是不是出人头地，他们就想要一个健康的孩子。

郑洁不说话了。

郑洁所在的中心医院，经过了一段时间紧锣密鼓的整顿，风刮过去了……

风刮过去以后，一切该怎么样就又怎么样了。

郑洁在医院里又看见了李长江。郑洁真的服气了，说李长江，我以为你永远都不会到我们医院来了，没想到，你又来了。

李长江说：我得做生意，我得活下去啊。

郑洁说：我们医院新的副院长还没上任吧，就算上了任，也没人敢……

李长江说：这样不就好了吗？我们就迎来春天了。病人也不用额外买单了，不是吗？

郑洁说：我还忙着长江，我走了。

李长江叫住了郑洁。李长江跟郑洁谈她和梁国辉复婚的事。

郑洁说：梁国辉让你做说客了？

李长江说：没有。

郑洁说：那就别谈了。好不容易离的，干吗还我们俩往一块儿凑啊。想起来还要跟梁国辉一块儿过日子，觉得就剩下乏味了。

李长江说：郑洁，别那么新潮。都这岁数了，还想要什么新鲜的啊？

郑洁说：那也不急着回头。没劲。

郑洁这段时间住医院，不回家。梁国辉回家了。

梁国辉自己回家了。家里老爷子，梁思宇都在，三个老爷们儿，大眼瞪小眼。

梁老爷子问郑洁什么时候回家。梁国辉说等我走了她就回来了。梁老爷子说老梁家这日子过得，混着混着家里剩下仨光棍儿！

老爷子这时候也是把郑洁和梁国辉重新往一起撮合的心。

郑洁不回家，老爷子上医院找郑洁去了，问郑洁什么时候回家。

郑洁说忙。老爷子急了，说忙就忙得有家不能回啊？那得找你们院长，没这么使唤人的。

郑洁忙把老爷子拦住了。

老爷子活了一辈子的人，心里什么不明白啊？糊涂都是装糊涂。问郑洁那你什么时候回家啊，我给你做好吃的。

郑洁说我忙完了就回。

老爷子说今晚就回吧，我做扁豆焖面。

郑洁说爸爸我尽量。

晚上老爷子做了扁豆焖面，但是郑洁没回。

老爷子的郁闷就闷在心里了。

梁国辉哄他说谁没几天危机啊？国家也有啊，度过去了不就好了？……郑洁好不容易自由了，她有她的追求，咱爷儿仨看着她追求不也挺好的吗？

老爷子说：看着她追求？那你呢，你不出去追求啊？

梁国辉说：……我……追求啊！只不过暂时没有明确的目标。等梁思宇长大吧。

梁思宇说：别啊爸！你还是现在就追求吧，趁着我爷爷和我抗打击能力强。

丁超只有一个习惯没改，就是爱看书，但是他仍然不愿与人交往，在家里就基本闭门不出。无论谁来，谁走，他都不会从房间走出来看一眼。

丁教授作为父亲，为此也算费尽心机。

终于有一天，丁家夫妇穷毕生积累给丁超盘下了一个小小的书吧，让丁超一边卖书，一边看书，一边不可避免的，要跟来往的客人说上几句话。

丁超爱上了那个书吧，从此就不再回家了。

丁教授想念儿子，想和儿子言归于好，有事没事，都会到书吧里坐一会儿，抽本书随便翻，渴望丁超跟他说点儿什么。可丁超就是不跟他说话，不叫他……

总是丁超关灯的时候，丁教授才放下书，一言不发又走了。

国华在攒钱，刘彪知道。攒钱干什么，刘彪也知道。

刘彪也攒钱，在钱上，刘彪前所未有地抠门儿……

做生意，刘彪变得一分钱都不会让了。邻居们买东西，差几分钱，刘彪也会等着，让邻居们掏出来……

邻居们慢慢变得不理解了，觉得刘彪还是换了一个人，大半还是因为脑子有毛病……

刘彪听见了，也不还嘴。

李大妈让邻居们少说几句，嘴上积点儿德……

终于有一天，刘彪和国华把钱从银行取出来了，送到了阳光医院。想让梁国辉送给华硕。

梁国辉说华硕已经调走了。再说华硕当初是工伤，医院已经把华硕所有的医疗费用都报了。

刘彪说那就还给医院。

梁国辉说不用还。你当时病着，你对你自己的行为是不负法律责任的。

刘彪捧着钱的手抖了：什么责任都不负我还叫男的吗？

他把钱放在护士台上转身就走了……

梁国辉还是来到小卖部，把钱送了回来。梁国辉看刘彪心事重重的样子，试图劝慰他，精神科医生本来就是这样一个职业，病人在神志不清时犯下的罪连法律上都不会判刑，就因为他不知道自己在干什么……不要拿已经过去的错再惩罚自己。

但是国华说了，我们不是狼心狗肺，害了人没法不惩罚自己。

梁国辉说姐我是希望你别活得那么累。国华说这是我的命。

人到老年，走着走着，老爷子突然倒下了。倒下了就没再起来。

本来看着很好的一棵树，外面看着都好好的，突然就倒下了，一看，里面已经空了。树老心空，就是这么一回事。人老，也是这么一回事。

老爷子没别的愿望，就是找郑洁。他住进了郑洁的重症监护室，这也是梁山最后能将儿子媳妇重新拉回到一起的方式了。

梁山住进了重症监护室，梁国辉每天都来探望，每天都来，但也只有三点到三点半半个小时的探视时间。梁国辉跟老爷子待在一起。

梁国辉意识到，时间不多了。

其余的时候，都是郑洁尽量地跟老爷子在一起。

梁国辉来了，都是从郑洁的嘴里，知道老爷子怎么样怎么样。

郑洁也记录得非常详细，老人的体征，还有老人说的话。现在老人说的每一句话，都有可能是临终遗言。所以郑洁很用心地听。

这天探视的时候，梁国辉和郑洁都在。老人跟他们说话。也没说别的，就是数落梁国辉不好，这也不好那也不好，数落得一无是处。

郑洁都不得不替梁国辉说话了，说爸，他也没有那么不好。梁老爷子说，他就是不好。

郑洁知道老爷子是为了撮合她跟梁国辉才那么数落。但是梁国辉入心了。因为，老人一辈子都对梁国辉没有夸赞，到快走的时候，哪怕假的，他也愿意听到老人对他的一句肯定。

可是老爷子没说。

老爷子病危，梁国辉也通知了姐姐梁国华。梁国华和姐夫刘彪带着海涛到医院来探视。

重症监护室，只能一个一个地进。

梁国华面对老爷子时，老爷子就说了一句：你瘦了。

梁国华哭了。

曾经发生的好多事，她都没法，也不可能告诉老爷子，是苦是甜，她都只能自己往肚子里咽。现在她难过的，就是每天只有半个小时的探视时间，无法在老人家身前尽孝。

梁国华为了刘彪跟老爷子僵持了那么多年，一直都不低头，不和解，现在，晚了。

国华说爸爸对不起。老爷子拍拍国华的头，已经无所谓对得起还是对不起了。

老爷子又对刘彪说：对国华好点儿，她真不容易。

刘彪说：我知道爸，我不是东西。我一定对她好，好一辈子。

老爷子说：她是对你好一辈子。我这闺女，给你养了。

老人尽量地不上呼吸机，因为一上，老人就没法说话了。

老爷子仍然是以极其乐观和快乐的方式面对死亡。他宁愿忍受疼痛也坚持不让郑洁给他连续上镇静和镇痛药物，因为，他要争取清醒着多和他们在一起……此时，郑洁和梁国辉才真正认识了这个被他们当做孩子的老人，他留给他们的最大财富就是对生活的态度和精神。

梁山告诉他们，人走这一辈子不能把所有的功过得失全扛肩上，得学会放下、趴下，临了才能含笑九泉而不是死不瞑目……

可是随着病情的发展，必须要上呼吸机。一上呼吸机，老人的嘴里多了一个东西，再也合不上了。梁国辉看着老人这个样子，心如刀割。

老人想跟梁国辉说什么，只能写。

郑洁征求梁国辉的意见，要不要割喉管，梁国辉含泪拒绝了。

梁国辉的态度很明确，尽量地让老人少受罪，体面地死亡。

郑洁又问梁国辉，如果老人呼吸停止了，抢救不抢救，郑洁的意思，就是电击恢复心跳。梁国辉也拒绝了。梁国辉的意思，让老人体面宁静地走。

梁国辉虽然无法每时每刻守在老人身边，但是只要他一离开精神病院，基本上就守在中心医院里。郑洁让梁国辉在她值班的小床上休息。

那张小床，也正是郑洁跟梁国辉闹离婚，独自睡眠的地方。

梁国辉太累了，在床上迷迷糊糊地睡着了。他在睡梦中梦见老爷子跟他告别。护士跑进来叫他……

梁国辉一下就醒了，跳起来就往外冲。

第30章　死亡即重生

　　郑洁已经在重症监护室里，送老人最后一程。

　　心电图上的仪器最终变成了一根直线。

　　郑洁在老人身边轻轻说了一句：爸，朝着光明的地方走。

　　最后是郑洁给老人拔下了呼吸机。

　　郑洁带着护士快速地给老人做了最后的清洁，并且把老人送进了太平间。

　　现在梁国辉捧在怀里的，是老爷子留下的骨灰……

　　他和梁国辉的父子因缘，到这为止，结束了。

　　活生生的一个人，一生一世，在人间烟消云散了……

　　梁国辉在送别父亲的过程中，没有眼泪……

　　回到家里也没有。但是他沉默了。在郑洁和梁思宇面前，梁国辉没什么话了，回到家里，梁国辉沉默着吃饭，沉默着把自己关进了老爷子生前的房间……

　　早上，梁国辉沉默着出门上班……

　　然后，有一天，梁国辉给郑洁打电话，说我不回去了，你们自己好好过吧。

　　郑洁问你呢？

　　梁国辉说我现在行了，我自己能往下过。

　　郑洁急了，还是那么火爆的脾气，说你讨什么厌啊？梁思宇不是我从娘家带来的儿子，凭什么交给我一个人啊？你回家，你得负一半责任。

　　梁国辉说：我不回家我也负责任。

　　梁国辉把电话挂了。郑洁听着电话中传来的忙音。梁思宇在旁边看着郑洁。

　　郑洁说：你爸需要时间。

　　郑洁每天回家，做该做的。梁思宇也学乖了，也每天回家，做功课，该干什么干什么，一天一天重复一样的日子。

　　梁国辉在失去父亲这座山的时候崩溃了。自己给自己开药，抗抑郁……

　　郑洁去医院看望梁国辉。

梁国辉失去了父亲。当初父亲在，他没想到过这事儿是这么沉重。现在他由衷地觉得，后背上仿佛被抽掉了一根骨头。说白了，就是主心骨没了。

梁国辉需要从丧父之痛中康复，这的确需要时间。

李长江和白晓燕在老人病重期间，也一直陪在左右，像梁国辉的亲兄弟一样，好多事是李长江替想，替办。说友情，也无非如此了。

梁国辉说我要是再找我找傻快乐傻快乐的女人，什么想法都没有，就是快乐。郑洁就是想法太多。

李长江坚决不同意梁国辉再找。李长江说看人得看事，你看看郑洁为老爷子做的这些事儿，有几个女人能做出来。我觉得她不错，不易。

李长江还说，梁国辉我天天看着你，你什么都能干，就是不能去胡来。因为你受的刺激太大，你现在所有的决定都是错误的。

时间一天一天过去，白晓燕怀孕了。李长江欣喜若狂。

老天在他们相互融合之后赐予了他们一个新的生命——白晓燕充满幸福地抚摸着自己隆起的肚子，坐在台下看着她的学生们唱着《贵妃醉酒》。

李长江去医院，把这消息告诉了梁国辉。

梁国辉也是开心的。但是他自己开心不起来。

丁超仍然天天泡在书吧里，很少见人，唯一的交往，大概就是海涛了……

海涛在上初三，接近中考，正是最紧张的时候。丁超能给海涛讲题，但是看到海涛的紧张，丁超也觉得失落……他当初曾是学校里的尖子生来着，可现在怎么样，同学们差不多都上大学了，就他这么漂着……

海涛问丁超还想上大学吗？

丁超说，他觉得高考像刑场。

丁超和海涛之间，一个是精神病人，一个是病人家属的孩子，想不到建立了一种深深的友谊。海涛的心事，也愿意跟丁超说。有时候，丁超也跟着海涛到家里去吃顿炸酱面……

刘彪现在忍着，不喝酒了，光是手忙脚乱地干活，见到丁超也高兴，说是病友，也像是战友一样的亲热……丁超喜欢海涛家住的大杂院，喜欢大杂院里那种热火朝天的生活……

丁教授来送饭，走到小马路的中央……

一辆自行车刷地过去，丁教授躲避，一脚踏空，落在旁边的坑里，可本能地要保护手里的饭盒，人摔倒了，饭盒还举着……

丁超在屋里看见了，冲了出来，冲上去扶丁教授……

父子俩，好多年，谁都没碰过谁了……

丁超使劲地拉，拽起丁教授……

丁教授笑道：没事没事，你不用拉我，你把饭接过去就行了……

人在地上，可是饭盒高举着……这一幕也是动人的！

丁超把饭盒接过去了……

丁教授自己爬起来了，顾不上身上的土，也顾不上伤着没有，笑，真高兴！

丁教授说：你看饭盒还好好的，底下是粥，你看一点儿都没洒出来。

丁教授看着丁超吃饭……丁超就是没话，也不抬头……

丁教授手里拿的也是那本书——《世界上最疼我的那个人去了》。

丁教授说：世界上最疼你的那个人……我不知道，在你心里是谁……

丁超光吃饭，不说话，但是也没躲……

丁教授说：这几天不知道为什么，也许是老了吧，老是往以前想，老是想以前，就想起你出生的时候了……

丁超没抬头，停了，看得出来在听……

丁教授说：生你的时候，我不是教授，连副教授也不是，就是大学里一个普通的助教……你妈那时候就在图书馆工作……

丁超听着……

丁教授说：有一天，比这略晚一点，你妈肚子疼了……我急急忙忙地打了个车送她上医院……那时候，没有出租车，这个城里屈指可数的出租车是给外宾用的，而且也贵得要死，起价就是两块……可是那天也许是老天帮我，我就打着出租车了……

丁超听着……

丁教授说：到了医院，你妈紧急地被送进了产房……我在外面等着，等着，着急，真是一分一秒地往前熬，时间觉得被拉得特别长……你妈是不是安全啊？是男孩女孩啊，是不是母子平安啊？……脑子里全是这个……

……

丁教授说：那天在外面等着当爸爸的也不是我一个，是三个，都在等。听见里面"哇"的一声孩子哭了，我们三个都跳起来了。接着护士从里面出来了，叫的是你妈的名字……宁馨，谁是宁馨家属。……我赶快说是我。护士说是个男孩，母子平安啊。

不知道什么时候，丁超抬头听着父亲讲了……

丁教授说：你知道护士的声音是特别平淡，特别职业化那种，就告诉我那么一句，是个男孩，母子平安啊。可我觉得那声音美得真是好听！我一下就哭了……小超，我从来没跟你说过，你不知道我当时心里的感觉，那种感谢上苍感谢生命的感觉，那种生命延续的感觉……

父子俩四目相对，丁教授眼睛湿了……

丁超忙把目光错开了……

丁教授说：这些天，爸爸一直在反思，反思在你成长的过程中造成的错误，从你呱呱坠地到长大成人……儿子，爸爸知道自己不是一个好父亲，好多事做得都是不对的，我真心地跟你道歉……我现在真的明白一个道理——成长比成功更重要……健康比什么都重要……

丁教授抹着眼泪……

丁超听着听着，眼睛湿了……他也抹着眼泪，就是一句话都没说。

一天，刘彪在街上邂逅了一个发小……

两个人聊起小时候的事情，聊起有一回冬天几个伙伴一块出去，冰天雪地的几个人偷着喝酒御寒……说着说着，刘彪不说话了。

这个发小已经好久不见刘彪，并不知道刘彪生活中发生过什么。

他拉着刘彪去饭馆吃饭。刘彪想回家告诉一声，发小嘲笑他你还妻管严啊？

刘彪跟着走了……

饭都摆好了，可刘彪没回来吃晚饭……

国华和海涛都慌了……

国华说找去。起身就往外走……

在饭馆，发小把酒杯放在刘彪面前……

刘彪慌了：你喝，我不喝，我戒了。

发小端着小酒盅：假招子！我都戒二十回了，这不还喝着呢吗？明儿再戒，不晚！

说着把酒给刘彪满上了……

刘彪深吸了口气，桌下的手蠢蠢欲动了……

发小说：来啊，端杯子……

刘彪端起了酒杯……他把酒杯端下来，一翻腕子，手朝下，酒全洒地上了……

发小愣住了……

刘彪说：我真的把酒戒了！戒了就是戒了，这辈子我要是再喝，下辈子我刘彪就不是人！

刘彪从小酒馆出来了，高兴，自己都觉得自己换了一个人了……

国华和海涛找见他了，着急……

国华说：你去哪儿了啊，快急死我们了……

刘彪停了，看着娘儿俩笑：……我刚才上酒桌来着……

国华一听就要摔跟头，海涛忙把她扶住了……

刘彪说：你倒是听我说完了啊……我真觉得我挺牛的！国华，海涛，我挺牛的！酒就在我眼前，我都端起来了，可我滴酒没沾！

国华和海涛都惊讶了……

刘彪说：犯什么愣，犯什么愣啊？牛不牛？牛不牛？他拍着胸脯：我刘彪在酒桌上扛住了考验，我真戒了！戒了！

国华和海涛一下都笑容满面了，不知道该说什么了……

刘彪牛气冲天了：走！回家，今天晚上咱们吃炸酱面……我亲手给你们娘儿俩做炸酱去！

丁超坐在桌边，正捧着书边看边掉泪，那书的名字还是《世界上最疼我的人去了》。

梁国辉来了，丁超也没发觉……

梁国辉在对面坐下了：可别真等到世界上最疼你的人都去了，再坐这儿掉眼泪……

丁超愣住了，拿开书，看见梁国辉就站起来：叔叔，您怎么来了？

梁国辉拿过那本书，《世界上最疼我的人去了》，翻看着说：同样的书啊，我再给你推荐一本，叫《妞妞》。那是一个父亲写的。写的是他的女儿，叫妞妞，出生不久，就发现得了癌症，这位父亲，还有妞妞的母亲，陪着孩子心惊肉跳地过了两年多，非常非常想挽救孩子的生命，可是最终，他们还是没能保住这个幼小的孩子，这个孩子还是永远离去了……

丁超听着……

梁国辉又说：那本书和这本书相反，这本书，是世界上最疼孩子的母亲去了……那本书，是父母最疼爱的一个孩子去了……不管怎么样，都是永远的分离……

梁国辉说着，掏包，把《妞妞》放在丁超面前了……

梁国辉又说：抽空，你好好看看这本书，因为这本书写得太好了，被翻译到国外，成为好几家医学院学生的必读书，因为，这本书告诉医学生一个痛失爱女的父亲的深切悲哀，绝对能激发起一个医学生挽救病人生命的强烈愿望……

丁超拿着书，翻看，不说话……

梁国辉说：世界上的父母有很多种，但是心是一样的……有的父母含辛茹苦，把孩子养大了；有的父母含辛茹苦抚养孩子，却没养大……不管养大还是没养大，丁超，做父母的，都是含辛茹苦……

丁超听着……

梁国辉又说：你父母养你这么大，一定也用得上这四个字，含辛茹苦。只不过，他们到底吃了多少苦，不一定会告诉你。

丁超听着……

我再给你讲一个故事吧……有一天，佛祖释迦牟尼带着弟子们在街上走，看见了一堆白骨，佛祖五体投地，恭敬礼拜。弟子们不解，佛说这一堆白骨是我多生父母。如果是男骨，色白且重；如果是女骨，色黑且轻。佛说，如果一个人，左肩挑着父亲，右肩挑着母亲，穿透自己的骨髓，血流成河，受这么大的苦，用百千劫的时间绕须弥山，都报不尽父母一世生养的恩德。……可见父母恩重如山，我们怎么报答都报答不完……这本经书我建议你也看一看，这本经书的名字就叫《佛说父母恩重难报经》……梁国辉说着，又把一本书放在丁超面前。

梁国辉说：丁超，记住叔叔一句话，百年之聚，终有一别。多亲的人，都有永远分别的一天，不要真等到最疼你的人去了，才想到珍惜，到那一刻就一切都来不及了……

丁教授这天在系里的大阶梯教室上课……

丁教授说：今天这堂课，我想讲一讲建筑在人类文化学上的意义，我想讲一讲庞贝古城，然后讲一讲，关于毁灭……

丁教授说：……一座建筑也好，一座城市也好，没有一样东西，会永恒的存在……就像伟大的庞贝古城，当初建立这座城市，不知道多少建筑师雕刻家付出过艰辛的努力！而且是几代人的努力，每一个石柱，石柱上的每一个花纹，都滴下过雕刻家的汗水……但是就是这样一座伟大的城市，也挡不住一次火山爆发被埋葬的命运……

后面的门被推开一条缝，丁超悄悄进来了，在最后面的椅子上，悄悄坐下……

丁教授说：我想说的是，无论我们付出什么样的努力，没有一座建筑，会永恒存在，所有的一切，无论当初多么繁华，多么伟大，多么金碧辉煌，建筑，都有变成灰烬的一天，如同伟大的圆明园毁于战火……更多的建筑，是被时间所毁灭，因为，所有的建筑，它在风里，在空气里，而风和空气，无孔不入……

丁超静静地听父亲讲课……

丁教授说：跟伟大的永恒比起来，这听起来，像是一个悲剧……但是人类从来不会因此停下创造的脚步，任何一个时代，任何一个人群中，都有优秀的建筑师，优秀的艺术家，为那个时代，乃至后世几代，几十个世代，几千年，几万年，留下宝贵的精神财富……

绿色的树，蓝蓝的天，阳光灿烂……

丁教授又说：一座好的建筑，或者是一座建筑得很好的伟大城市，像一部好书一样，来自伟大心灵的宝贵血脉，让我们的精神生命得以延续。只有历史上那些最具天赋的作家，最具天赋的建筑家，才能使我们的灵魂受到真正的震撼……在人类的历史上留下难以磨灭的光辉，这光辉反过去，把人类走过的历史映照得金碧辉煌……

丁超听着……

光影变换，时光流逝……

下课了，学生走光了，教室里就剩下父子两个人……

父亲在讲台上……

儿子在大阶梯教室的后面，离得很远……

良久……

丁超说：爸爸，以前我从来没听过你讲课，原来你讲课是这样的……以后，你上课，我来旁听……好不好？

丁教授坐在讲台后面，椅子上，手抖了，想点烟，一点，再点，没点着……

丁超又说：爸爸别抽烟了，对身体不好。

丁教授把烟揉了：行，不抽了，戒了。我明白，健康最重要。什么也没有健康重要。

隔着大阶梯教室，隔着那么多排椅子，父子对望着，和解了。

什么叫失而复得，也许，这是最宝贵的一种……

郑洁辞职未成还是想离开重症监护室，把请调报告递给了医院……

就在这时梁国辉来了。梁国辉跟郑洁说你还是别离开重症监护室吧。

为什么。

我当过病人家属，我知道我需要你。病人也需要你。……我觉得，你是一个不错的医生。

郑洁的眼圈红了。

梁国辉搂住了郑洁的肩膀。

梁国辉拿出华硕的新婚请柬。让郑洁看了一眼。

这回华硕是真的要结婚了。梁国辉说。

这回不会又是骗人的吧？郑洁问道。

梁国辉说：不会吧。

郑洁问：你去吗？

梁国辉说：去啊。我心里又没鬼，为什么不去啊？

郑洁又问：你心里真的没鬼？

梁国辉说：真的。

梁国辉拉住了郑洁的手。郑洁挣，再挣，没挣开。

梁国辉说：别挣了。我不撒手你再挣也没用，跑不出我的手心。

郑洁说：讨厌。

梁国辉说：走，走啊，跟我走！

郑洁说：去哪儿啊？

梁国辉说：领证去啊。……结婚，不就结婚吗？跟谁叫板啊？谁不会啊？咱们也去领证，结婚，办喜事！

郑洁停了。

梁国辉拉郑洁：走啊？

郑洁说：咱俩还真接着过啊？

梁国辉说：你找到比我更好的咱俩再离啊，还怕到时候我舍不得放你啊？放心，你不抢手了，再离的话你就得找老头儿了。

郑洁说：讨厌。

梁国辉停下来，看着郑洁的脸：带镜子了吗？你眼影花了。

郑洁忙停下来掏镜子。

梁国辉说；你看你瞎折腾吧，你眼角多了好几道皱纹，看见了吗？

郑洁说：胡说，在哪儿呢？

梁国辉凑上去指：这儿，这儿，这儿，三道，看见了吗？以前没有。……老了，郑洁同志。

郑洁抬头，看着梁国辉的脸。

梁国辉笑眯眯的，一脸狡黠。

郑洁道：我老了，你年轻？

梁国辉笑：我的心永远年轻。

郑洁道：你就想说你的心永远不老实呗……

……

梁国辉和郑洁和好了，继续过中年人的日子，肩膀上扛着该中年人扛的一切……这并不意味着他们今后的生活就再也没有波澜……谁也不能保证有一天不再因为某个突如其来的原因而再兴风浪……

梁思宇看着郑洁上了汽车，开车走了……

梁思宇问：爸，您说往后我妈是不是就踏实了，就不折腾咱爷俩了吧？

梁国辉说道：不可能。你妈还没到更年期呢。

梁思宇哑然。

梁国辉又说道：再说了，我也没到更年期呢。到时候谁比谁能折腾那可难说。

梁思宇想逃跑了：……爸，有逃跑的办法吗？

梁国辉问：逃跑？往哪儿跑？

梁思宇答道：我想回到我诞生前的星球去。

梁国辉给了儿子一巴掌：想逃跑？那你得先把你这辈子该尝的滋味儿尝完喽。你爸你妈还没老呢。有一天，你得收你爸你妈的骨灰。

梁思宇抱住了梁国辉的肩膀：爸，我准备以后对你好点儿。我准备以后听你的话。我准备以后做一个好男人。

梁国辉笑了。